나랑 해요,
도련님

2

2

# 나랑 해요, 도련님

린혜 장편소설

D&C BOOKS

8. 보고 싶어서 왔어요······························ 7

9. 함께 있으면 행복한 사람 ························ 63

10. 알 수 없는 꿈································· 115

11. 악몽에 박제된 남자 ···························· 167

12. 밝혀지는 진실································ 219

13. 완전한 이별, 완전한 사랑 ····················· 269

에필로그································· 311

외전 1 : A Midwinter Night's Dream ·············· 349

외전 2 : Bitter-Sweet, Memories ················· 377

# 8. 보고 싶어서 왔어요

## 8. 보고 싶어서 왔어요

고요한 사무실에 중년 남자의 목소리가 낮게 울려 퍼졌다.

"네, 그렇게 진행해 주십시오. 빠른 처리 부탁합니다."

전화를 끊은 비서실장, 김규태가 테이블 앞으로 다가갔다. 테이블에 올려 둔 서류를 한 장씩 넘겨 보며 살펴보던 진혁이 고개를 끄덕였다. 보고하라는 눈짓에 김 실장이 입을 열었다.

"부사장님, 작업 완료했습니다. 내일 뉴스 확인하시면 될 것 같습니다."

진혁은 며칠 동안 재섭의 과거 행적을 캐냈다.

클럽에서 문란하게 놀다가 찍힌 사진. 이전의 연인과 사귀던 도중 바람을 피워 남겨진 기록들. 중학교 시절, 같은 반 친구를 괴롭혔던 전적.

그를 완전히 연예계에서 묻어 버릴 건수가 화수분처럼 터져 나왔다. 여태껏 하나도 들키지 않았다는 게 신기할 따름이었다.

"수고했습니다."

진혁은 만족스러운 미소와 함께 서류를 덮었다.

앞으로 한재섭은 인생의 낭떠러지란 낭떠러지를 죄다 마주하게 될 터였다. 애석하게도 빠르게 전부 다 터트려 줄 생각은 없었다.

한 가지 일이 겨우 무마되겠거니 싶을 때마다 새로운 절망을 맛보게 할 계획이었다. 하나가 해결되면, 또 하나의 문제가 발생하는 것처럼.

"또…… 부탁하셨던 일도 해결했습니다."

"영상은 완전히 삭제했습니까?"

"네, 원본 전부 확인하고 삭제했습니다."

이미 낮에 스튜디오에서 벌어진 일도 전해 들었다. 연우가 참지 못하고 한재섭에게 손을 댔다고.

미리 붙여 둔 기자에게서 증거 자료까지 넘겨받았다. 마침 근처를 지나가던 스태프 중 하나가 폭행 장면을 녹화한 모양이었다.

'쥐새끼 떼어 내는 데 재주가 부족해, 그 녀석은.'

진혁은 그 자료를 언론사에 넘기는 대신, 흔적도 남기지 않고 삭제했다.

영상을 넘겨준 인물도 마찬가지였다. 금전을 받고서 원본을 지웠다. 모든 건 진혁의 뜻이었고, 조용히 이번 일을 묻기 위함이었다.

"완벽하게 마무리했네요."

연우가 아무리 제 눈에 거슬린다고 해도, 어쨌든 차강태의 아들이었으니까.

만약 이 문제가 터진다면, 그 책임은 연우가 아닌 진혁에게 돌아올 터였다. 연우를 끔찍이 사랑하는 아버지, 차강태 회장의 손에 의해서.

'구질구질한 집구석 같으니······.'

진혁은 실소를 머금으며 한숨을 내쉬었다. 이런 썩어 빠진 집안에 순수한 세희를 들이려던 것부터가 잘못된 일이었다.

그때는 세희만이 자신의 숨통이었으니 어쩔 수 없다고 합리화했다. 당시엔 현실을 버티기 위해서 세희를 사랑했고 곁에 두었으니까.

하지만 지나고 생각해 보니, 그건 세희를 고립시키고 절망에 빠트리는 짓이었다. 저 하나 살자고 그녀를 지옥으로 내미는······.

"김 실장."

"네, 부사장님."

초조하게 테이블을 두드리던 검지가 툭, 멈추었다.

"지난번 부탁한 자료, 찾았습니까?"

진혁의 말에 김 실장의 얼굴이 돌처럼 굳어졌다. 아마도 그가 직접 조사한 서류의 내용 탓인 듯했다. 그는 가방을 뒤적여 좀 더 단단히 봉해진 서류 봉투를 꺼내 건네주었다.

"네, 찾았습니다."

진혁은 망설임도 없이 건네받은 봉투를 뜯었다. 그동안

미묘한 긴장감이 흘렀다. 이윽고 봉투에서 튀어나온 건 친자 확인 유전자 검사의 결과지였다.

상단에 적힌 이름과 결과를 확인한 진혁의 얼굴이 서서히 일그러졌다. 그간 의심으로만 치부했던 문제에 확신이 꽂히는 순간이었다.

"그래, 결국······."

진혁이 서류를 강하게 구겼다. 어느 정도 예상했던 결과였으나 참담했다.

"이따위 결과를 내 눈으로 직접 확인하게 되는군."

파도처럼 밀려오는 허탈함을 무기력하게 맞이하던 진혁이 쓰게 웃었다. 미소를 지었지만, 금방이라도 쓰러질 것처럼 위태로운 모습이었다.

"참 우스운 일이지. 안 그렇습니까?"

"······."

"악착같이 올라온 이 자리의 정당성을, 한 방에 무너트릴 게 존재했다니."

무거운 침묵이 사무실을 가득 채웠다. 어찌할 바 모르는 김 실장의 이마에 식은땀이 맺혔다.

'차라리 내 손으로 먼저 알아낸 게 다행인지도 모르겠군.'

진혁은 묵묵히 마지막 서랍의 잠금장치를 열었다. 그가 던진 서류 봉투가 낡은 시계 상자 위에 툭 떨어졌다.

은밀하게 숨겨 둔 서랍 속 물건들을 바라보는 그의 눈빛이 어둡게 잠겼다.

"어쨌든, 수고했습니다. 김 실장한테 부탁하길 잘했군요."

"부사장님, 이번 일은 절대 발설하지 않겠습니다."

그 충성스러운 대답에 진혁이 작게 웃었다. 아주 잠깐이 었지만, 위로라도 받은 것처럼 긴장이 풀렸다.

"김 실장."

곧 무감한 얼굴로 돌아온 진혁이 짧게 응답했다.

"믿겠습니다."

이 문제는 적어도 세희의 귀에 들어가서는 안 될 일이었 다. 연우와 진혁이 한 핏줄이라고 철저히 믿고 있을 그녀에 게만은.

'절대로, 그런 일이 있어선 안 돼.'

연우를 사랑할 빌미를 조금이라도 안겨 주고 싶지 않았다.

어둠 속에서 진혁의 새카만 눈동자가 서늘하게 반짝였다.

같은 시각.

세희는 한숨을 내쉬면서 고개를 높이 들었다. 그녀는 현 재 고급 아파트 단지 입구에 서 있었다. 이미 늦은 시간이었 고, 연우가 사는 동네였다.

"미쳤어, 문세희……."

지난번, 술에 취해서 그의 집에서 하룻밤을 보냈던 기억 이 아직도 선명했다. 그 기억에 의존하여 찾아왔지만, 정확 한 호수가 기억나지 않아 머뭇거리는 중이었다.

'여기가 어디라고 찾아와? 그냥 문자나 남겨 두면 될걸.

괜히 청승 떠는 것처럼.'

세희는 괜스레 가방끈을 만지작거리며 가로등 아래를 서성였다.

근처를 지나가던 행인 몇몇이 그녀의 모습을 힐끗거렸다. 혼자서 오밤중에 이런 곳을 서성이니, 뭐 하나 싶기는 할 터였다.

세희는 민망함에 볼을 긁적이며 시선을 피하기 바빴다.

"어떡하지……."

어젯밤, 세희는 연우와 있었던 일로 한참이나 잠을 이루지 못했다. 그동안 살아온 기억을 더듬어 보며 생각에 잠길 정도였다.

연우와 나눴던 대화가 가슴에 강하게 박혔으니까.

*'혼자서 아무것도 모르다가, 나중에 다른 사람을 통해 깨닫는 게 더 끔찍해요. 모르겠어요?'*

연우는 확실히 그간 세희가 경험했던 사람들과 달랐다. 다정하고 배려가 많았으며 타인의 마음에 쉽게 공감했다.

그런 사람이기에 더욱 대하기 어렵고 신기했다. 세상에 이런 유형의 사람도 존재했구나 싶어서.

'한 번도…… 그런 말을 들어 본 적이 없었어.'

세희는 진혁과 연애했던 당시를 떠올렸다. 차진혁은 굳이 표현하자면, 그녀와 비슷한 성격이었다.

마음속 이야기를 털어놓는 일에 거부감이 컸고, 타인에게 공감받기를 원하지도 않았다.

힘든 일이 닥치면 도움을 구하기보다 스스로 해결하는 편이 익숙했다. 자신의 외로움을 남의 일처럼 관망한다는 점마저 세희와 똑같았다.

'괜히 내 일로 신경 쓰게 하는 건……민폐잖아요. 연우 씨한테.'

'민폐 아니에요, 세희 씨.'

그랬으니, 세희에게 그런 말을 들려준 사람은 연우가 처음이었다.

세희는 목이 꽉 조여드는 느낌을 받으며 미간을 좁혔다. 회의실에서 보았던, 연우의 상처받은 눈빛을 떠올리면 숨이 꽉 막혔다.

"이런 기분, 불편한데……."

넘실대는 감정이 자꾸만 눈가로 몰려와 뜨거워졌다.

그녀는 필사적으로 널뛰는 감정을 다스리며 고개를 가로저었다. 어린애도 아니고, 다 큰 성인이 이런 일로 울 수는 없었다.

'다시 만나면 뭐라고 말할까. 미안하다고? 아직도 화가 났느냐고?'

연우는 화가 나지 않았다고 설명했지만, 그게 과연 진심일까.

이번 일로 완전히 제게서 정나미가 떨어지지 않았으면 다행이었다.

'연우 씨가 나한테 중요한 사람이 아니라서, 설명해 주지 않았던 게 아닌데.'

중요한 사람이기 때문에 숨기고 싶었던 일이었다. 걱정을 끼치고 싶지 않아서, 그만큼 신경이 쓰이는 사람이라서.

세희는 진작 이 말을 그에게 들려주지 못한 것을 깊이 후회했다.

"바보 같아."

연우가 현재 어디 있는지, 퇴근은 했는지 아무것도 모르는 상황이었다.

머릿속 생각도 다 정리하지 못했는데, 이럴 때 그를 만난다면 어떻게 될까. 마주친다고 한들 제대로 말 한마디 꺼내기도 어려울 터였다.

다시 웃는 얼굴로 대하고 싶었지만, 연우가 제 사과를 받아 줄 거라는 보장도 없었다. 아니, 오히려 뻔뻔하다고 생각하지는 않을까.

"하……."

속상한 마음에 한숨만 푹푹 나왔다. 그러는 동안에도 밤은 점점 깊어졌고, 쌀쌀한 봄바람이 코트를 스쳤다.

세희는 코트 자락을 단단히 여미면서 미련 가득한 눈길로 아파트를 보았다.

'그만 돌아가자. 어차피 지금은 만나도, 오래 대화하기 어려울 테고.'

그녀는 실망 가득한 마음을 끌어안고서 느린 걸음을 옮겼다. 차라리 나중에 생각이 좀 더 정리된 다음 찾아오자고 생각한 찰나.

"!"

문득 횡단보도 건너편의 신호등이 눈에 들어왔다. 정확히는 신호등 아래 서 있는 인물에게.

"아……."

마스크를 쓴 남자가 믿지 못하겠다는 표정으로 그녀를 응시했다. 눈이 마주친 세희가 저도 모르게 남자의 이름을 중얼거렸다.

"여, 연우 씨……."

신호등에 파란불이 들어오자 연우의 어깨가 움찔 흔들렸다. 그는 천천히 걸어오면서도 그녀에게서 시선을 떼지 못했다.

흐릿하게 보였던 그녀의 윤곽이 서서히 분명하게 드러났다. 연우의 심장도 조금씩 속도를 높여 뛰기 시작했다.

'정말…… 세희 씨인가?'

혹시나 했던 마음에 확신이 생기자, 연우의 걸음이 점점 빨라졌다. 점점 가까워지는 그의 모습에 세희도 마른침을 삼켰다.

이상한 긴장감이 온몸을 에워쌌다. 이해할 수 없는 혼란도 함께였다. 그토록 원하던 순간인데도 당장 도망치고 싶을 만큼 떨려 왔다.

"세희 씨."

마침내 연우가 세희의 눈앞에서 걸음을 멈추었다. 세희는 그의 뒤편으로 빨간불이 들어온 신호등을 확인했다.

이제 되돌릴 수 없었다. 마주한 이상, 대화를 나누어야 했다.

"저기, 연우 씨……."

힘겹게 고개를 든 세희가 연우의 얼굴을 직시했다.

마스크를 쓴 탓에 표정을 확인할 수는 없었지만, 적잖이 놀란 눈치였다.

세희는 용기를 끌어모아 간신히 입술을 뗐다.

"연락 없이 와서 미안해요. 아니, 우연히 지나가던 길이었어요. 정말 우연히……."

대체 무슨 수로 이 앞을 우연히 지나간단 말인가.

하고 싶은 말이 쌓였는데, 당황한 나머지 이상한 변명만 튀어나왔다. 변명이라는 건 연우도 금방 알아차렸을 게 분명했다.

"그러니까, 저는요."

횡설수설하던 세희의 얼굴이 점점 발갛게 물들었다. 이게 무슨 난리인가 싶었지만, 한편으로는 잘되었다는 생각도 들었다.

겨우 마주한 연우의 얼굴을 보니 반가움이 앞선 탓이었다.

"저는……."

얼른 이 답답하고 불편한 대화를 끝내고 싶었다. 따듯한 연우의 마음에 입혔던 상처를 지워 주고도 싶었다.

결국, 세희는 머릿속 말을 다 정리하지 못하고 충동적으로 내뱉었다.

"……보고 싶어서 왔어요."

부연 설명도 없고, 느닷없이 튀어나온 진심이었다. 짧고 단호한 말에 연우의 눈빛이 크게 흔들렸다. 그가 놀라서 크게 숨을 들이마시는 게 느껴졌다.

"그냥…… 보고 싶어서."

"……."

"그래서 왔어요."

차마 연우의 표정을 확인하기 무서웠다. 아직 마음이 풀리지 않았으니, 돌아가라고 할까 봐 두려웠다. 굳이 여기까지 찾아올 필요 없었다면서 타박할까 봐 무서웠다.

"미안해요. 아직 나 만나는 게 불편할 거 알아요."

세희는 덜덜 떨리는 손으로 가방끈을 꽉 움켜쥐었다. 진심이 담긴 말을 한마디 한마디 조심스럽게 뱉어 낼 때마다 심장이 쿵쿵 뛰었다.

"그런데 더 기다리기 힘들어서…… 와 버렸어요."

입을 조금만 더 크게 열면, 요란하게 울리는 심장이 그대로 튀어나올 것만 같았다.

감춰 둔 속내를 밝히는 건 생각보다 훨씬 더 부끄러운 일이었다. 동시에 후련하고 속 시원한 일이기도 했다.

가슴을 답답하게 억누르던 갈등이 깨끗하게 쓸려 내려가는 느낌이었다.

"쭉 사과하고 싶었어요. 연우 씨가 충분히 서운할 일이었죠. 연우 씨가 똑같이 행동했다면, 나도…… 계속 신경 쓰이고 섭섭했을 거예요. 화가 났을 거예요."

그랬다. 한바탕 말을 쏟아 내고서야 세희도 연우의 감정을 이해했다. 의지가 안 되는 사람인가 싶어서 서운했다는 그의 말이…….

'이전 남자 친구?'

'제가 거기까지 대답해야 하나요?'

'대답해야죠. 연우한테도 피해가 가게 생겼는데.'

유미가 제 앞에서 연우의 일로 항의할 때마다 미묘한 짜증이 부풀었던 이유도 알 것 같았다.

아마 연우의 감정이 이것과 비슷했으리라. 호감 있는 사람과 관련된 일을, 굳이 남의 입을 통해서 듣고 싶지 않다고.

"이 말을 꼭 하고 싶었어요."

솔직한 고백을 끝으로 세희가 등을 돌렸다. 더는 연우의 앞에 서 있기 부끄러웠다. 찾아왔다는 걸 들킨 것만으로도 이미 최대치였다. 그녀는 허둥지둥 중얼거렸다.

"이만 갈게요. 귀찮게 굴어서, 미안……."

그 순간, 조심스러우면서도 강한 힘이 그녀를 뒤에서 끌어안았다. 따듯한 품에 와락 안긴 세희가 흠칫 놀라 굳었다.

어느새 마스크를 내렸는지, 연우의 숨결이 가까이서 느껴졌다.

"나도 보고 싶었어요."

연우는 세희의 목덜미에 고개를 파묻은 채 속삭였다.

"먼저 와 줘서, 용기를 내 줘서 고마워요. 정말……."

그의 입술에 닿은 살갗이 간질거렸다.

연우의 집으로 향하는 동안 두 사람 사이에는 약간 어색한 공기가 흘렀다.

연우는 그녀를 끌어안은 다음부터 한마디도 꺼내지 않았

다. 그건 세희도 마찬가지였다. 서로 무슨 말로 대화를 이끌어야 할지, 감도 잡히지 않았으니까.

'어쩌자고 여기까지 들어왔담.'

자연스레 들어온 현관 앞에서 세희가 멍하니 구두를 벗었다.

천천히 둘러보자 이전과 크게 다르지 않은 거실의 풍경이 보였다. 여전히 깔끔하게 정돈된, 그야말로 연우와 비슷한 분위기의 집이었다.

"세희 씨."

손을 씻고 부엌으로 향한 연우가 냉장고를 열었다.

"음료, 뭐가 좋아요? 커피, 주스?"

그의 부름에 화장실로 걸어가던 세희가 멈칫하고 돌아보았다.

"너무 늦었으니까 주스로 부탁할게요."

"이리 와서 기다려요. 금방 줄게."

세희는 서둘러 손을 씻은 다음, 그가 권한 의자에 앉았다. 넓고 깨끗한 테이블에 곧 유리컵 두 개가 나란히 놓였다.

세희는 오렌지 주스를 따라 주는 연우를 보다가 문득 무언가를 발견했다. 연우의 손등에 갑자기 생긴 상처였다.

"다쳤어요?"

연우가 오렌지 주스를 옆에 치워 두는 순간, 세희가 그의 손을 잽싸게 낚아챘다. 코앞으로 손을 끌어당겨 확인하니 상처가 한눈에 들어왔다.

"오늘 다친 거예요? 아직도 피가 맺혀 있는데."

연우는 움찔하면서도 손을 빼지 않고서 맞은편에 앉았다.

대답하지 않았지만, 걱정스레 상처를 살펴보는 세희의 시선이 내심 기쁜 눈치였다.

"이대로 두면 흉터 생겨요."

"금방 아물어요."

"아뇨, 연고라도 바르는 게 좋겠어요. 모델이 몸에 상처가 있으면 어떡해요."

세희는 제법 심각한 표정으로 혼내듯 속삭였다. 눈처럼 하얗고 예쁜 손등에 상처가 생기니 속상했다. 그녀는 서둘러 핸드백을 뒤적이더니 자그마한 파우치를 꺼냈다.

'정말로 흉터가 남지는 않겠지?'

파우치를 탈탈 털어 내자 화장품 사이로 연고와 반창고가 튀어나왔다. 세희는 뚜껑을 돌려 갈색 연고를 덜어 내고서 연우의 손을 당겼다.

연우는 조심스럽게 손등을 내어 주며 가만히 그녀를 응시했다. 집중하느라 주름이 깊게 박힌 이마가 귀여웠다.

"왜 웃어요?"

시선을 느낀 세희가 쭈뼛쭈뼛 물어보았다. 연우는 평온하게 그녀의 반응을 살피다가 툭 내뱉었다.

"그냥, 좋아서."

느리게 반창고를 뜯던 손이 멈칫, 굳어졌다. 올라간 시선 끝에 반달처럼 휘어진 눈매가 닿았다. 연우가 턱을 괴고 특유의 눈웃음을 짓고 있었다.

"세희 씨가 나 보러 온 게 좋아서."

"……."

"계속 웃음이 나네."

굳이 또박또박 이유를 설명해 주는 목소리가 사뭇 다정했다. 고작 찾아와서 얼굴을 보여 준 게 전부인데, 뭐가 좋다는 걸까.

세희는 들떠서 두근거리기 시작한 가슴을 애써 무시하며 반창고를 붙였다.

이윽고 멀어지려는 손가락에 연우의 손가락이 덩굴처럼 얽혔다. 손가락 사이 여린 살갗을 매만지는 느낌이 묘했다.

"오늘 낮에 한재섭 마주쳤어요."

알 수 없는 긴장감에 숨죽인 찰나, 갑자기 재섭의 이름이 튀어나왔다.

세희는 당황한 얼굴로 그를 보았다. 더 자세한 설명을 요구하는 눈빛이었다. 연우는 그녀의 놀란 마음을 달래듯 차분하게 말을 이었다.

"잠깐 다툼이 있었어요. 세희 씨가 걱정할 정도는 아니었지만, 손등은 그때 실수로 다쳤고."

"그 사람이 연우 씨 때린 거예요?"

상상만 해도 분노가 치솟았다. 역시 그날 자신을 찾아왔을 때, 조금 더 단호하게 화를 내 볼걸.

세희의 걱정스러운 눈빛에 연우가 씩 웃으며 턱을 들었다.

"내 얼굴 봐요. 다친 곳 있나."

그러더니 세희의 손을 붙잡고 제 뺨으로 이끌었다. 홀리듯 이끌린 손끝에 희고 깨끗한 피부가 닿았다.

잠시 머뭇거렸지만, 세희는 조심스럽게 연우의 볼을 손끝으로 쓸어내렸다. 지그시 눈을 감은 채, 연우가 조곤조곤 속삭였다.

"나 한 대도 안 맞았는데."

"정말요?"

"정말로. 상처 하나도 없잖아, 얼굴에."

연우가 이리저리 얼굴을 돌려 가며 보여 주었다. 동네 싸움에서 이기고 돌아와 자랑하는 아이 같았다. 문득 그가 귀엽다는 생각에 세희가 웃음을 꾹 참았다.

'다행이야. 안 다쳐서.'

확실히 상처는 어디에서도 찾아볼 수 없었다. 내심 통쾌하기도 했지만, 어쨌든 연우를 쓸데없는 일에 휘말리게 해서 미안했다.

"고마워요."

그러나 세희는 미안하다는 말 대신 감사를 전하기로 했다. 미안하다는 말이 오히려 연우에게 선을 긋는 것처럼 느껴질까 싶었기 때문이었다.

감사 인사를 받을 거라곤 예상 못 했는지, 깜짝 놀란 연우가 번쩍 눈을 떴다. 역시나 그럴 줄 몰랐다는 듯이 놀란 표정이었다.

"연우 씨 그렇게 떠나고…… 혼자서 많이 생각했어요."

세희는 고민하다가 힘겹게 입술을 달싹거렸다.

"나도 연우 씨가 똑같이 행동했다면, 서운했을 거예요."

담담하게 심정을 토로하는 세희의 목소리가 낮게 흘러나왔다. 연우는 그녀의 진심 어린 이야기에 조용히 귀를 기울였다.

"나는 그동안 뭐든지 혼자 해결하는 데 익숙했어요. 남들한테 부탁하면, 그게 곧 민폐라고 생각했고요."

세희는 다시금 어린 시절을 떠올리며 멋쩍게 미소 지었다.

평생 그게 이상한 점이라고 느끼지 못한 건, 어린 시절의 영향이 컸다. 의지할 만한 어른의 부재가 그녀에게는 크고 깊은 상처였으니까.

"아주 어릴 적부터 부모님 없이 할머니랑 살다 보니까, 남한테 도움을 구하는 일이 쉽지 않았어요."

"……."

"할머니가 돌아가셨을 때도 마찬가지였거든요. 다들 저를 못 맡겠다고 했을 때, 딱히 슬프지도 않았어요. 그런 반응이 너무 익숙해서."

세희는 대답 없이 묵묵히 들어 주는 연우에게 고마움을 느꼈다. 자신의 과거 앞에서 섣부른 동정도, 지나친 관심도 부담스러웠다.

딱 이 정도 거리감으로 들어 주는 편이 달가웠다. 어떤 이야기든 과하게 반응하지 않고 들어 주는 배려가.

"연우 씨가 처음이었어요. 남한테 기대는 일이 민폐가 아니라고 말해 준 사람."

덕분에 쑥스럽지만 솔직한 고백도 전할 수 있었다. 세희는 괜히 테이블만 힐끗 쳐다보면서 미소 지었다. 연우가 복숭앗빛으로 물든 그녀의 얼굴을 낱낱이 살폈다.

"그래서 당황했어요. 이런 말을 들어 본 게 처음이라

서…… 정말 그래도 되는 건가 싶었거든요."

남한테 기대 본 경험이 없으니, 괜찮다는 말을 들어도 실행하기 어려웠다.

불행한 결혼 생활과 유산까지 겪었던 때에도 감히 누군가에게 털어놓지 못했다. 자신의 솔직한 마음과 걱정, 앞으로 어떻해야 하는지에 대한 고민도.

세희는 언제나 마음속으로만 꼭꼭 담아 둔 채 설움을 삼키곤 했다. 어린 시절에는 그나마 흘리던 눈물도 어른이 되자 바싹 말라 버렸다.

"정말 고마워요."

세희의 손가락이 연우의 턱 끝을 스치면서 아래로 떨어졌다. 자그마한 중얼거림이 희미한 미소 너머로 새어 나왔다.

"나한테 괜찮다고 말해 줘서."

연우는 심해처럼 새카맣고 맑게 반짝이는 눈망울을 오래도록 들여다보았다. 지난 시간, 그녀가 혼자 감당했을 슬픔이 그곳에 고여 있었다.

"나야말로 고마운데. 솔직하게 말해 줘서."

연우는 멀어지던 손을 도로 끌어당겨, 입술로 가볍게 문질렀다. 그가 속삭일 때마다 간지러운 감촉이 살갗에 번졌다.

"나도 세희 씨가 어떻게 살아왔는지 모르는 주제에 함부로 말했어요. 미안해요."

"아니에요! 연우 씨는 나 대신 응징도 해 줬는데. 전혀 미안할 필요 없어요."

연우가 사과하자 세희가 허겁지겁 대답을 꺼냈다. 그런

그녀와 눈이 마주친 연우가 씩 웃었다.

"한재섭이 괜히 연우 씨한테 해코지하면 어떡하죠?"

세희는 손등에 번갈아 입 맞추는 그를 보면서 슬쩍 질문했다. 뒤늦게 걱정이 된 모양이었다.

"그럴 일 없으니까 걱정 안 해도 괜찮아요."

"그래도……."

"그 정도로 간이 컸으면, 제대로 나한테 덤볐겠죠. 꼬리 말고 도망갈 게 아니라."

연우는 안심하라고 속삭이면서 웃음을 흘렸다. 일단 믿어 보자고 결심한 찰나, 이번에는 연우가 질문을 꺼냈다.

"그럼, 이제 설명해 줄 수 있어요?"

"네?"

"그날 정확히 무슨 일이 있었는지."

아, 맞아. 아직 그때 일을 다 설명해 준 게 아니었지. 세희는 새로운 벽을 마주한 것처럼 굳어졌다.

"차진혁도 왔다면서요, 그날. 그 이야기가 너무 궁금해서 잠도 안 왔지 뭐야."

"저기, 그게……."

"말해 줄 거죠?"

연우는 그녀의 손에 주스 컵을 쥐여 주면서 다정하게 웃었다. 슬슬 집에 가 봐야겠다고 말할 분위기가 아니었다.

"천천히 말해요. 시간은 많으니까."

세희는 어색하게 웃으면서 속으로 눈물을 삼켰다.

"그래서…… 그렇게 된 거예요."

이야기를 다 들려준 후, 세희는 후련한 마음으로 주스를 꿀꺽 들이켰다.

맞은편에 앉아 있던 연우는 굳어진 얼굴로 테이블만 노려보았다. 진혁의 이야기를 들었을 때는 기가 찼고, 재섭의 이야기를 들으니 화가 났다.

또한, 자기 자신에게도 짜증이 일었다. 세희에게 위험한 일이 벌어졌다는 것도 몰랐던 자신에게. 만약 그 자리에 진혁마저 없었다면, 얼마나 더 위험했을까. 상상만 해도 가슴이 섬뜩하고 아찔했다.

"생각했던 것보다 훨씬 큰일이었네요."

다가온 손이 세희의 손등을 가볍게 토닥였다. 위로하는 손길에 세희가 부드럽게 미소 지었다. 드디어 오해가 풀렸다고 생각하니, 저절로 웃음이 나왔다.

"며칠간 부동산을 돌아다니면서 집을 알아보느라 정신이 없었어요. 연우 씨가 파리에서 돌아온 날, 만나지 못한 것도 그것 때문이었고."

"잘 생각했어요. 그 집에서는 빨리 나오는 편이 좋을 테니까."

연우가 득달같이 동의했다. 이야기를 듣는 내내 꺼내고 싶었던 말이었다.

"문제는…… 아직도 집을 못 구했다는 점이에요."

세희는 붙잡힌 손을 서서히 빼내면서 힘없이 중얼거렸다. 사실 그게 제일 큰 고민이었다.

생각보다 괜찮은 집이 없었다. 거리가 괜찮으면 가격이 부담스럽고, 가격이 괜찮으면 거리가 멀었다. 회사와 가까울수록 가격이 하늘을 찌를 듯 올라가서 고민도 깊어지기 마련이었다.

"어떡하면 좋을지 고민이에요."

"그럼……."

한숨을 내쉬는 사이, 연우가 슬그머니 고개를 기울였다. 별안간 가까워진 거리에 세희가 당황하여 눈을 깜빡거렸다.

코앞에서 마주한 연우의 눈동자가 짙고 어두운 밤색으로 일렁였다. 가늘게 뜬 눈으로 주시하는 얼굴이 묘하게 유혹하는 분위기를 풍겼다.

'뭐, 뭐지?'

갑자기 왜 이러는 건지 의아한 가운데, 연우가 세희의 손을 제 입가로 불쑥 끌어당겼다. 손을 빼낼 틈도 없이, 그의 입술이 손등을 살며시 지분거렸다.

"나랑 같이 지내는 건 어때요?"

간지러운 숨결과 함께 다정한 제안이 들렸다.

"……네?"

당황한 나머지 목소리가 뒤집혔다. 세희는 서둘러 헛기침으로 목소리를 가다듬었다. 연우는 손등에서 입술을 떼지 않고서 능청스레 권유를 이어 갔다.

"오래 머물러도 좋고, 집 구할 때까지만 있어도 괜찮고."

너무나도 달가운 내용이었지만, 부담을 가질 수밖에 없는 제안이기도 했다.

"하지만, 그건 너무……."

"편한 쪽으로 생각해요. 부담 갖지 말고."

세희는 빠르게 대답하지 못하고 망설였다. 솔직히 연우의 집 위치가 괜찮은 건 사실이었다. 회사와 적당히 가까웠고, 근처 시설도 좋았으니까.

문제는 딱 하나뿐이었다. 동거할 경우, 그 이후의 생활이 과연 평소와 같을 것인가.

'지금도 이렇게 떨리는데…….'

고작 손 하나 붙잡혔을 뿐인데도 심장이 터질 것처럼 뛰었다. 함께 살게 되면, 이런 순간이 늘어날 터였다.

그때마다 시도 때도 없이 설렌다면, 제 심장이 멀쩡하게 남아나기나 할까. 아마 연우의 앞에서 편하게 돌아다니는 일조차 힘들 게 뻔했다.

"생각 좀…… 해 볼게요."

세희가 힘겹게 대답을 쥐어짜 냈다. 그 정도로도 만족스러웠는지, 연우가 웃으면서 고개를 끄덕였다. 근사한 미소를 마주하자 세희의 귓가는 또다시 붉게 달아올랐다.

"정말 부담 갖지 말아요. 어차피 빈방도 있었고, 청소도 해 둬서 깨끗해요."

연우가 다정한 설명을 보태면서 손을 떨어트렸다. 빈 컵에 주스를 따라 주는 그의 손길이 섬세했다.

세희는 방금까지 그의 손가락이 얽혔던 자리를 눈으로 확인하면서 고개만 끄덕였다. 잠깐 주의를 놓으면, 그의 손에 닿았던 감각만 기억날 것 같았다.

"혼자 지내면 외롭기도 하고."

외롭다는 말이 묘하게 가슴에 박혔다. 세희는 가만히 시선을 올려 그의 표정을 살폈다. 그러고 보니, 혼자서 지내기엔 지나치게 넓고 조용한 집이었다. 외롭다는 그의 표현이 단번에 이해될 만큼.

'연우 씨도 성인이 된 후로 쭉…… 혼자 살았다고 했지.'

만난 지 얼마 안 되었을 때, 연우가 들려줬던 이야기를 떠올렸다. 본가에서 살다가 성인이 되자마자 독립을 선언했다고. 곰곰이 생각해 보니, 세희가 자라난 환경도 그와 거의 비슷했다.

"같이 살면, 나도 안심할 수 있으니까."

"안심된다고요?"

지나가는 말처럼 흘린 말에 세희의 고개가 기우뚱 기울어졌다. 연우는 아차 싶은 얼굴로 입을 다물었다. 물론 이미 내뱉은 말을 담을 방법은 없었다. 눈이 마주친 세희의 얼굴에 호기심이 아른거렸다.

"그게, 사실……."

연우는 머쓱하게 볼을 긁적이다가 조심히 말문을 열었다.

"세희 씨랑 통화하다가 갑자기 끊어졌을 때, 심하게 불안해졌어요. 안 좋은 상상도 떠오르고."

"아, 그래서 급하게 달려왔던 거예요?"

"맞아요."

자그마한 망설임이 연우의 입을 막았다. 어두운 과거의 일화까지 세희에게 알려 줘도 괜찮을까, 고민되었다. 괜히 그녀에게 이상한 부담이 된다면, 처음부터 이야기를 꺼내지 않는 편이 옳았다. 아마 그의 이야기에 쉽게 공감하기도 어려울 테니까.

　"듣고 싶어요. 연우 씨가 왜 그렇게 불안했는지."

　땅을 파듯 이어지던 고민이 멈춘 건, 세희의 눈을 본 순간이었다. 세희의 새카만 눈이 그의 얼굴을 오롯이 담고서 빛나고 있었다. 어떤 이야기든 자세히 들어 줄 준비가 되었다는 눈빛이었다.

　"들려주세요."

　거듭 부탁하는 그녀의 목소리에 연우는 끝내 무거운 이야기를 시작했다.

　"제 어머니가…… 돌아가신 날이었어요."

　이야기는 그리 길지 않았다. 사건만 요약하자면 아주 간단했다. 마지막으로 통화했을 때, 어머니가 교통사고로 생을 마감했다고. 너무 무서워서 다시 전화를 걸지도 못하고 끝없이 기다리기만 했다고.

　"그때 말했죠? 당시, 어머니는 암에 걸린 상태였다고."

　"네."

　귀를 기울이던 세희도, 이야기를 들려주던 연우도 모두 낯이 어두워졌다.

　"어째서 아버지가 누군지 알려 주지 않았는지, 어머니가 왜 자꾸만 배를 움켜쥐고 앓았는지…… 모든 이유를 나중에 알았어요."

연우는 흐릿한 기억 속에서 모친과 관련된 정보를 힘겹게 꺼냈다.

오래도록 소식을 끊고 잠적했던 모친이 먼저 차강태 회장을 찾아갔던 이유. 그건 연우를 호적에 올리고 보살펴 달라는 부탁을 전하기 위함이었다.

자신은 차강 그룹의 안주인 자리는커녕, 그 어떤 답례도 바라지 않겠노라고. 오로지 아들인 연우의 미래를 부탁하기 위해서……

"암이었다는 얘기를 듣고 나서야, 왜 아버지께 그런 부탁을 하셨는지도 이해가 갔어요."

세희는 반사적으로 납작한 배를 가볍게 쓰다듬으며 고개를 끄덕였다.

연우의 모친이 그때 어떤 마음이었는지, 이상하게도 공감이 갔다. 자존심마저 내팽개치고, 무슨 수를 써서라도 자식을 지키고 싶은 마음을.

"전부 저 때문이었던 거예요."

연우는 불행의 원인을 모두 자기 자신에게 돌리곤 했다. 어머니가 암인 걸 알려 주지 않고, 혼자서 행동했다는 게 슬프고 괴로웠다.

동시에 자기혐오가 짙어졌다. 자신의 존재만 아니었다면, 모친은 어떤 식으로든 살아갔을 테니까.

애초에 암에 걸린 것도 자신을 돌보다가 스트레스가 쌓인 게 원인이 아니었을까 싶은 생각마저 들었다.

"물론 어머니의 마음도 이해가 가요. 하지만…… 미리 알려 줬더라면, 나도 준비하는 데 도움이 되지 않았을까요."

연우의 미간이 서서히 일그러졌다. 괴로운 기억을 들추는 건, 오래된 상처를 제 손으로 헤집는 짓이나 마찬가지였다.

"다가올 이별을 어떤 식으로 버텨야 할지에 대한 준비."

"아뇨, 어쩌면……."

세희가 조심스럽게 연우의 말을 끊어 냈다. 덕분에 괴로운 상상을 멈춘 연우가 입을 다물었다.

고민하던 세희가 손을 천천히 움직였다. 따듯하게 붙잡는 손길에 연우의 어깨가 움찔 반응했다.

"어머니께서도 준비하실 시간이 부족하셨을지도 몰라요."

세희는 연우의 손을 꼭 잡고서 제 배를 내려다보았다. 뜻밖의 말에 당황한 듯 연우의 눈빛이 흔들렸다.

연우의 표정을 확인하지 못한 그녀가 굳은 얼굴로 과거를 회상했다.

"몸 상태를 알았더라도 남은 시간이 얼마나 있는지 정확히 모르잖아요. 자신이 없어졌을 때…… 연우 씨를 지킬 방법만이라도 얼른 알아내야 하셨을 거예요."

갑작스러운 이별을 경험했을 때. 세희는 제 창자가 갈기갈기 끊어지는 듯한 고통을 겪었다. 그런 이별은 아무리 경험해도 익숙해지지 않았다.

남겨진 자의 슬픔이 이 정도인데, 떠나는 사람의 슬픔은 어느 정도일까. 그걸 짐작하는 것만으로도 마음이 울적해졌다.

"사랑하는 사람일수록 그런 건 최대한 늦게 알려 주고 싶잖아요. 웃으면서 이야기하기엔, 너무 슬픈 일이니까."

위로조차 쉽지 않은 이야기를, 어린 아들이 받아들일 수 있을지 두렵지 않았을까. 연우는 세희의 말에 조용히 공감하면서 고개를 끄덕였다.

애초에 이별을 준비한다는 말부터 어색했다. 대체 무슨 수로 이별을, 그때 겪을 슬픔을 대비할 수 있을까. 그런 방법 같은 건 세상에 존재하지 않았다.

"저희 할머니도 그러셨어요."

세희는 조금 더 먼 기억까지 뒤적이면서 위로의 말을 찾았다. 그나마 자신이 이별에 익숙해서 다행이라는 생각이 들었다.

전혀 모르는 이야기가 아니었기에 위로할 방법도 궁리할 수 있었으니까.

"제가 어른이 될 때까지 기다려 달라고 부탁하면, 늘 말 없이 웃기만 하셨죠. 나중에 알았어요. 그게 대답이었다는 걸……."

세희의 입꼬리에 힘없는 미소가 맺혔다. 연우의 손등을 쥐고 있던 손끝이 가볍게 떨렸다. 떨림을 느낀 연우가 침묵하며 세희의 얼굴을 지켜보았다.

"대답 대신 웃어 준 것도, 할머니의 대답이었던 거죠. 어떤 말을 들려줘도 저한테 상처가 될 거라는 걸 아셨으니까."

어릴 때는 그 마음을 몰라서, 할머니를 원망했던 적도 있었다. 빈말이라도 좋으니 평생 제 곁을 지켜 주겠다는 말이 듣고 싶었으니까.

하지만 시간이 흐르고 어른이 되자 생각이 바뀌었다. 만약 그 말을 들었더라면 할머니의 부재를 견디지 못했으리라는 생각도 들었다. 지키지 못한 약속에 얽매여, 과거의 추억을 원망하기만 하면서.

"가끔은 할머니한테 철없이 말한 걸 후회했어요. 평생 내 곁에 있어 달라니, 말도 안 되는 부탁이었는데…… 그렇죠?"

솔직한 마음을 살며시 꺼내는데, 예상보다 빠른 대답이 돌아왔다.

"철이 없으면 어때요."

짐짓 단호한 대답이었다. 세희는 움찔하며 고개를 들었다. 연우를 바라보는 눈빛에 많은 감정이 담겨 있었다. 그는 단단히 손깍지를 끼고서 말을 이었다.

"사람은 누구나 이별에 서툴고, 사랑하는 사람과 이별하길 원하지 않잖아요."

그건 자신의 모친도, 세희의 조모도 마찬가지였으리라.

"할머님께서는…… 세희 씨의 그런 질문을 듣고 무척 기쁘셨을 거예요. 세희 씨가 할머님을 얼마나 사랑하는지 느껴졌을 테니까."

세희는 아랫입술을 꽉 깨물었다. 잘 참고 있었는데, 그의 말에 뜨거운 감정이 울컥하고 목 밑까지 밀려왔다. 필사적으로 참아 내자 이번에는 눈시울이 뜨거워졌다.

"꼭…… 서로 비밀 하나씩 털어놓는 기분이네요."

겨우 대화만 나눴을 뿐인데, 오래 묵은 상처 하나가 치료

된 느낌이었다. 세희는 겨우 마음을 진정시키며 어색하게 웃었다.

"이런 얘기 해 본 적 없어서, 기분이 이상하고…… 그런데 좋아요. 덕분에 처음 도전하는 게 많아요."

늦었지만, 너무 오래 그의 손을 붙잡고 있었다는 걸 자각하자 부끄러웠다. 세희는 들키지 않게 조심스레 손을 빼내면서 미소 지었다. 허전해진 손바닥을 내려다보는 연우의 눈매가 서서히 가늘어졌다.

"흠흠, 그럼…… 더 늦기 전에 갈게요. 연우 씨도 피곤하니까요."

어색해도 지금이 아니면, 집으로 돌아갈 순간을 놓칠 듯했다. 세희는 황급히 핸드백을 챙겨서 일어났다.

"오늘 얘기 많이 해서 좋았어요?"

그녀의 행동을 읽은 연우가 얄궂은 미소를 머금고 쫓아왔다. 세희는 꿋꿋이 그의 시선을 회피하면서 중얼중얼 답했다.

"네, 정말 좋았……."

"그럼, 나한테 상을 주는 게 어때요?"

무사히 현관에 도착하기 전. 갑자기 앞을 막아선 연우가 두 팔을 넓게 벌렸다. 놀란 세희가 휘청거리며 걸음을 멈추었다. 가볍게 더듬는 목소리에 당혹스러운 기색이 역력했다.

"상이요? 상이라니, 어떤."

"안아 줘요."

성큼 다가오는 연우의 앞으로 커다란 그늘이 졌다. 주춤주춤 물러나던 세희의 등이 툭 벽에 닿았다. 피할 곳이 없음을 확인한 순간, 연우는 나지막이 속삭였다.

"상은 핑계. 사실, 내가 안아 주고 싶어요."

다정다감한 요구와 함께 연우가 세희의 어깨에 팔을 둘렀다.

"지금 당장 안고 싶어, 세희 씨를……."

어깨에서 스르륵 흘러내린 핸드백이 바닥에 떨어졌다. 순식간에 단단하고 너른 가슴팍에 가둬진 채, 세희가 깊이 숨을 들이켰다.

그저 포옹만 했을 뿐인데, 맞닿은 가슴 너머로 거센 심장 박동이 느껴졌다. 요란하게 두근거리는 소리가 섞여서 누구의 것인지 헷갈릴 정도였다.

'따듯해…….'

세희는 조용히 눈을 감았다.

피오레 코스메틱은 차진혁이 부사장직에 오른 후부터 날개를 단 것처럼 성장했다.

일본과 중국을 시작으로 해외 법인 진출에 성공하면서 차진혁을 지지하는 사람도 많아졌다.

그렇게 국내에서 막 100호점을 오픈했을 때, 서른을 맞이한 차진혁은 신사옥 건설을 결정했다. 위치는 송도였다.

'너도 얼굴 한번 비쳐 줘야지.'

신사옥의 준공식이 열리던 날.

차강태 회장은 연우를 그 자리에 초대했다.

'형도 축하해 주면 좋고, 물론 네 자리면 더욱 좋았겠다만…….'

여느 때처럼 차 회장의 이기적이고 일방적인 토로가 이어졌다. 평소라면 단호하게 거절했을 제안이었다.

하지만 그날, 연우는 준공식 뒤풀이에 참석하기로 했다. 답지 않게 진혁이 보낸 문자 메시지 때문이었다.

'네가 참석해서 봐 주면 좋겠다.'

항상 자신에게 묘한 거부감을 내비치던 진혁이 처음으로 부탁한 일이었다. 그래서 제안을 거절하기가 어려웠다.

"와, 신사옥 멋지네."

파트너를 데려가야 한다는 조건에, 그날 함께 화보를 촬영했던 유미가 동행했다. 연우의 사정도 알뿐더러 마침 메이크업과 옷차림도 완벽한 파트너가 마땅치 않았으니까.

"내가 언제 이런 파티를 와 보겠어."

갑작스러운 부탁이었는데도 유미는 흔쾌히 응해 주었다. 즐겁게 웃는 유미의 모습에 연우도 담담히 답했다.

"평소에도 자주 다니면서. 익숙하지 않아?"

유미는 모친의 상태가 회복되는 동안, 주변의 권유로 방송 활동을 시작했다.

그 후 방송계에서 이름을 알리다가 뷰티 프로그램의 MC 자리를 따내면서 인기가 많아졌다.

"그래도 급이 다르잖아. 차강 그룹에서 주최하는 행사인데."

높아진 인기를 증명하듯, 입구를 통과한 순간부터 그녀를 향한 시선이 쏟아졌다. 주변의 반응이 나쁘지 않았는지, 유미는 작게 콧노래를 흥얼거렸다.

따로 움직여도 된다는 말에 그녀는 기다렸다는 듯 이곳저곳을 돌아다녔다.

그사이 연우는 조용히 신사옥의 모양새를 구경했다. 차진혁이 차강 그룹에서 그의 입지를 견고하게 다졌음을 증명하듯 휘황찬란한 건물이었다.

'급이 다르다, 라……'

확실히 급이 다르긴 달랐다. 진혁이 당장 직위를 넘겨준다고 해도, 자신은 절대 이루지 못할 성과였다.

연우는 다시금 진혁과 자신의 능력 차이를 느끼면서 실소했다. 눈앞의 화려함이 차강태 회장의 안목이 틀렸다는 걸 드러냈다.

'대체 내 어떤 부분을 믿고서 후계자 자리를 권유하는 걸까.'

피가 통한 부친이라지만, 그의 뜻을 조금도 이해할 수 없었다. 가끔은 정말로 피가 통한 게 맞는지 의심스러울 지경이었다.

'안으로 들어가도 괜찮을까.'

연우는 사람들의 눈을 피해 뒷문으로 조심히 들어섰다. 엘리베이터를 타고 위층으로 올라가니 한산한 복도가 나타났다.

복도 끝 창가에 기대자 바깥의 소음이 귓속을 파고들었다. 창밖으로 바글바글 모여든 인파가 보였다.

'바깥은 소란스럽네.'

사람들의 중심에 새카만 슈트를 입은 차진혁이 서 있었다.

조금 떨어진 곳에서 유미도 샴페인을 마시며 웃고 있었

다. 참석한 사람 중 지인이 있는지, 제법 파티를 즐기는 모습이었다.

"즐거워 보이네. 다행이야."

어려운 부탁이었는데, 유미가 파티를 달갑게 여기는 듯해서 다행이었다.

연우는 턱을 괴고서 좀 더 풍경을 둘러보았다. 그러다가 문득 진혁의 시선이 한곳을 응시한다는 걸 알아차렸다.

'어디를 보는 거지?'

그를 따라 돌린 시선 끝에는 한 여자가 있었다. 드레스가 아닌, 단정한 셔츠와 치마 차림이었다. 아마 초대받은 손님이 아니라 본사의 직원인 모양이었다.

"누구지? 처음 보는 얼굴인데……."

자그맣게 중얼거린 찰나, 마치 그의 목소리를 들은 것처럼 여자가 고개를 들었다. 여자는 이리저리 뛰어다녔는지 이마에 땀방울이 송골송골 맺혀 있었다.

질끈 올려 묶은 탓에, 하얀 목덜미에는 잔머리가 가지런하게 내려앉아 있었다. 전체적으로 깔끔하고 단아한 분위기가 느껴졌다.

"……."

분명 처음 보는 여자였는데, 이상하게도 시선을 뗄 수 없었다. 그건 진혁도 마찬가지였다. 진혁은 손님을 맞이하면서도 줄곧 그 여자를 시선으로 좇고 있었다.

"아……."

그제야 연우는 이 기억이 꿈이라는 걸 깨달았고, 동시에 여자의 정체를 알아차렸다. 차가운 인상이지만, 조용히 피어나는 미소가 꽃처럼 아름다운 여자.

그녀는 바로 문세희였다.

아침 햇살이 새하얀 이불 곳곳에 물처럼 스며들었다.

연우는 모로 누운 채, 잠든 손님의 얼굴을 물끄러미 바라보았다.

그는 습관처럼 일찍 일어나 샤워를 마치고 온 상태였는데, 머리카락을 다 말리고 돌아올 때까지 세희는 쿨쿨 잠에 빠져 있었다.

'언제쯤 일어날까.'

그는 흐뭇한 미소를 입가에 머금고서 손을 뻗었다. 새카만 머리카락을 귓가로 넘겨 줄 때마다 간지러운지 세희의 미간이 움찔거렸다.

'어서 얘기해 주고 싶은데……..'

지난밤의 꿈이 아직도 머릿속에 선명했다. 전혀 생각도 못 했다. 그런 식으로 세희와 인연이 있었을 줄이야. 눈을 뜨자마자 너무나 신기하다는 생각이 들었다.

'하긴, 그때는 얼굴만 보고 돌아갔으니까.'

그날은 세희와 특별한 대화를 나눈 것도 아니었다. 게다가 아주 밀리 떨어져 있었고, 시선이 마주치지도 않았다.

그랬는데도 단정하고 깔끔했던 세희의 분위기가 머릿속

에 박힌 모양이었다. 어쩌면 진혁이 빤히 응시하던 여자이기 때문일 수도 있었다.

'그날 이름이라도 물어봤다면, 좀 더 일찍 가까워졌을까.'

지금 생각해 보면, 진혁은 그때부터 그녀를 마음에 두었던 눈치였다. 아마 세희 본인도 자각하지 못했던 순간부터, 꽤 오래도록.

'그러고 보니, 저번에 여기서 하룻밤을 보냈을 때도 특이한 꿈을 꿨지.'

함께 하룻밤을 보냈던 날, 연우는 모친의 장례식장에서 마주쳤던 소녀를 꿈에서 보았다. 세희와 함께 잠들면, 자꾸만 과거의 기억을 꿈으로 꾸게 되는 듯해서 신기했다.

'다음번에도 같이 자면, 또다시 꿈을 꾸게 되는 건 아닐까.'

손끝에 감기는 머리카락이 부드럽게 흘러내렸다. 연우는 저도 모르게 손가락에 힘을 주어 머리카락 끄트머리를 꽉 움켜쥐었다. 조금이라도 힘을 풀면 금방 흩어질 모래알이라도 되는 듯이.

"그럼 정말 신기할 텐데."

살짝 힘을 풀어 보니, 예상대로 머리카락이 허무하게 손틈으로 빠져나갔다.

허전함을 떨치고자 손을 가만히 쥐었다 펴는 동안, 이전의 기억이 떠올랐다. 지난번 세희와 갑자기 통화가 끊어진 순간의 기억이었다.

'어째서 그렇게 무서웠던 걸까.'

아무리 생각해도, 그렇게까지 두려움이 앞선 까닭을 알

수가 없었다.

연우는 그때의 막연한 불안감을 회상하면서 곰곰이 생각에 잠겼다.

세희를 영영 잃어버릴지도 모르겠다는, 허무맹랑한 위기감. 그 순간 느꼈던 불안과 공포가 아직도 그를 괴롭히고 있었다.

'대체 뭐 때문에?'

단순히 모친의 사고를 경험했기 때문인지, 그게 아니면 다른 이유가 있는지. 그 이유를 알고 싶어서 한동안 머리를 굴렸지만, 전혀 소득이 없었다.

깊게 고민하는 연우의 손에 서서히 힘이 들어갔다.

"으응…… 연우 씨?"

동시에 아래쪽에서 한껏 잠에 취한 목소리가 들렸다.

시선을 내리자 높이 올라간 이불 위로 세희의 눈이 빼꼼 나타났다. 잠기운이 잔뜩 어린 눈꺼풀이 반쯤 풀려 있었다.

'앗, 언제부터 내 얼굴을 보고 있던 거지?'

멍하니 눈을 끔뻑이던 세희가 화들짝 놀라며 이불을 세게 당겼다. 빤히 이쪽을 바라보는 연우와의 거리가 지나치게 가까운 탓이었다.

심지어 자는 모습까지 무방비하게 보이고 말았다는 점에 심장이 쿵쿵 뛰었다.

"일어났어요?"

"네, 네에."

"그런데 왜 그렇게 얼굴을 가려요?"

연우가 씩 입꼬리를 올리면서 고개를 기울였다. 더 가까워지는 얼굴에 깜짝 놀란 세희가 필사적으로 이불을 당겼다.

그래 봤자 눈가를 가리는 게 고작이었지만, 그마저도 지금은 간절했다.

"다시 잘 거예요?"

당황한 세희의 마음을 아는지 모르는지, 연우는 능청스레 속삭였다.

"나 계속 기다렸는데, 세희 씨 눈뜰 때까지."

짓궂은 농담을 흘린 연우가 세희의 손등에 코끝을 살짝 갖다 댔다. 간질간질하게 비비는 모양새가 영락없이 주인을 깨우는 강아지의 모습이었다.

'아냐, 역시 강아지보다는 여우에 가까워. 꼬리 아홉 개 달린…… 구미호.'

가늘고 길쭉하게 휜 연우의 눈매를 마주한 세희가 마른침을 삼켰다.

헝클어진 머리에 편한 티셔츠, 바지 차림인데도 연우는 지나치게 멋있었다. 얼마나 멋있느냐면, 도저히 이해가 가지 않을 정도였다.

'어떻게 아침부터 얼굴에서 빛이 나는 거야? 턱도 매끈하고…….'

남자 중에서는 하룻밤만 지나도 턱수염이 수북하게 자라나는 경우가 많다고 들었다. 하지만 눈앞의 연우에게 그런 이야기는 전혀 해당 사항이 없는 듯했다.

세희는 미간을 잔뜩 찌푸린 채, 연우의 희고 깨끗한 피부를 주시했다. 특별한 화장품을 쓰지도 않으면서 저렇게 피부가 좋다니, 조금은 부럽기도 했다.

"왜 그렇게 훔쳐봐요? 아예 더 자세히 봐도 괜찮은데."

저 아름답고 근사한 얼굴에 홀려 방심한 탓이었을까. 세희는 순식간에 다가와 부딪친 코끝에 온몸을 굳혔다.

뭉개지고 비비는 코끝의 감각이 지난번 입맞춤을 떠올리게 했다. 은근하게 어두워진 담갈색 눈동자가 짙은 욕망을 품고 있었다.

"괜찮아요, 더 가까이서 봐도."

"……."

"만져 보는 것도 괜찮고. 응?"

쪽, 세희의 이마에 가벼운 입맞춤을 흘린 연우가 씩 웃었다. 아슬아슬하게 농담과 진담의 경계를 오가는 발언이었다.

"이, 일어날게요. 그만 자고 일어날 테니까……."

세희는 새빨개진 얼굴로 허둥지둥 고개를 저었다.

"더 자고 싶으면 누워 있어요."

헉, 세희는 허리까지 확 다가오는 손길에 고개를 젖혔다. 커다랗고 단단한 손아귀가 포위망을 좁히듯 접근했다.

"저…… 세, 세수 좀 할게요!"

결국, 세희는 침대 끝까지 데굴데굴 굴러서 몸을 피했다. 후다닥 화장실로 도망가는 그녀의 뒷모습에 연우가 사르르 웃었다.

더 붙잡을까 생각도 해 보았지만, 더 장난치면 자신이 위험할 것도 같았다. 저 새빨개진 얼굴을 붙잡고서 그대로 입을 맞춰 버릴까 봐.

'못 살아.'

화장실로 쏙 들어간 세희도 발만 동동 구르기 바빴다. 매사 깜짝깜짝 놀라며 반응하는 자신이 너무나 부끄러웠다.

거울을 보니 홍당무처럼 발갛게 물든 제 얼굴이 적나라하게 비쳤다.

"벌써 이러는데…… 동거를 무슨 수로 해, 진짜."

세희는 가슴에 두 손을 얹고 수차례 심호흡했다. 그렇지만 미칠 듯한 두근거림은 쉽게 잦아들지 않았다.

문 하나를 사이에 둔 채, 연우와 같은 공간에 있다는 사실만으로도.

어느새 자리 잡기 시작한 떨림을 애써 외면한 세희의 눈꺼풀이 파르르 떨렸다.

"부사장님, 로비에서 연락이 왔습니다."

진혁은 책상 앞으로 다가온 이채윤을 흘끗 바라보았다.

오늘 일정에 관한 브리핑이 한창 진행되던 찰나였다. 출장으로 자리를 비운 김 실장을 대신하여, 그녀가 업무를 맡고 있었다.

"무슨 일입니까."

다시 서류로 시선을 내린 진혁이 담담히 물었다.

"그게…… 문세희 씨에 관한 이야기를 나누고 싶다면서,

손님 한 분이 찾아오셨습니다."

평온하던 진혁의 표정에 쩍 금이 갔다. 진혁은 구겨진 얼굴로 시선을 올리고서 손가락을 까닥 흔들었다. 들여보내라는 뜻에 이채윤이 인터폰 앞으로 달려갔다.

그렇게 허락을 내리고 얼마 후. 똑똑, 누군가 성급한 손길로 문을 두드렸다. 진혁의 눈짓을 받은 채윤이 후다닥 문을 열었다.

"처음 뵙겠습니다, 차진혁 부사장님."

당차고 높은 목소리에 진혁이 서류를 덮었다. 부사장실로 들이닥친 불청객이 씩 웃으면서 인사를 건넸다.

"그간 잘 지내셨나요? 지난번 피오레 측에서 주최한 세미나 애프터 파티에 참석했었는데."

세련된 옷차림으로 나타난 유미가 안으로 들어왔다. 서둘러 채윤이 문을 닫자 유미의 깔끔한 단발이 바람결에 흔들렸다. 진혁은 무표정한 얼굴로 그녀를 보았다.

'그래, 이 사람이구나. 문세희랑 파혼했던 연인이⋯⋯.'

유미는 신중하게 진혁의 얼굴을 살피면서 가늘게 눈을 떴다. 연우에게 미리 듣지 않았다면, 두 사람이 형제인지 모를 정도로 다른 분위기였다.

문세희가 어쩌다 두 사람과 엮였는지 의아할 따름이었다. 그 의문은 곧 섣부른 오해로 번졌다. 세희가 처음부터 연우의 배경을 알고서 접근한 게 아닐까, 싶은 오해로.

"이렇게 찾아온 이유가 뭡니까."

진혁은 단도직입적으로 물었다.

"부사장님께 거래를 하나, 제안하고 싶어서요."

유미는 그에게 제안하고자 준비한 내용을 떠올리면서 팔짱을 꼈다.

"거래?"

"문세희 팀장과 다시 교제하고 싶으신 거죠?"

뒤편에서 지켜보던 채윤이 놀라서 깊이 숨을 삼켰다. 정작 진혁은 갑작스러운 물음에도 표정 하나 변하지 않았다.

그는 덤덤한 얼굴 그대로 턱을 괴고서 유미를 응시했다. 어디 한번 끝까지 지껄여 보라는 눈빛이었다.

"최근에 문 팀장을 찾아가셨다고 들었어요. 그 과정에서 불미스러운 일을 겪었다는 점도."

그러거나 말거나, 유미는 사르르 미소를 머금고서 말을 이었다. 한재섭의 얼굴을 떠올리던 그녀가 어깨를 으쓱했다.

"제가 부사장님과 문 팀장이 다시 만날 수 있도록 도와드리려고 하는데. 어떻게 생각하세요?"

"배유미 씨가 저를 도와주려는 이유가 있습니까?"

"부사장님의 동생분께 관심이 있어서요."

그 한마디로 인해서, 유미의 가치는 변화했다. 가볍게 이야기를 흘려듣던 진혁이 자세를 고치고 그녀를 바라보았다.

유미가 자신과 연우의 관계에 대해서 알고 있다면, 이야기의 무게가 달라질 수밖에 없었다.

"구체적인 계획이 있습니까?"

진혁은 쓸데없는 이야기를 치워 내고, 곧장 본론으로 들어섰다. 억양 없이 담담한 음성에 유미의 표정도 진지해졌다.

"간단하게 생각해 봤어요. 문 팀장이 픽시를 떠나면, 자연스레 연우하고도 멀어지지 않을까. 그런 생각을."

유미는 연우가 세희와 본격적으로 가까워지기 시작한 때를 떠올렸다.

세미나 애프터 파티 이후였고, 정확히는 세희가 픽시로 이직을 마친 다음부터였다. 연우의 추천으로 들어온 거나 마찬가지였으니, 그때부터 부쩍 친밀해진 듯했다.

"피오레 코스메틱으로 돌아오게끔 유도하자는 뜻입니까?"

생각보다 온건한 방법에 진혁이 의아한 눈빛으로 되물었다.

"정확히는, 피오레 코스메틱이 아니면 그 어떤 회사에서도 받아들일 수 없도록 하자는 뜻이죠."

유미의 계획은 이랬다. 세희가 업계에 큰 물의를 빚을 정도로 문제를 터트리게끔 유도하는 것. 그 후 어쩔 수 없이 피오레 코스메틱으로 돌아오게 하는 것.

"어떻게 할지 방법까지 다 생각했습니까?"

진혁이 고개를 조금 당기며 날카롭게 물었다. 예상보다 까탈스러운 질문이 이어지는데도 유미는 능청스레 대답을 이었다.

"픽시 브랜드에서 곧 새로운 상품을 공개할 계획이에요. 그 중심에 문세희 팀장이 있고요."

며칠 전 한샛별 실장과 술을 마시면서 듣게 된 내용이 있었다. 픽시 브랜드에서 처음 공개하는 신제품의 광고를 루비노 소속의 신인 모델이 맡을 거라는 소문도.

최근 루비노 에이전시에서 비밀리에 진행했던 오디션이

픽시와 관련된 모양이었다.

"픽시에서 작업하는 제품을 피오레 측에서 같은 콘셉트로 먼저 공개하는 거죠."

"먼저 공개한다?"

"그럼 자연스럽게 출시가 미뤄질 테고, 픽시 측은 손해를 볼 테고…… 완전 진퇴양난의 현장이 되겠죠."

그 말대로만 된다면 책임자의 자리에 있는 세희가 곤란해질 만한 상황이 벌어질 터였다.

꽤 괜찮은 제안이었지만, 정보가 부족했다. 진혁은 부실한 계획의 뼈대에 살점을 붙이고자 질문을 보탰다.

"제품과 광고 방향에 대하여 구체적으로 들은 소스가 있습니까?"

"약속만 해 주시면, 정확한 날짜를 알아 올게요."

의지가 번들거리는 유미의 갈색 눈동자가 또렷하게 빛났다. 진혁은 다리를 꼬아 앉고서 그녀의 설명에 귀를 기울였다.

"제가 날짜를 알아 오면, 그전에 먼저 오픈하세요. 제품의 특징이 꼭 비슷할 필요는 없겠지만, 광고의 콘셉트는 똑같아야 해요. 후발 주자가 표절 시비에 휘말려야 하니까요."

유미는 왼손으로 제 가슴을 탁탁 두드리며 웃었다.

"괜히 루비노 에이전시에서 시비를 걸면 곤란할 테니, 맡겨 주시면 CF도 제가 직접 찍을게요. 저한테 책임을 묻긴 어려울 테니까."

당차고 뻔뻔한 제안이었다. 진혁은 낮게 코웃음 쳤다.

"피오레 신제품의 모델 자리까지 내 달라?"

"나쁜 제안이 아니지 않나요? 제 몸값도 잘 아시면서."

진혁은 실소하면서 꼬았던 다리를 풀었다.

'아주 작정하고 왔군.'

하지만 그 노골적인 욕망이 나쁘지만은 않았다. 서로 이해관계가 맞는 이상, 손잡을 가치는 충분했다.

"좋습니다."

"정말인가요?"

제안을 받아들이겠다는 말이 떨어지자 유미의 안색이 환해졌다. 진혁은 말없이 대기하던 채윤에게 명령을 내렸다.

"이 비서, 나가서 기획 2팀 부장 데려오세요."

"네, 부사장님."

채윤이 나간 후, 진혁은 책상에 올려진 안경을 착용했다. 조금 더 냉정하고 예민해진 분위기에 유미가 슬쩍 눈치를 살폈다.

유미가 한 걸음 더 가까이 다가가려는 순간, 진혁이 손끝으로 테이블을 톡 내려쳤다.

"참, 배유미 씨."

"네?"

"주머니에 든 녹음기, 그만 꺼내셔도 괜찮습니다."

순간 온몸의 피가 차갑게 식는 듯했다. 유미는 숨조차 쉬지 못하고 그를 빤히 쳐다보았다. 언제 알아차렸나 싶은 표정이었다.

진혁은 놀란 그녀의 얼굴을 쳐다보지도 않고 서랍에서 펜을 꺼냈다.

"계속 오른쪽 주머니만 힐끗거리던데."

"……."

"신중한 건 마음에 들지만, 앞으로 협상할 때는 상대방 표정이나 더 관찰하는 편이 좋을 겁니다. 그딴 자질구레한 장치에 신경 쓰기보다는."

싸늘한 충고였다. 유미는 변명 대신, 순순히 녹음기를 꺼내 책상에 올려 두었다. 그 깔끔한 대처가 마음에 들었는지, 진혁이 펜을 건네주었다.

"비밀 유지에 주의할 거라고 믿습니다."

"……제가 드리고 싶은 말씀을 대신 해 주셔서 감사하네요."

두 사람 사이에 얼음처럼 차가운 기류가 흘렀다. 서로를 향한 걱정은 조금도 없었다. 그저 거래로 얻게 될 이득만을 생각했다.

'됐어, 계약은 성공했으니까.'

유미는 욕망 가득한 눈길로 손에 쥔 펜을 만지작거렸다.

모델 계약서에 사인을 마치면, 그때부터 두 사람의 협상은 성공이었다.

픽시 기획 팀에서의 하루하루가 빠르게 흘렀다.

프로젝트는 막힘없이 진행되었고 어느새 3월 중순이었다.

그동안 몇 가지 사건이 벌어졌는데, 가장 쟁점이 된 건 한재섭의 일이었다.

[학교 폭력 논란… 모델 재섭 의문의 잠적]

[전 여자 친구의 폭로… 모델 재섭 측 '사실 확인 진행']

[모델 한재섭 '유흥업소 출입 논란'… 사실무근 주장]

갑자기 나타난 폭로자에 의하여 재섭의 과거가 낱낱이 재조명된 것이었다. 신문과 뉴스에 그의 사진과 자극적인 헤드라인이 끊이지 않고 올라왔다.

불미스러운 사건이 연달아 밝혀지자 한재섭은 끝내 자숙하겠다는 사과문을 냈지만, 비난은 끊이지 않았다.

그는 결국 완전한 은퇴를 선언하며 연예계를 떠났다. 예상치 못하게 걱정거리 하나가 완전히 사라진 셈이었다.

'형이 손을 썼네요.'

이후 연우가 짐작한 내용은 더더욱 놀라웠다.

'네?'

'혹시라도 쓸데없는 소문이 날까 봐 미리 방지한 거겠죠.'

정말 그렇다면 우스운 일이었다. 이런다고 제 마음이 변할 가능성은 없었으니까.

세희는 재섭과 마주쳤던 그날, 진혁과 나눴던 대화를 상기하며 한숨을 삼켰다.

두 번째로 놀랄 만한 건, 선영이 회사를 그만두었다는 것이었다. 잘못 퍼트린 소문을 바로잡고자 돌아다니던 과정이 못내 치욕스럽던 모양이었다.

게다가 재섭의 행적이 밝혀진 이후, 선영에 대해서 안 좋은 소문까지 퍼져 나갔다. 입방아에 오르는 게 견디기 힘들었는지 선영은 금방 퇴사를 선택했다.

'겨우 그 정도 풍문도 힘들어하는 사람이, 남의 소문은 어떻게 냈던 걸까.'

세희는 참 의아한 사람이라고 생각하면서 고개를 절레절레 흔들었다.

"팀장님, 회의실 준비 마쳤습니다."

그때, 태블릿 PC를 챙긴 정아가 그녀에게 다가왔다.

오전에는 제품의 광고 관련 회의가, 오후에는 촬영장으로 외근을 나가야 했다. 시계를 확인한 세희가 다급히 서류 뭉치를 챙겼다.

"지금 갈게요."

회의실로 이동하는 그녀의 얼굴에 활기가 넘쳐흘렀다. 불미스러운 사건이 깔끔하게 정리된 덕에 그녀는 업무에만 온전히 집중할 수 있었다.

그렇게 심혈을 기울여 기획한 신제품이니만큼, 반드시 성공시키고 싶었다.

"팀장님, 자료 인쇄하여 모두 배부하였습니다."

"고마워요, 정아 씨."

세희는 테이블에 올려 둔 자료를 들고서 회의실의 분위기를 살폈다.

회의실에 모인 사람들도 저마다 자료를 훑어보느라 정신이 없었다. 미리 준비한 프레젠테이션 화면이 큰 모니터에 떠 있었다.

"여러분, 잠시 주목해 주세요."

세희는 약간의 긴장을 숨기며, 자리에 앉자마자 입을 열었다. 떨리는 목소리에서 기분 좋은 설렘이 묻어났다.

사람들은 일제히 세희를 향해 고개를 돌렸다.

"다들 아시다시피 오후에 촬영 들어갈 예정이어서, 마지막으로 광고 내용을 검토해 보고자 모였어요."

아직 마케팅 팀이 분리되지 않아서, 기획 팀 내부에서 광고 작업까지 맡기로 정해졌다.

사람들은 익숙지 않은 업무에도 각자 맡은 바 최선을 다했다. 덕분에 시시각각 다가오는 일정에도 쫓기지 않고 평온하게 작업할 수 있었다.

"촬영해 주실 모델은 강은하 씨입니다."

세희가 노트북을 조작해 모니터에 사진을 띄웠다. 사람들은 모니터 속 모델의 모습을 보며 조용히 감탄했다.

루비노 에이전시 소속의 신인 모델, 강은하의 포트폴리오가 화려하게 모습을 드러냈다. 연우에게 부탁하여 루비노 에이전시 자체 면접을 통해 선발한 모델이었다.

"그럼 브리핑 시작하도록 하겠습니다."

세희가 마이크를 넘겨주고, 자리에서 일어난 가은이 설명을 시작했다.

마지막으로 점검하는 자리이니만큼 그간의 과정을 요약한 자료가 모니터에 나타났다.

신제품은 봄이라는 계절에 맞추어, 장미라는 원재료를 중심으로 기획한 제품이었다.

"문 팀장님의 컨셉 시트로 올라간 월계화가 소재로 최종 선택되었고, 보습 위주의 기초 제품으로 제작되었습니다."

세희가 제출했던 컨셉 시트의 꽃은 로사 시넨시스(Rosa sinensis)라는 장미였다. 다른 회사에서 중국 마케팅을 기획할 당시, 조사하고 기억해 둔 꽃이었다.

'예전에는 립스틱과 블러셔의 소재로 생각했던 꽃이었지만……'

원래는 그 꽃으로 색조 제품을 선보일 계획이었다. 봄의 산뜻한 계절감을 담으면, 좋은 제품이 탄생할 것 같았으니까.

그렇지만 기초 상품부터 선보이고 싶어 하는 한샛별 실장의 의지가 매우 강력했다. 애초에 그 조건으로 팀장직에 앉게 되었으니, 세희에게는 선택의 여지도 없었다.

'괜찮아. 색조 화장품은 여름에 판매해도 나쁘지 않으니까.'

결국, 소재는 그대로 가져가되 원래 계획에 따라 기초 제품 개발로 최종 결정되었다.

세희는 팀 프로젝트로 이번 신제품을 준비하면서, 홀로 색조 화장품까지 샘플 제작을 마쳐 두었다. 언제 판매를 시작해도 부족함이 없는, 놀라운 완성도를 자랑하는 제품이었다.

'혹시 한 실장님의 생각이 바뀐다면, 언제든 기획서를 제출할 수도 있고.'

이번 신제품의 결과만 좋다면 후속 라인으로 제안할 생각도 있었다.

세희는 서랍을 가득 채운 제품 샘플을 떠올리면서 뿌듯하게 웃었다.

"또한, CF의 소재에 관한 아이디어도 팀장님의 의견이 가장 많은 투표를 받아 선정되었습니다. 화면을 보면……"

가은의 목소리에 세희가 재차 모니터를 바라보았다. 그녀가 사전에 준비한 광고 기획 이미지가 화면을 가득 채웠다.

화장품 공병으로 만든 꽃병에 활짝 핀 라넌큘러스 한 송이가 꽂힌 그림이었다.

"최근 주목받는 키워드 중 '에코'에 집중하여 공병을 재활용한 예시 이미지입니다."

세희가 제시한 첫 아이디어는 이랬다. 화장품 공병을 꽃병처럼 디자인하고, 꽃을 넣는 장면을 광고에 넣자는 것이었다.

공병 재활용 캠페인을 열고서 그에 따른 포인트 적립과 할인 혜택을 주자는 내용도 있었다. 공병 하단에는 이벤트 바코드를 기재하여, 추첨 후 모델인 강은하의 포스터도 보내 줄 계획이었다.

'연우 씨 덕분에 얻은 아이디어였지.'

세희는 볼펜으로 서류 상단에 꽃을 그려 넣으며 작게 웃었다. 연우가 제게 선물해 줬던 꽃다발에서 떠올린 아이디어였다.

그가 선물한 꽃 덕분에 심심하던 방의 분위기가 확 달라졌으니까.

"기획안의 로그 라인은 이렇습니다."

누구나 쉽게 봄의 분위기를 느낄 수 있도록. 공병에 꽃만 꽂아도 산뜻한 분위기가 나타나도록.

모니터에 뜬 두 가지 문구에 동경 어린 시선이 세희에게 쏠렸다. 세희는 머쓱한 미소로 쑥스러운 마음을 달랬다.

"각자 자료 검토 후, 혹시나 부연 설명이 필요한 부분이 있다면 제출 부탁드립니다."

세희가 마지막 당부의 말을 덧붙이며 회의가 종료되었다. 사람들은 우르르 회의실을 빠져나갔다.

가은과 정아도 노트북과 자료를 정리한 후 밖으로 향했다. 점심에 식사를 마치면, 곧장 스튜디오로 출발할 예정이었다.

"참…… 연우 씨한테 연락해야지."

마지막으로 회의실을 나가려던 세희가 멈칫하며 핸드폰을 꺼냈다.

회의에 들어가기 직전, 힘내라는 이모티콘이 메시지 창에 떠 있었다. 귀엽게 움직이는 이모티콘을 바라보면서 세희가 열심히 답장을 입력했다.

[회의, 잘 끝났어요. 오늘 스튜디오에서 강은하 씨 촬영 들어가요. 연우 씨도 오나요?]

최근, 두 사람은 이전보다 훨씬 더 많이 연락을 주고받았다.

연우의 집에서 서로 깊은 대화를 나눈 영향인지, 세희는 연우를 만나고 이야기를 나눌 때마다 편안해지는 마음을 느꼈다. 여태껏 그 누구에게도 느껴 보지 못했던 평온함이었다.

'나랑 같이 지내는 건 어때요?'

더불어 연우가 건넸던 제안도 진지하게 고민하는 중이었다.

일에 집중하는 한편, 틈틈이 연락을 주고받을 때마다 동거를 제안했던 연우의 얼굴이 떠올랐다. 혼자 지내면 외롭다고 덧붙였던 말도 마찬가지였다.

'연우 씨와 지내면 정말 즐겁겠지. 워낙 좋은 사람이고, 대화도 잘 통하잖아. 하지만…….'

세희는 아직도 연우가 진혁의 남동생이라는 사실에 약간의 불편함을 느끼고 있었다.

지금은 아무 관계도 아니라지만, 어쨌든 이전의 삶에서는 진혁과 결혼했었으니까.

연우와 결혼하게 되면, 진혁을 아주버님이라고 불러야 할지도 몰랐다. 거기까지 상상하면 머리가 지끈지끈 아파졌다.

"아냐, 거기까지 생각하지 말자."

세희는 세차게 고개를 흔들며 암울한 생각을 떨쳐 냈다. 어차피 마땅한 매물도 없어서 동거 쪽으로 마음이 기울어지는 상황이었다.

연우에게는 우선 이번 프로젝트에 집중할 수 있도록 기다려 달라 부탁했다. 끝날 때쯤 마음을 정해서 대답해 주겠노라고.

'대답을 해 줘야 해. 반드시.'

연우는 그녀의 부탁대로 차분히 기다려 주고 있었다. 계속 기다리게 하는 건, 희망 고문에 가까운 짓이었다.

어느새 소중한 사람이 되어 버린 연우에게 상처를 주고 싶지 않았다.

"!"

손안의 핸드폰이 강하게 진동했다. 연우가 보낸 메시지가 화면을 꽉 채웠다.

[응, 세희 씨 보러 갈게요.]

광고 현장이 궁금해서도 아니고, 소속 모델을 도와주려는 것도 아니었다. 문세희라는 사람이 보고 싶어서 달려가겠다는 뜻이었다.

문자의 뜻을 알아차린 세희의 얼굴이 발갛게 물들었다.

"역시, 오늘…… 대답해 줘야겠어."

세희는 굳게 마음먹으며 반짝 눈을 빛냈다. 대답을 들려주었을 때, 연우는 과연 어떤 표정을 지을까.

그걸 상상하는 것만으로도 가슴이 간질거렸다.

9. 함께 있으면 행복한 사람

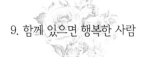

## 9. 함께 있으면 행복한 사람

촬영 장소는 야외 스튜디오였고, 다행히 날씨가 화창했다.

따뜻한 봄바람 아래서 사람들이 열심히 작업에 임했다. 크게 틀어 둔 노랫소리 사이로 웃음이 섞여 들었다.

"한 실장님!"

세희는 웃음이 들리는 방향으로 부리나케 걸음을 옮겼다. 역시나 예상대로 웃음이 들리는 곳에 한샛별이 서 있었다. 그녀는 한 손에 붓을 쥐고서 열심히 강은하의 메이크업을 마무리하던 중이었다.

"어머, 문 팀장! 이제 왔어? 오는 길에 차 엄청 막혔지?"

세희를 발견한 그녀의 입가에 활짝 웃음꽃이 피어났다. 얌전히 앉아 메이크업을 받던 강은하도 깜짝 놀라 인사를 건넸다.

세희는 내려오지 않아도 된다며 손짓한 다음, 한 실장의 앞으로 다가갔다.

"실장님, 오늘 잘 부탁드릴게요. 저희 제품이니 더욱 신경 써 주세요."

"문 팀장은, 농담도…… 이미 평소보다 열 배는 더 공들여서 하고 있어."

한 실장이 깔깔 웃음을 터트리며 세희의 옆구리를 쿡 찔렀다. 세희도 기분 좋게 웃으면서 은하의 상태를 살폈다.

확실히 한 실장의 말이 사실이었는지, 은하의 화장은 완벽했다. 화려하지 않으면서도 또렷한 이목구비를 자연스럽게 드러내는 메이크업이었다.

'오늘 신제품이랑 딱 맞는 마스크야. 연우 씨가 정말 신중하게 뽑은 모델인가 봐.'

내부 오디션이지만, 철저하게 진행했다는 연우의 말답게 강은하는 완벽한 모델이었다.

희고 뽀얀 얼굴에 단정하게 들어선 이목구비가 튀지 않고 자연스러운 아름다움을 과시했다.

"오늘 촬영 잘 부탁드릴게요."

세희가 꾸벅 고개를 숙여 인사를 건넸다. 정중하고 다정한 인사에 은하도 연거푸 고개를 수그렸다.

"네! 저도 잘 부탁드리겠습니다!"

신인 모델답게 눈빛에 열정이 활활 불타고 있었다.

세희는 몇 가지 더 유의 사항을 전달한 후, 건물 뒤편으로 향했다. 광고에 사용할 공병의 상태를 확인하기 위해서였다.

"팀장님! 이쪽이에요!"

바쁘게 움직이던 세희의 주의를 잡아끈 건, 정아의 외침이었다.

정아는 수상한 트럭 앞에서 폴짝폴짝 뛰며 손을 흔들었다. 의아한 마음에 가까이 다가가던 세희가 트럭을 자세히 살피다가 걸음을 멈추었다.

"저게…… 뭐예요?"

세희는 정아의 뒤편에 놓인 트럭 한 대를 가리키며 눈을 끔뻑거렸다. 자그마한 트럭에는 커피와 간식이 가득 담겨 있었다.

트럭 위쪽에는 루비노 에이전시의 마크와 힘내라는 문구가 귀엽게 적혀 있었다.

"강은하 씨 응원하려고 루비노 에이전시에서 보낸 거래요."

서둘러 다가온 정아가 목소리를 낮춰 속삭였다. 그제야 세희는 눈앞의 트럭이 소위 말하는 커피 차라는 걸 알아차렸다.

"아, 그렇군요."

"하지만…… 아마 팀장님께 보낸 커피 차겠죠?"

이해한 동시에 정아가 은밀한 속삭임을 흘리면서 샐쭉 웃었다.

"……네?"

깜짝 놀란 세희가 되물었지만, 정아는 이미 나름의 판단을 마친 모양이었다.

"서연우 씨가 보낸 거잖아요. 제 생각에는 강은하 씨한테 보내는 척, 팀장님 힘내라고 보내 주신 것 같아요."

"그, 그런 거 아니에요. 정아 씨가 잘못 생각한……!"

"괜찮아요, 팀장님. 저는 선영 씨랑 달라서 입 무거워요."

멋대로 상상의 나래를 펼치던 정아가 음흉한 눈빛으로 자리를 떴다. 양손에는 다른 사람들에게 나눠 줄 커피를 잔뜩 챙긴 채였다.

세희는 순식간에 멀어지는 정아의 뒷모습을 보다가 멍하니 양손을 내렸다. 이미 오해를 바로잡기엔 너무 늦었다는 생각도 들었다.

지잉, 주머니 속 핸드폰이 그녀를 위로하듯 진동했다.

[나 도착했는데. 2층 계단에서 만나요.]

연우에게서 온 문자였다. 내용을 확인한 세희의 입꼬리가 언제 그랬냐는 듯이 올라갔다.

세희는 주변을 신중하게 살피면서 재빨리 건물 뒷문으로 쏙 들어갔다.

사람들은 모두 야외 스튜디오에 몰려 있어서, 다행히 안은 텅 비어 있었다.

'연우 씨는…… 2층에서 기다린다고 했지?'

고요한 건물 안에서 세희의 발소리만 또각또각 울려 퍼졌다.

대체 어디서 기다리는 걸까. 연신 두리번거리며 겨우 2층에 도착한 순간.

"찾았다."

익숙한 음성과 함께 따뜻한 품이 세희의 등을 와락 끌어안았다. 허리를 감싼 팔이 단단하게 껴안으며 깊이 파고들었다.

"여, 연우 씨?"

깜짝 놀란 세희의 목소리가 좁은 계단을 크게 울렸다. 시원하고 우디한 비누 향기가 세희의 코끝을 간질였다.

쉿, 연우는 그녀의 귓가에 나직이 숨결을 흘렸다. 조용히 하라는 신호에 세희가 다급히 입을 다물었다.

파르르 떨리는 그녀의 목덜미에서 달콤한 프리지아 향기가 풍겼다.

"빨리 왔네요."

"오래 기다리면 안 되니까…… 뛰어온 거죠."

"그러다 넘어지면 어쩌려고. 앞으로는 천천히 와요."

허리를 단단하게 죄는 손길에 세희가 가볍게 버둥거렸다. 빠져나오려는 몸짓을 알아차렸을 텐데도 연우는 손에서 힘을 풀지 않았다.

"아무리 늦어도 기다릴 테니까."

오히려 멀어지기 아쉽다는 듯 강하게 끌어안았다. 당연히 세희의 얼굴은 점점 더 붉게 달아올랐다.

결국, 세희는 억지로 빠져나오는 대신 그의 신경을 다른 곳으로 돌리기로 했다.

"얼굴, 우리 얼굴 보고 얘기해요."

"내 얼굴 보고 싶어서?"

얄미우면서도 간지러운 물음이 귓속을 파고들었다. 눈치를 살피던 세희가 빠르게 고개를 위아래로 흔들었다. 작게 웃음을 터트린 연우가 그제야 손을 놓아주었다.

"갑자기 뒤에서 나타나는 게 어디 있어요? 깜짝 놀랐잖아요."

제자리에서 빙글 돈 그녀가 불그스름한 얼굴로 입을 뗐다. 한번 흘겨보면서 제대로 잔소리를 할 생각이었다.

그렇지만 연우의 모습을 마주한 다음에는 시선을 빼앗긴 채, 입을 다물 수밖에 없었다.

"살금살금 올라오는 걸 여기서 지켜보는데…… 가만히 기다리기 힘들었어요, 나도."

그는 상아색의 깔끔한 슈트를 입고 있었다. 외부에서 촬영을 마치고 온 건지, 단정하게 정리된 머리칼마저 멋있었다.

연우가 한 걸음 다가오자 그의 머리 위 조명에 하얀 불이 들어왔다. 팍, 터지는 조명 아래 연우의 뚜렷한 이목구비에도 명암이 졌다.

'오늘 연우 씨는 정말, 좀…… 심각하게 잘생겼어.'

세희는 저절로 벌어지는 입술을 눈치채지 못하고 그저 감탄했다.

그의 집에서 편안한 차림으로, 앞머리를 내렸을 때와 정반대였다. 단정한 슈트에 왁스로 고정한 머리칼에서 성숙한 분위기가 풍겼다.

"이것도 빨리 주고 싶었는데."

그사이, 연우는 바닥에 내려놓았던 상자를 들고서 다가왔다. 엉겁결에 건네주는 상자를 받은 세희가 당황하여 눈을 깜빡거렸다.

"이게 무슨……."

"커피는 사람들하고 나눠 먹어야 하잖아. 이건 내가 세희 씨한테만 주는 선물."

그냥 던지는 말이 아니라, 진심이 가득 담긴 말이었다.

'커피 차도 결국 나 때문에 보내 줬던 걸까?'

세희는 간질간질한 기분을 숨기려고 애쓰면서 작게 물었다.

"저한테만…… 주는 거예요?"

"그럼 누구한테 또 주겠어요? 반한 여자한테만 주는 거지."

반한 여자. 단도직입적인 표현에 세희의 얼굴로 화끈한 열이 올랐다.

연우가 준 상자 겉면에는 알록달록한 무늬의 마크가 그려져 있었다. 그녀도 알 정도로 유명한 베이커리 브랜드의 케이크였다.

'이건 또 언제 가서 사 왔을까.'

문득 자신은 아무것도 챙기지 않았다는 사실이 떠올랐다.

'이럴 줄 알았다면, 뭐라도 들고 올걸.'

세희는 스멀스멀 올라오는 후회를 느끼며 머쓱하게 웃었다.

"저는 준비한 선물도 없는데…… 연우 씨한테 너무 받기만 하네요. 미안하게."

축 처진 세희의 어깨를 발견한 연우의 입가에 장난스러운 미소가 그려졌다. 그는 조금 들뜬 목소리로 부드럽게 되물었다.

"나한테 줄 게 왜 없어요. 지금도 줄 수 있는 선물이 하나 있는데?"

"그게…… 뭔데요?"

함정에 걸린 토끼라도 바라보듯, 연우가 씩 눈웃음을 지었다. 서서히 기울어지는 고개에 거리가 확 좁혀졌다.

"내가 뭘 원하는지, 정말 모르겠어요?"

당황한 세희가 멀어질 틈도 없었다. 연우는 양손으로 세희의 어깨를 단단히 붙잡았다. 조금이라도 고개를 기울이면, 금방 입술이 닿을 듯했다.

'키, 키스를 원하는 건가?'

가늘고 예쁜 연우의 입술에 닿은 세희의 시선이 아슬아슬 흔들렸다. 세희는 질끈 두 눈을 감으면서 목소리를 높였다.

"아무리 그래도 여기서 키스는······!"

"뽀뽀 정도면 참 고마울 텐데."

동시에 연우가 슬그머니 오른쪽 볼을 들이밀었다. 세희가 실수했다는 걸 깨닫고 눈을 떴을 때, 얄밉게 웃는 얼굴이 눈 앞에 있었다.

"아, 다른 걸 생각했어요? 얼굴이 빨개졌는데."

세희는 차마 대답하지 못하고 입술만 달싹거렸다. 조용히 항변하는 그녀의 모습에 연우가 작게 웃었다. 그런 연우의 얼굴을 바라보던 세희가 무언가 결심하고서 고개를 들었다.

"저기, 연우 씨."

새카맣게 반짝이는 그녀의 눈망울에 연우가 고개를 갸웃거렸다.

"네?"

손에 쥔 케이크 상자를 근처에 내려 둔 세희가 다시 쪼르르 달려왔다. 그녀답지 않게 오래도록, 빤히 쳐다보는 눈길이었다.

세희는 마음의 결심을 마치고서 후련하게 미소 지었다.

환한 미소 앞에서 당황할 겨를도 없이, 이어진 말에 연우가 굳어졌다.

"나 정말로 연우 씨한테…… 의지해도 괜찮아요?"

딱딱하게 굳어진 그의 얼굴에서 서서히 의문이 걷히고 놀라움이 들어섰다. 세희는 조금 민망했지만, 그의 시선을 피하지 않고 말을 이었다.

"집 구할 때까지, 아니, 올여름이 오기 전까지만이라도 좋아요."

"……"

"정말로 부탁해도 괜찮을까요?"

자신이 방금 제대로 들은 게 맞는 걸까. 연우는 자꾸만 움찔거리는 입꼬리에 힘을 주면서 힘겹게 대답했다.

"세희 씨, 그 뜻은…… 그럼."

이번에는 세희가 짓궂은 미소를 보였다. 두근거리는 연우의 마음이 전해지는 듯해서, 세희는 활짝 웃으며 고개를 끄덕였다.

"네. 당분간 같이 지내요, 우리."

고민 끝에 건네준 대답을 들은 순간, 세차게 흔들리던 연우의 눈빛이 맑게 일렁였다. 그는 이내 두 팔로 세희를 와락 끌어안았다.

"앗!"

"오늘, 당신 만나러 오길…… 정말 잘한 것 같아요."

이번에는 마주 보는 자세로 안겨진 터라, 맞닿은 가슴 너머로 두근거리는 박동이 느껴졌다. 연우의 세심하고 곧은 손가락이 세희의 머리를 다정히 쓰다듬었다.

"이게 최고의 선물이야, 나한테."

기쁨으로 살짝 떨리는 목소리가 이어졌다. 너무 꽉 끌어 안겨서 숨이 막힐 노릇이었다.

세희가 가슴팍을 두드린 후에야 그녀를 놓아준 연우가 연신 질문을 쏟아 냈다.

"그럼 오늘부터 들어올래요? 퇴근할 때 짐 옮기는 것 도 와줄까요?"

적극적인 연우의 모습에 세희가 화들짝 놀라 손사래를 쳤다.

"아뇨, 기다려요! 우선 짐부터 정리해야죠. 음…… 이번 주 금요일에 갈게요."

'집을 내놓긴 하겠지만, 당장 팔리지도 않을 테고. 짐은 천천히 정리해도 괜찮겠지. 간단한 옷가지만 챙겨 가자.'

계획을 마친 그녀가 비장하게 눈을 빛냈다. 연우는 끌어안 느라 흐트러진 그녀의 머리카락을 정리해 주며 미소 지었다. 설렘이 그대로 드러나는 미소에 세희가 슬그머니 물었다.

"그렇게 좋아요? 그냥, 집에 사람이 한 명 늘어나는 건데……."

"세희 씨가 나한테 그냥 사람이 아니잖아요."

방심한 사이, 연우의 대답이 심장을 쿵 치고 지나갔다.

"함께 있으면 행복한 사람이니까, 당신은."

"……"

"지금처럼 가만히 보기만 해도 웃음이 나는, 그런 사람."

사람이 얼마나 심장 떨리는지도 모르고, 저런 말을 하다 니. 세희는 아마 새빨갛게 물들었을 얼굴을 가리고자 푹 고개를 숙였다.

저런 말을 해 준 건, 태어나서 연우가 처음이었다. 함께 있는 것만으로도 행복하다고 말해 준 사람은.

두 사람 사이에 따스하고 부드러운 봄바람이 불었다.

늦은 저녁, 서울의 바(Bar).

밝은 조명이 테이블 곳곳을 어지럽게 비추었다. 사람들은 삼삼오오 모여서 은밀하게 대화를 나누기 바빴다.

가장 구석진 자리에 앉은 두 명의 여자도 마찬가지였다.

"수고했어. 촬영은 재미있었겠네?"

유미는 살짝 취한 듯한 후배를 앞에 두고서 부드럽게 미소 지었다. 맞은편에 앉은 여자가 불그스레해진 얼굴로 웃으며 말했다.

"으음, 네…… 재미있었어요. 다들 친절하셨고."

"연우가 커피 차도 보내 줬다면서."

"맞아요! 대표님이 응원한다고 보내 주셨어요. 정말 감사하게……."

그녀는 다름 아닌 루비노의 신인 모델이자 유미의 후배, 은하였다. 첫 광고를 찍은 걸 축하해 준다는 유미의 문자에 무척 감동한 눈치였다.

[정말요, 선배님? 저 금방 나갈게요! 어디로 가면 될까요?]

평소 유미를 존경하던 그녀는 갑작스러운 연락에도 단번

에 뛰쳐나왔다. 게다가 맛있는 음식과 술까지 잔뜩 주문해서 대접하니, 거절하지도 않고 즐거워했다.

'순진하기는.'

유미는 그런 은하의 순진함을 기꺼워하며 연거푸 잔을 채웠다. 은하가 신이 나서 잔을 비울 때마다 기분 좋은 칭찬을 건네는 것도 잊지 않았다.

처음에는 어색하게 웃었던 은하도 조금씩 경계심을 풀고 웃음을 터트렸다.

"선배님, 정말 감사해요. 이렇게 축하도 해 주시고."

"아냐, 이럴 때도 있어야지."

유미는 적당한 대답과 함께 왼손을 들었다.

"그냥 유미 선배라고 불러. 딱딱하게 굴지 말고."

"저, 정말요?"

"그럼, 이번 기회에 친해지면 좋잖아."

주문을 받으러 달려온 직원이 생긋 웃으며 메뉴판을 보여 주었다. 또다시 안주와 술을 주문한 후, 그녀는 은하에게 은밀히 속삭였다.

"촬영은 어땠어? 재미있었니?"

"네, 콘셉트도 신기하고…… 현장 분위기도 좋았어요."

"그래?"

"한 실장님이 메이크업도 완벽하게 해 주셔서 금방 찍었어요. 장미도 예쁘고, 또……."

은하는 신나서 이야기하는 중에도 조심조심 내뱉는 말을 점검했다. 절대 외부에 알려지면 안 될 사항도 존재하기 때문이었다.

필사적인 노력 덕분인지 그럴싸한 정보는 아직 나오지 않고 있었다.

'생각보다 똑똑하네.'

집중해서 귀를 기울이던 유미의 눈빛이 반짝거렸다.

은하는 붉어진 얼굴로 수다 삼매경에 흠뻑 빠진 상태였다. 굳이 은하가 실수하지 않더라도, 정보를 빼낼 방법은 남아 있었다.

유미의 시선이 테이블 구석에 놓인 은하의 핸드폰으로 향했다.

"음……."

동시에 빈 잔을 내려놓은 은하가 살며시 얼굴을 더듬었다. 두 시간 정도 술을 마신 탓인지, 얼굴이 조금 뜨거웠다.

은하는 어지러운 머리를 환기할 겸, 천천히 자리에서 일어났다.

"선배, 저 잠깐만…… 화장실 좀 다녀올게요."

드디어 기다렸던 말이 튀어나오자 유미가 생긋 웃었다.

"그래, 천천히 다녀와. 자리는 내가 지킬게."

"고마워요, 선배. 빨리 다녀올게요."

은하가 화장실을 향해 사라진 후, 함께 취한 척 연기하던 유미의 표정이 빠르게 변모했다.

그녀는 언제 취했냐는 듯 멀쩡한 얼굴로 은하의 핸드폰에 손을 뻗었다. 예상대로 핸드폰에는 비밀번호가 걸려 있지 않았다.

유미는 평소 은하가 비밀번호를 귀찮아하던 점까지 알고 있었다. 덕분에 손쉽게 사진첩을 열어서 확인할 수 있었다.

"어디 보자……."

유미는 제 핸드폰을 꺼내 카메라를 켰다. 그 후 은하의 사진첩에서 사진을 하나하나 찍기 시작했다.

광고 기획안의 콘셉트와 제품 형태까지 알아차릴 정도로 사진은 구체적이었다. 신인이라 그런지, 스튜디오의 풍경을 전부 기념 삼아 찍은 모양이었다.

'역시 불러내길 잘했어. 본인에게 직접 물어보지 않아도 정보를 얻기 쉽네.'

유미는 깔끔하게 모은 사진을 전부 진혁의 수하, 이채윤 비서에게 전송했다. 채윤은 진혁의 명령으로 연락책이 되어 유미를 도와주기로 되어 있었다.

'이번 일은 아무도 모르게 마무리되어야 해.'

유미의 입가에 날이 선 미소가 머물렀다. 칵테일 잔을 바라보는 그녀의 눈빛이 어두워졌다. 과거를 떠올리자 다시금 연우의 모습도 생각이 났다.

'연우는 나랑 더 어울려. 문세희도 그걸 모르지 않을 텐데.'

유미에게 연우는 운명과도 같은 상대였다.

스물다섯, 방송 활동을 시작하면서 모친의 병간호를 함께 했을 때. 대표이자 동료였던 연우는 유미의 사정을 듣고서 먼저 손을 내밀었다.

복잡하고 삭막한 연예계 생활 속에서 연우의 존재는 하나의 버팀목과 같았다. 처음에 까칠하게 굴던 유미에게조차 다정하게 대해 줬으니까.

'너는 내 사정 이해 못 해.'

그의 다정함을 이해하지 못하고 밀어내던 시절도 있었다.

그러던 어느 날, 유미는 화보 촬영 중에 모친이 쓰러졌다는 소식을 듣게 되었다.

새파래진 얼굴로 촬영까지 빠지고 병원으로 달려갔지만, 모친의 상태는 위중했다. 그녀가 수술실로 들어간 이후부터는 그야말로 지옥 같은 시간이었다.

'신이시여, 제발. 저한테서 엄마를 빼앗지 마세요. 제발. 도와주세요……,'

혼자 대기실에서 기도만 반복하며 결과를 기다리던 참담함. 그때의 어둡고 잔인한 기억이 아직도 선명했다.

유미는 밥도, 물도 마시지 못한 채 모친의 수술이 끝나기만을 기다렸다. 그렇게 시간이 새벽으로 기울었을 무렵.

'배유미!'

뜻밖의 인물이 그녀를 위해 병원까지 달려왔다. 탈진에 가까운 상태로 늘어졌다가 그를 발견한 순간, 유미는 난생 처음으로 타인에게 간절히 손을 뻗어 보고 싶다는 생각을 했다.

'서연우, 네가 어떻게 여기……,'

'감독님한테 연락받았어.'

그녀 때문에 촬영이 펑크가 났는데도 화를 내기는커녕 걱정하는 기색이 역력했다. 루비노 에이전시가 입은 손해는 조금도 생각하지 않는 듯한 그 모습에 유미는 가슴이 울컥

했다.

'걱정하지 마. 괜찮으실 거야. 반드시.'

그녀의 눈시울이 서서히 붉어지자 연우가 가져온 담요를 내밀었다. 또한, 세상이 끝난 것처럼 굳어 있는 유미를 대신하여 의사와 이야기도 나누었다.

유미는 한참이 지나서야 그 의사가 차강태 회장의 주치의였음을 알 수 있었다.

'왜 왔어? 여기까지.'

'말했잖아, 감독님이…….'

'그걸 묻는 게 아니잖아! 나한테 왜 이렇게까지 신경을 쓰냐고!'

고맙다고 말해도 모자랄 판에, 모친을 잃을까 봐 두려운 탓에 아무 말이나 정신없이 쏟아 냈다.

유미는 아차 싶어 입을 다물었다. 하지만 그런 마음도 이해한다는 듯 연우의 대답은 침착하게 돌아왔다.

'내가 아니라도, 누구나 똑같이 행동했을 거야. 아무리 일이 중요해도 가족보다는 중요하지 않으니까.'

'…….'

'그때 말했지. 나는 너를 이해하지 못할 거라고.'

예전에 연우가 무엇이 그렇게 힘든지 물어봤을 때, 유미는 분명 그렇게 답했다.

부친이 빚을 감당하지 못해 이혼하고 모친의 곁을 떠났을 때. 유미가 데뷔 이후 예상치 못한 인기를 끌면서 돈을 벌었을 때.

이전까지 모친을 외면했던 친척들은 하나같이 찾아와 돈을 요구했다. 가족이라는 정을 무기처럼 내세우며 유미에게 손을 뻗었다.

그 과정에서 유미는 사람에 대한 믿음을 잃어버렸다.

'그래, 부모 멀쩡히 살아 있고 행복한 가정에서 큰 사람은…… 나 이해 못 해.'

모델 연우의 과거나 가족에 관해선 언론에 알려진 바가 없었다.

하지만 밝고 긍정적인 그의 모습에 유미 혼자서 멋대로 생각했다. 그 구김살 없이 밝은 성격이 행복한 유년 시절에서 파생된 흔적이라고.

'맞아, 나는 널 이해 못 하겠지. 내 어머니는 오래전에 돌아가셨으니까.'

유미의 예상을 깨트린 건, 갑작스러운 연우의 이야기였다. 담요를 어깨에 두르던 유미가 깜짝 놀라 쳐다보았을 때. 연우는 무감한 얼굴로 담담하게 중얼거렸다.

'네가 예전의 나 같아서, 그래서 알려 주는 거야. 배유미.'

'예전의…… 너?'

'누구를 위해 살아야 하는지, 왜 살아야 하는지 아무것도 모르던 시절의 나.'

친한 친구도, 사랑하는 연인도 아니었다. 그런데도 연우는 유미가 위태롭다는 이유만으로 그의 비밀을 알려 주었다.

'왜 나한테 네 비밀을 알려 주는 거야? 내가 이걸로 너를 협박하면, 그러면 어떡하려고…….'

'네가 그러지 못할 걸 알아서.'

'그걸 어떻게 확신해?'

'남한테 상처를 입었던 사람들은, 똑같이 상처 주는 짓 함부로 못 해.'

연우는 유미를 의자에 앉히고, 짧게나마 자신의 상황을 밝혔다. 바로 그 순간부터 유미는 연우의 존재를 마음에 받아들일 수 있었다.

물론 그 마음이 곧장 발전한 건 아니었다. 이 낯선 감정이 사랑이라는 걸 자각한 건, 스물일곱이었다.

'그래, 더 확실한 계기가 있었지.'

급한 제안을 받아들여 참석했던 피오레 코스메틱의 여수 행사. 당시 유미는 진행자로서 행사에 참여했다.

모친의 마지막 수술 경과를 듣기 전날이라, 아주 예민하고 우울했던 날이었다.

'괜찮아요?'

불안한 마음에 대기실 주변을 서성이던 그때, 마스크로 얼굴을 가린 연우가 넘어진 누군가를 도와주고 있었다.

쏟은 짐을 담아 주고, 팔을 붙잡아 일으켜 주는 그 모습. 그 모습을 본 순간, 유미는 확실하게 자신의 마음이 사랑임을 자각했다.

순간 머릿속이 하얘질 정도로 강한 질투를 느꼈기 때문에.

"어휴, 화장실에 사람이 정말 많네요."

화장실에서 돌아온 은하가 너스레를 떨며 다가왔다.

그제야 유미는 상념에서 벗어나 천천히 고개를 들었다.

싸늘했던 표정은 어느새 부드럽게 변한 상태였다.

"사람이 그렇게 많아?"

"네, 정말 정신이 없……."

유미의 맞은편에 앉은 은하가 테이블을 힐끗거렸다. 제 핸드폰의 위치가 조금 바뀐 것 같다는 생각 때문이었다.

"우리 건배나 할까?"

이상함을 눈치챌세라, 유미는 황급히 잔을 내밀었다.

"아, 네!"

은하가 허둥지둥 제 잔을 들었다.

유미는 잔을 부딪치면서 몰래 입꼬리를 올렸다.

＊　　＊　　＊

금요일 저녁.

세희는 정말로 간단하게 옷 몇 벌만 챙겨 연우의 집으로 향했다. 나머지 짐도 천천히 옮길 예정이었다.

혹시나 동거하는 걸 들키면 어쩌나 걱정했으나 연우는 안심하라며 웃었다.

듣자 하니, 보안이 철저한 곳이라 스캔들 걱정도 없다는 모양이었다. 심지어 아파트 뒤편의 공원에서 몰래 만나는 연예인도 있다고.

'기자들도 함부로 못 들어오니까 절대 걱정하지 마요.'

자신하는 연우의 모습에 세희는 마지막 걱정까지 떨칠 수 있었다.

오피스텔의 가구는 그대로 두었고, 중요한 물건은 간단하게 포장만 마쳤다.

　당분간 오피스텔은 가끔 들러서 청소만 해 둘 생각이었다. 언제든지 집이 팔리면, 곧장 정리하여 나갈 수 있도록.

　'누구랑 같이 사는 건…… 너무 오랜만인데, 잘 지낼 수 있을까.'

　처음에는 걱정이 많았으나 시간이 지날수록 긍정적인 생각이 떠올랐다.

　일단 바쁜 시기에 회사와 거리가 가까워진 것만으로도 무척 좋았다. 적어도 출퇴근 시간을 많이 아낄 수 있을 테니까.

　"후……."

　상쾌하게 샤워를 마친 후, 완벽하게 마른 머리칼이 검게 물결쳤다.

　세희는 제 머리칼을 손으로 쓱쓱 손질하며 화장실에서 나왔다. 함께 저녁을 먹고 짐을 옮겼던 터라 어느덧 캄캄해진 베란다가 보였다.

　거실로 나오니, 소파에 앉아 무언가를 열중해서 관찰하는 연우가 보였다.

　"뭘 보는 거예요?"

　가까이 다가가서 물어보자 연우가 여유롭게 고개를 올렸다. 세희와 마찬가지로 샤워를 마친 그에게서 상쾌한 향기가 풍겼다.

　벌어진 가운 사이로 탄탄하게 잡힌 근육이 아슬아슬하게 모습을 드러냈다. 아차 싶어 발개진 얼굴로 도망갈 틈도 없이, 연우가 씩 미소 지었다.

"옛날 앨범 보고 있었어요. 서랍 정리하다가 갑자기 튀어나와서."

슬그머니 고개를 내리자, 낡은 앨범 하나가 보였다. 호기심을 이기지 못한 세희가 제자리를 서성이며 물었다.

"같이 봐도 괜찮아요?"

"세희 씨는 괜찮죠. 이리 와요."

무슨 그런 당연한 소리를 하냐는 듯 연우가 옆자리를 두드렸다.

세희는 그 옆에 조심스레 앉은 다음, 손가락으로 앨범의 사진을 짚었다.

"이건 몇 살 때 사진이에요?"

사진 속에서 자그마한 자전거를 탄 소년이 활짝 웃고 있었다.

"이건…… 다섯 살 때. 어머니한테 크리스마스 선물로 자전거를 받아서 매일 타고 다녔어요."

"헬멧도 썼네요. 귀엽다."

연우는 어린 시절부터 자그마한 얼굴에 또렷한 이목구비를 자랑했다. 얼핏 보면 여자아이가 아닌가 싶을 정도로 희고 예쁜 얼굴이었다.

"이건 언제 찍은 거예요?"

앨범을 구경하던 세희의 눈에 유독 한 사진이 눈에 띄었다. 그녀가 짚은 사진을 발견한 연우가 담담히 설명했다.

"그건…… 어머니 돌아가신 날, 본가로 들어가서 찍힌 사진이에요."

"아……."

"손에 사탕이 들려 있죠?"

당황한 세희와 달리, 연우는 일부러 자연스럽게 말을 이어 갔다. 사진 속에서는 어른들 사이에 서 있는 소년이 동그란 사탕을 손에 쥐고 있었다.

낯선 환경이 어색한 듯, 소년은 덩그러니 서서 바닥만 내려다보고 있었다. 알록달록한 사탕을 유심히 살피던 세희가 반가움에 목소리를 높였다.

"이 사탕, 옥춘(玉瑃)이네요."

"옥춘?"

처음 듣는 명칭이었다. 연우의 얼굴에서 표정이 사라진 것도 모른 채, 세희는 즐겁게 웃었다.

"잘 모를 수도 있어요. 저도 어릴 적에나 먹었거든요."

"그래요?"

"손에 쥐고 먹으면 금방 끈적거리고, 혀가 다 물들어요. 그게 재밌었어요. 평범한 박하 맛인데…… 그때는 정말 좋아했어요. 할머니도, 저도."

세희는 어릴 적 추억을 떠올리면서 씁쓸함을 곱씹었다. 동네잔치라도 열리면, 할머니는 그 옥춘을 얻어서 세희의 손에 쥐여 주곤 했다. 온종일 혀가 다 물들 때까지 먹던 그 시절이 생각났다. 아련한 추억이었다.

"어렸을 때…… 이걸 자주 먹었어요?"

"네, 그런 편이었어요."

연우의 질문이 집요해졌음을 눈치채지 못한 세희가 앨범을 넘겼다.

그녀가 다른 사진을 구경하는 동안에도, 연우의 관심은 온통 그 사탕에 쏠려 있었다. 그도 그럴 게 연우에게는 아주 특별한 사탕이었으니까.

'우연인가?'

연우는 필사적으로 어릴 적 만났던 소녀의 모습을 떠올려 보았다. 하지만 그때의 짧은 대화만 기억날 뿐, 자세한 건 더 떠오르지 않았다. 사진을 본 세희도 특별한 반응이 없는 걸 보면, 아마 단순한 우연일 터였다.

'혹은, 인연일지도 모르고.'

아주 신기하고 특별한 인연.

연우는 세희와의 만남을 그렇게 생각하고 있었다.

세희가 피오레 코스메틱의 여수 행사에 참석한 건, 그녀가 스물아홉이었을 때였다.

급하게 구한 진행자와 신입 사원들의 엉성한 일 처리. 복잡한 현장 분위기와 아직 일에 적응하지 못한 자신까지.

그때의 세희는 발에 불이 나도록 뛰어다니기 바빴다. 온종일 달리느라 땀에 흠뻑 젖은 채, 대기실 앞을 지나던 찰나.

'앗!'

그녀는 문밖으로 나오던 남자와 부딪치고 말았다. 바구니

속 화장품이 와르르 쏟아졌고, 그녀도 재빠르게 허리를 숙였다.

'죄송합니다. 죄송합니다.'

남자는 마스크를 쓰고 있어 얼굴이 보이지 않았지만, 분위기만 봐도 알 수 있었다. 그가 이날 행사에 초청된 연예인 중 한 명이라는 사실쯤은.

그래서 세희는 묻지도 따지지도 않고 무작정 고개 숙여 사과했다. 괜히 다툼에 휘말리느니, 빠르게 사과하고 실수를 처리하는 게 편했기 때문이었다.

'괜찮아요?'

예상하지 못한 건, 남자가 도움의 손길을 건네줬다는 점이었다. 바닥에 흐트러진 화장품을 주워 담던 세희의 손끝이 그 말에 뚝 멈추었다.

남자는 직접 무릎을 굽혀 앉았고, 그녀 못지않게 빠른 속도로 화장품을 줍기 시작했다.

'제, 제가 할게요. 괜찮아요.'

'도와드릴게요. 제가 갑자기 나와서 놀라신 건데.'

남자는 친절하고 다정했다. 마스크에 가려져 표정을 확인할 수 없었지만, 그래도 한 가지는 확실했다. 혹시나 제가 더 놀랐을까 봐 안심하라며 웃고 있다는 걸.

아침부터 원망스러울 정도로 바쁜 일정에 허덕이던 세희의 어깨가 축 늘어졌다. 남자의 호의에 감동한 나머지, 코끝이 찡하고 뜨거워졌다.

'자. 이게 마지막이네요.'

남자가 립스틱을 건네주며 손을 내밀었다. 다리에 힘이 풀린 세희가 겨우 그 손을 잡고서 나란히 몸을 일으켰다.

　어색한 공기가 둘 사이에 흐르고, 그녀는 힘없이 입술을 달싹였다. 고맙다는 말을 전하려고 했지만, 갑작스러운 방해꾼이 끼어들었다.

　'너, 여태 여기 있었어?'

　세희는 목소리가 들린 방향으로 시선을 옮겼다. 금발로 염색한 모델 유미가 길쭉한 다리를 뽐내며 서 있었다.

　그녀는 세희를 불만스러운 눈초리로 흘겨보더니 빠르게 다가왔다.

　'여기서 뭐 해? 빨리 나가자.'

　유미가 다짜고짜 남자의 팔을 붙잡더니 걸음을 옮겼다. 남자는 꾸벅 고개만 숙이더니 돌아섰고, 세희는 엉거주춤 몸을 일으켰다.

　이대로 남자의 이름도, 얼굴도 확인하지 못한 채 돌아가야만 했다. 원래 세희가 겪었던 과거의 기억대로라면.

　'아······.'

　하지만 그 순간, 세희는 돌아서지 않았다. 대신 멀어지는 남자의 뒷모습을 향해 서서히 손을 뻗었다.

　'이상해. 어딘가 들어 본 목소리 같아.'

　세희가 미간을 찌푸리며 필사적으로 머리를 굴렸다. 그러는 동안에도, 남자는 그녀에게서 조금씩 멀어지고 있었다.

　꿈이라는 걸 자각함과 동시에, 마법이 풀린 것처럼 그녀의 입이 벌어졌다.

'잠깐만요!'

세희는 바구니를 든 채 남자를 향해 달려갔다. 마침내 그의 팔을 잡아 돌리는 순간, 반동에 흔들린 남자의 마스크가 벗겨지면서 수수께끼의 얼굴이 드러났다.

조각처럼 근사한 얼굴에 밝은 갈색의 머리칼. 맑은 밤색 눈동자. 그날, 세희를 도와줬던 남자의 정체는…… 연우였다.

"……!"

커다란 종이 머리를 친 듯한 충격에 세희가 눈을 부릅떴다. 꿈과 현실의 모호한 경계선에서 새벽의 습한 공기가 느껴졌다.

그녀는 하아, 낮게 숨을 몰아쉬면서 어두운 천장을 노려보았다.

'뭐야? 꿈……?'

아직도 연우의 다정한 목소리가 머릿속에서 생생하게 울리고 있었다. 그녀는 제정신을 차리고자 눈을 세차게 깜빡이다가 바스락 소리에 굳어졌다.

그러고 보니, 아까부터 오른손에 뜨거운 열기가 전해지고 있었다. 손만 잡고 잔다더니, 정말로 연우의 손가락이 감긴 듯했다.

'연우 씨, 깨어난 건…… 아니겠지?'

걱정하던 세희가 슬그머니 고개를 돌린 찰나, 어둠 속에서 형형히 빛나는 갈색 눈동자를 마주쳤다.

세희는 헉 소리도 내지 못하고 굳어져, 저를 응시하는 연우를 마주했다. 어느 순간, 맞닿은 손에 꽉 힘이 들어가고 있었다.

'어, 언제 일어난 거지?'

자신이 혹여나 잠꼬대를 해서 깨어난 걸까.

그녀의 걱정과 달리, 연우는 나른하게 두 눈을 깜빡일 뿐이었다. 긴장 속에서 숨죽인 그녀의 귓가로 잠에 취한 연우의 속삭임이 들려왔다.

"나 방금, 꿈에서…… 당신을 만났어."

연우는 눈을 뜨기 직전까지 마주했던 꿈속의 풍경을 떠올렸다. 꿈에서 그는 세희의 머리칼 사이로 삐죽 튀어나온 귀를 보고 있었다.

부끄러움과 당황으로 어쩔 줄 몰라 새빨개졌던 귓불의 모습. 그가 오래전 세희와 한강에서 맥주를 마실 때, 느꼈던 기시감의 정체였다.

"당신이 화장품을 쏟아서, 내가 도와주는…… 꿈. 그때 그 사람, 정말 당신이었을까?"

낮게 갈라진 음성에 세희가 꿀꺽 마른침을 삼켰다. 연우는 가만히 기억을 되짚었다.

여수 행사에서 마스크로 얼굴을 가리고 있었을 테니, 다시 마주쳤을 때 세희가 자신을 기억하지 못할 만했다.

자신도 세희가 고개만 푹 숙이고 있던 터라, 송도 신사옥에서의 기억마저 떠올리지 못했으니까. 그래도 차분하고 부드러운 세희의 목소리만큼은 귀에 남아 있었다.

'왜 여기 있어요?'

'저를 아세요……?'

'미안해요. 제가 잠시 헷갈렸네요. 어디서 만난 적이 있는 것 같아서.'

그렇기에 파티장에서 마주쳤을 때, 아는 사람이라고 착각한 듯했다. 그 분위기와 목소리가 머릿속에 강한 인상으로 남아서.

연우의 얼굴에 벅찬 미소가 사르르 떠올랐다.

"아무리 생각해도 특별해. 운명인가 봐, 우리······."

연우의 커다란 손이 팔꿈치를 스치며 가슴 위로 올라갔다. 순식간에 세희의 양 볼을 감싼 손바닥이 열기로 뜨거웠다.

"그렇지 않아?"

"잠깐, 연······."

피할 틈도 없이, 나직한 물음과 함께 입술이 닿았다. 세희는 딱딱하게 얼어붙은 상태로 눈만 깜빡거렸다.

놀란 그녀의 표정을 가늘게 뜬 눈으로 응시하며 연우가 깊이 입술을 겹쳤다. 벌어진 틈새로 뜨거운 혀가 성큼 들어섰다.

고른 치열을 더듬고, 뿌리까지 휘감아 당기는 키스가 거칠었다. 깊숙한 곳까지 자극하는 키스에 세희의 머릿속이 아득해졌다.

하아, 거친 숨결을 흘리는 세희의 얼굴이 발갛게 물들었다.

"하····· 미치겠어."

탁하게 갈라진 연우의 음성이 귓속을 파고들었다. 멀어진 입술이 세희의 이마를 장난스레 비비며 올라갔다.

턱 끝으로 세희의 정수리를 꾹 고정한 채, 그는 나른하게

# 나랑 해요, 도련님

「나랑 해요, 도련님」 초판 세트 한정 부록 | 비매품

린혜 지음 | MINIM 그림

숨을 내쉬었다. 살짝만 움직여도 닿을 듯한 허벅지에서 묘한 열감이 느껴졌다.

"당신이 내 곁으로 와서, 정말 행복해. 정말……."

졸음에 취한 연우의 음성이 점점 작아졌다. 그는 지금 이 순간도 꿈이라고 생각하는 모양이었다.

얼마 지나지 않아, 그의 숨결은 다시 평온해졌다.

잠든 연우의 품에 단단히 갇힌 채, 세희는 마른침을 꿀꺽 삼켰다.

'잠 다 깼어…….'

심장이 너무 요란하게 뛰어서 식은땀이 맺힐 지경이었다. 세희는 꼼지락거리면서 최대한 연우와 거리를 벌렸다.

슬그머니 올려다본 시야에 얌전한 연우의 모습이 들어섰다. 남의 가슴에 불을 질러 놓고 자 버리다니, 얄밉기 그지 없었다.

'그럼…… 그날, 나를 도와준 사람이 정말 연우 씨였던 거야?'

한편으로는 정말로 연우와 같은 꿈을 꿨나 싶어서 놀라웠다.

지난 삶에서는 눈치채지도 못한 인연이 이미 맺어져 있었다니, 과거로 돌아와 그와 얽힌 후에야 알게 된 사실이 무척 신기했다.

'정말로 운명이라면, 그렇다면…….'

이대로 연우의 마음을 완전히 받아들이면 어떻게 되는 걸까?

진혁을 완전히 외면하고, 과거의 기억에서 등을 돌리면 정말 행복해질까?

긴장을 풀자 잊었던 불안이 스멀스멀 올라와 마음을 좀먹었다.

'아냐, 괜찮을 거야.'

세희는 어떻게든 불안한 마음을 달래며 두 눈을 감았다. 지금은 그저, 자신을 안아 주는 이 두 팔에 의지하고픈 마음뿐이었다.

자신에게 무한한 애정을 쏟아붓는 연우의 품에 안겨 있고 싶었다.

세희는 그날의 꿈을 연우에게 따로 이야기하지 않았다. 연우 역시 마찬가지였다. 잠결의 일을 꿈이라고 생각한 게 틀림없었다.

하지만 두 사람 모두 미묘하게 가까워진 거리감을 느꼈다. 서로를 마주하고 바라볼 때마다 간질간질한 설렘이 공기에 묻어 나올 정도였다.

다만 그 관계가 발전하기엔 아주 큰 장애물이 있었다. 바로 두 사람의 바쁜 일정이었다.

[오늘도 늦을 것 같아요. 저녁은 다음에 같이 먹어요. 미안해요.]

연우는 세희의 문자를 확인하면서 엘리베이터에서 내렸다.

오랜만에 방문한 루비노 에이전시 본사였다. 최근 리모델링을 마쳐서 더욱 깔끔해진 분위기가 그를 반겼다.

"오늘도 바쁜가. 아쉽네."

동거를 시작했는데도 집에서 마주치는 일이 현저히 적었다.

세희는 프로젝트 준비로 내내 야근에 시달렸고, 연우의 일정도 비슷했다. 그는 화보 촬영으로 연달아 해외 출장이 잡혀서 집을 비우는 날이 늘어났다.

'상반기 일정을 괜히 빽빽하게 잡아 뒀지. 하반기는 최대한 적게 받아야겠어.'

그나마 방송 활동 제의를 전부 다 거절한 덕분에 주말이나마 세희와 시간을 보낼 수 있었다.

주말이 되면, 그는 집에서 세희와 영화를 보거나 맛있는 음식을 먹었다. 날씨가 더 좋아지면 드라이브를 가자는 이야기도 나오곤 했다.

'계약은 무슨, 이 정도로 진심이 될 거라는 걸 뻔히 알았는데…….'

연우는 계약 연애를 제안했던 과거의 어리석음을 떠올리며 실소했다. 이렇게 설레면서 하루하루를 보내는 건 처음이었다.

이상하게도 세희의 곁에 있을 때면, 자꾸 안도감이 들었다. 그녀가 제 곁에 안전하게 존재한다는 사실만으로도.

어떤 불안을 바탕으로 존재하는 안도감인지 의문이었지만, 어쨌든 행복한 일상이었다.

"오셨습니까, 대표님."

대표실로 들어온 연우를 보며 비서실장이 고개를 숙였다. 연우는 반갑게 인사를 건넨 후, 곧장 테이블 앞으로 향했다.

"대표님, 출근하시자마자 죄송하지만…… 급하게 드릴 말씀이 있습니다."

그를 뒤따라온 비서실장이 다급하게 입을 열었다.

"네, 무슨 일입니까?"

"배유미 씨에 관한 일입니다."

갑작스럽게 튀어나온 유미의 이름에 연우가 멈칫했다. 한재섭과 주먹 다툼을 벌인 이후, 그녀를 마주치지 못한 날이 꽤 길었다.

그사이 유미에게 무슨 일이 생기기라도 한 걸까. 걱정하는 마음으로 고개를 돌리자 비서실장의 자세한 설명이 이어졌다.

"배유미 씨가 재계약에 응하지 않겠다는 의사를 전달했습니다."

뜻밖의 소식에 연우가 미간을 찌푸렸다.

"계약을 이대로 해지하겠다는 뜻을 전했다는 겁니까?"

"네, 그렇습니다."

비서실장을 지나쳐 의자에 앉은 연우가 가늘게 눈을 떴다. 유미와 계약 기간이 끝나 간다는 건 이미 알고 있었다.

다만 재계약 시즌을 앞두고, 이렇다 할 의사 표명이 없어 당연히 계약을 이어 가는 줄로만 알았다. 그런데 아직 도장을 찍지도 않았다니 퍽 당황스러운 소식이었다.

"딱히 새로운 소속사를 찾는 움직임이 보이지 않아 좀 의아합니다."

비서실장의 의견에 연우도 가만히 고개를 주억거렸다. 유미의 성격상, 정말로 계약을 그만둘 생각이라면 미리 통보했을 터였다.

꽤 오래도록 그녀를 돌본 소속사이니만큼 일언반구 없이 계약을 종료할 리는 없었다.

"배유미 씨답지 않은 행동인 것 같아…… 괜한 말씀이었다면, 죄송합니다."

"아닙니다, 실장님. 알려 주셔서 감사해요."

연우는 짧게 침묵하면서 머릿속 생각을 정리했다.

한재섭과 다투던 그날. 연우는 유미에게 세희를 향한 자신을 마음을 넌지시 일러 주었다. 그때 일로, 유미가 어쩌면 제게서 완전히 마음이 떠났을 수도 있었다.

그렇다면 아무 말 없이 보내 줘야 함이 옳았다. 어차피 제 마음은 영원히 그녀에게 닿을 일이 없었으므로.

"우선 알겠습니다. 배유미에게 따로 연락할 필요는 없습니다."

이번 기회로 유미와 적당한 거리를 두는 편이 좋을 듯했다.

그간 유미에게 호의를 베풀었던 건, 어디까지나 소속사 모델로서 공로가 높기 때문이었다. 더불어 그녀와 모친의 관계가, 자신의 과거와 비슷해서 눈길이 갔던 점도 있었다.

하지만 어디까지나 동료로서의 호의였지, 이성으로서 품은 감정이 아니었다.

"저희 측에서 억지로 붙잡지 않아도 괜찮습니다. 소속 모델의 의사가 제일 중요하니까요."

"네, 그런데…… 아무래도 유미 씨의 행보가 수상합니다."

"행보가 수상하다니, 그게 무슨 뜻입니까?"

비서실장은 잠시 머뭇거리다가 용기 내어 입을 열었다.

"강은하 씨 말로는, 최근 그녀에게 이상한 얘기를 들었다고 했습니다."

"이상한 얘기?"

"네, 좋은 제안이 들어왔다고요. 그 광고를 찍기 위해 재계약을 미루는 것 같다더군요."

"좋은 제안이라……."

연우는 가늘게 뜬 눈으로 창밖을 응시하며 중얼거렸다. 좋은 제안이라니, 과연 어디서 들어온 이야기일까.

게다가 강은하를 따로 만났다는 이야기가 제법 수상스럽게 들렸다. 연우가 평소 알던 유미의 성격대로라면, 아무 이유 없이 후배를 만나지 않을 테니까.

"일단 알겠습니다. 사무실로 강은하 씨를 불러 주세요."

"네? 강은하 씨를 말입니까?"

"한번 이야기를 나눠 봐야겠습니다. 그날 일에 대해서."

연우는 손끝으로 테이블을 가볍게 두드렸다. 평소라면 그냥 넘어갔을 텐데, 왠지 불안한 예감이 스멀스멀 번졌다.

"무슨 대화를 나누었는지 조금 궁금하네요."

아니기를 바랐지만, 그의 예리한 직감이 번뜩였다.

드디어 광고 오픈까지 일주일이 남았다.

세희는 두근거리는 마음으로 아침에 눈을 떴다. 광고 오픈 날이 가까워질수록, 기대감 때문인지 아침이 즐거웠다.

이전에는 밤이 되면 온갖 걱정이 뒤따르면서 불안함이 밀려왔다. 하지만 지금은 아니었다. 매일 제 곁에서 나란히 잠드는 연우가 있어 한결 마음이 든든했다.

'다 잘될 거예요. 걱정 마요.'

그가 팔베개를 해 주면, 온 걱정이 사르르 녹아들었다.

세희는 데구루루 몸을 굴려서 창밖의 풍경을 바라보았다. 구름 한 점 없이 맑고 깨끗한 하늘이 기분 좋게 시야를 장악했다.

평소와 다른 점이라면, 그녀를 끌어안았을 연우가 보이지 않는다는 점이었다.

"연우 씨?"

그녀는 나지막이 연우의 이름을 부르면서 상체를 일으켰다.

부스스한 머리칼을 정리하고 귀를 기울이자, 바깥에서 달그락 소리가 들렸다. 아마도 연우가 먼저 일어나 아침 식사를 준비하는 모양이었다.

세희가 아침잠이 너무 많은 탓, 아침 식사는 언제나 연우의 몫이었다.

"연우 씨는 정말…… 못하는 게 없단 말이야. 부지런하고."

자그맣게 중얼거리는 세희의 눈빛에 다정한 기운이 어렸다. 연우는 저보다 요리도 잘하고, 청소는 말할 것도 없었다.

자신도 꽤 깨끗하고, 잘 살아왔다고 자부했는데 연우 앞에서는 아무것도 아니었다. 먼지 한 톨 없는 거실의 풍경을 보고 있노라면 조금 부끄러울 때도 있었다.

연우의 가장 좋은 점은, 자신의 청결함을 남에게 강요하지 않는다는 부분이었다.

'내가 청소를 좋아하는 것뿐이니 크게 신경 쓰지 않아도 돼. 부담 갖지 마요. 강요할 생각도 없고. 그런 일 시키려고 부른 것도 아니니까.'

'하지만 밥값이라도 해야죠. 연우 씨는 나한테 월세도 안 받겠다면서요.'

'세희 씨가 나랑 마주 보면서 식사하고, 즐겁게 대화하다가 잠이 들면…… 그걸로 충분해.'

청소, 혹은 설거지라도 도와주려고 나서면 연우가 조용히 나타나 만류했다. 그럴 때마다 집안을 돌보는 데 온 힘을 쏟으라고 꾸짖던 황남윤의 말이 떠올랐다.

안주인부터 솔선수범해야 집안이 잘 돌아가는 법이라던 시모의 잔소리. 그녀가 지금 이 풍경을 본다면 아주 고함을 지르고도 남을 터였다.

'조금이라도 도와줘야지.'

과거의 생각을 떨쳐 낸 세희가 서둘러 세수를 마치고 거실로 향했다. 머리를 질끈 올려 묶고 쪼르르 다가가자 좋은 향기가 코끝을 간질였다.

아침부터 훤칠한 외모를 자랑하는 연우가 앞치마를 두르고 서 있었다. 모델이라서 그런지, 그가 입으면 평범한 앞치마마저 고급 브랜드처럼 보였다.

능숙하게 프라이팬을 흔들던 그가 인기척을 느끼고 돌아

나랑 해요,
도련님

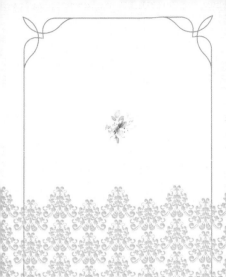

「나랑 해요, 도련님」
2권 초판 한정 부록 ┃ 비매품

D&C
BOOKS

섰다.

"잘 잤어요?"

씩 미소를 머금은 얼굴이 햇볕 아래서 근사하게 빛이 났다. 세희는 두근거리는 마음을 잠재우고서 그의 곁으로 다가갔다.

그와 함께 지내며 이런 풍경을 마주할 때마다 꼭 신혼부부라도 된 기분이었다. 이전의 삶에서는 전혀 느끼지 못했던, 소소한 행복의 무게가 무척 달가웠다.

"연우 씨, 좋은 아침이에요."

연우는 가스레인지의 불을 끄고서 다가온 세희를 찬찬히 살폈다. 편안한 잠옷 차림에 머리를 묶은 세희의 모습이 귀여웠다.

차갑고 도회적인 분위기를 지닌 평소를 생각하면 쉽게 떠올리기 힘든 모습이기도 했다. 회사에서는 세련된 오피스 복장이었으니 더더욱 보기 힘들었다.

자신만 이 모습을 볼 수 있다고 생각하니, 묘한 소유욕과 만족감이 고개를 들었다.

"저도 좋은 아침."

쪽, 다가온 입술이 세희의 볼에 가벼운 입맞춤을 흘렸다. 금세 복숭앗빛으로 물든 세희의 두 볼이 화끈 달아올랐다.

그녀는 연우의 곁을 떠나지 못하고 지난밤의 일을 회상했다. 오랜만에 마주하는 저녁이라 영화를 보기로 했는데, 소파에서 깜빡 잠들고 말았다.

연우는 잠든 세희를 침대까지 옮겨 준 다음에 잠을 청한 듯했다.

"언제 잠들었는지도 모르고 잤어요. 영화도 다 못 봐서 어떡해요?"

아쉬움 가득한 세희의 목소리에 연우가 조곤조곤 답했다.

"영화는 다음에 또 보면 되는걸요. 나도 피곤해서 일찍 잠들었어. 당신 얼굴 보면서."

연우의 입가에 옅은 미소가 맴돌았다. 당황한 세희가 목소리를 더듬으며 항의했다.

"자, 자는 사람 얼굴을 뭐 하러 구경해요?"

"귀여우니까 봤죠. 자면서 입술을 오물거리는 버릇이 있던데, 알고 있어요?"

"몰라요, 그런 버릇."

부끄러움에 돌아서는 세희의 귓가로 연우의 웃음소리가 따라붙었다.

자신의 사소한 습관이나 버릇까지 유심히 관찰하는 연우 때문에, 최근 세희는 몰랐던 사실을 많이 알게 되었다.

잠버릇이나 좋아하는 영화 취향, 싫어하는 음식까지. 모든 게 연우와 함께 생활하고 자주 대화하면서 알게 된 사실이었다.

"배고프죠? 요리 다 했어요."

세희의 얼굴이 또다시 발그레 물들기 직전, 연우가 솜씨 좋게 마지막 음식을 접시에 담아냈다.

그의 걸음을 따라 이동하던 세희가 식탁의 풍경에 감탄하며 멈추었다.

먹음직스러운 팬케이크와 샐러드, 파스타와 오믈렛까지. 연우가 미리 준비한 아침 식사가 식탁에 한 상 가득 놓여 있었다.

"어제 오믈렛이랑 팬케이크 먹고 싶다고 해서 간단하게 준비했어요."

아무리 봐도 간단하게 준비한 양이 아니었다. 세희는 고마움과 미안함으로 어쩔 줄 몰랐다.

"저 깨워서 같이 하지. 이걸 어떻게 혼자서 다 했어요?"

"별로 안 어려워서 금방 했어요."

"그래도……."

"얼른 먹어요, 우리. 음식 식기 전에."

연우의 가벼운 재촉에 못 이긴 세희가 서둘러 의자에 앉았다. 그는 커피와 주스까지 컵에 따라 놓아 주면서 싱긋 웃었다.

"나랑 같이 살아서 좋죠? 아침도 챙겨 먹고."

"네. 그런데 저만 좋은 것 같아요. 연우 씨한테 좋은 점이 있는지는, 잘……."

"왜 좋은 점이 없어요? 저번에도 말했잖아, 당신이랑 함께하는 순간이 전부 다 즐겁다고. 그걸로 충분해요."

솔직한 연우의 고백에 세희는 또다시 목 안쪽이 화르르 달아오르는 걸 느꼈다.

그의 다정한 말을 들을 때면, 자신이 이렇게 소중한 대우를 받을 자격이 있나 싶어서 의문이었다.

그녀는 쑥스러운 미소로 대답을 대신하며 포크를 들었다.

연우가 열심히 차려 준 음식은 무척 따뜻하고 맛있었다.

"잘 먹었습니다."

만족스러운 식사가 끝나고, 연우는 사과까지 깎아서 식탁으로 가져왔다. 틀어 둔 텔레비전에서 잔잔한 클래식 음악이 부드럽게 흘러나왔다.

여유롭고 한적한 아침을 음미하면서 세희가 막 포크를 들 때였다.

"세희 씨, 잠깐 저것 좀 봐요."

리모컨으로 채널을 돌리던 연우가 그녀를 불렀다. 텔레비전을 빤히 응시하는 그의 표정이 심각했다.

"네?"

"텔레비전 틀자마자 나온 광고인데, 아무리 봐도 이상해서."

세희는 그의 손길을 따라 텔레비전으로 시선을 옮겼다.

화면을 확인한 순간, 세희가 들고 있던 포크가 접시 위로 툭 떨어졌다. 충격에 휩싸인 그녀의 눈빛도 강하게 흔들렸다.

"저건……."

세희는 눈앞의 풍경을 믿지 못하겠다는 듯 눈가를 마구 비볐다. 미간을 찌푸린 연우가 그녀의 심정을 대변하듯 설명했다.

"픽시에서 찍은 광고랑 너무 겹쳐. 같은 광고라고 해도 믿겠어요."

화면에는 피오레 코스메틱의 신제품 광고가 나오고 있었다. 화려하게 흩날리는 꽃잎 사이로 모델이 나타나 미소 지었다.

그녀는 예쁜 무늬가 각인된 공병에 리시안셔스 한 송이를 꽂으며 웃고 있었다.

소름 끼칠 정도로 픽시의 광고와 똑같은 콘셉트였다. 마치 누군가 몰래 정보를 빼내 제작한 광고처럼.

"배유미 씨가 왜, 하필이면 저 광고를……."

게다가 화면에 나타나 미소 지은 건, 다름 아닌 모델 유미였다.

세희는 도저히 믿지 못하겠다는 얼굴로 멍하니 화면을 응시했다. 하지만 아무리 부정해도 화면 속 광고는 변하지 않았다.

피오레 코스메틱의 마크가 새겨진 공병이 반짝반짝 빛을 냈다. 살피면 살필수록, 우연이라고 하기엔 겹치는 부분이 지나치게 많았다.

"세희 씨, 괜찮아요?"

리모컨을 내려놓은 연우가 세희의 손을 붙잡았다. 따뜻한 온기를 느낀 순간, 세희는 흠칫하며 고개를 돌렸다.

그와 다르게 세희의 손은 차갑게 식어 버린 상태였다. 그녀는 입 안 깊은 곳을 짓씹다가 미간을 찌푸렸다.

"아무리 생각해도 이상해요. 광고 콘셉트가 너무 똑같아요."

"저도 그렇게 생각했어요. 유미가 중간에 카피 문구를 말하는 부분도 비슷하고."

한두 가지만 겹쳐도 찜찜할 텐데, 그런 점이 지나치게 많았다.

세희는 자리에서 일어나 방으로 들어갔다. 핸드폰을 가지고 나오는 그녀의 낯이 어두웠다.

"다들 광고를 확인했나 봐요. 문자가 온 걸 보면…… 한 실장님도 이미 보신 듯하고요."

"매우 놀라셨겠네요."

"그런 것 같아요. 하아, 이를 어쩌지……."

긴 한숨을 내뱉은 세희의 얼굴이 일그러졌다.

겨우 완성하고 런칭까지 달려가던 신제품이었다. 광고 오 픈을 코앞에 둔 이 시점에 하필이면 이런 일이 발생하다니.

세희는 재빠르게 머리를 굴려 보았다. 가장 의심 가는 지 점을 찾아서.

"일단 의심할 수 있는 건, 저희 쪽 광고 콘셉트가 유출되 었다는 점이겠네요. 아무런 정보도 없이 비슷한 광고를 만 들었다는 건 말도 안 되니까요."

정말 신이 내리지 않고서야 불가능한 일이었다.

설령 제품의 콘셉트가 겹친다고 해도, 영상 광고의 방향 까지 겹치는 건 흔치 않았다. 게다가 꽃병과 꽃이라는 주요 소재가 똑같았다.

"야외 스튜디오 촬영할 때, 현장에서 정보가 유출되었을 가능성이 커요."

"강은하 씨가 촬영한 그 광고 말이죠."

"네, 당장 다음 주에 올라가기로 했는데…… 이대로 가만 히 있으면 안 되겠어요."

세희는 후다닥 기획 팀 직원들에게 문자를 보냈다. 오전 에 긴급회의를 소집할 거라는 내용이었다.

갑작스러운 상황에 당황하던 직원들은 세희의 답장을 받고 진정했는지, 더 연락이 없었다.

"급하게 회의에 들어가야겠어요."

짐짓 비장한 말투로 외치는 세희의 모습에 연우가 고개를 끄덕였다.

그녀가 곧장 출근 준비를 하는 동안, 연우도 나갈 채비를 마쳤다.

"저도 갈게요."

연우가 현관으로 다가온 세희에게 핸드백을 건네주면서 말했다. 갑작스러운 제안에 세희가 의아한 얼굴로 답했다.

"네? 연우 씨가 왜요?"

"짐작 가는 부분이 있어서요."

세희는 그가 건네준 핸드백을 챙기면서 고개를 갸웃거렸다.

짐작 가는 부분이라는 게 뭘까 싶었지만, 그 의문을 해결할 틈도 없이 연우가 문을 열고 나섰다. 구두를 신은 세희도 부랴부랴 현관을 나섰다.

"그 전에 누구를 좀 데려가야 할 것 같네요."

"데려올 사람이 있다고요?"

"일단 같이 나가요. 회사까지 데려다줄 테니."

연우가 안심하라는 뜻으로 세희의 어깨를 두드렸다. 자신을 위로하는 손길에 세희도 일단 질문을 삼켰다.

지금 물어본다고 해결될 이야기도 아니었고, 어차피 회사에 올 거라면 그때 말해도 늦지 않았다. 아마도 이번 일에 관련된 사람을 데려올 것 같았으니까.

"참, 그리고……."

바깥으로 나오자 따듯해진 봄바람이 살랑살랑 불어왔다. 주차장으로 향하기 직전, 연우는 묘한 이야기를 건넸다.

"이번 광고 잘 마무리되면, 잠깐 시간 좀 내줄래요?"

"네? 왜요?"

"진지하게 하고 싶은 말이 있어서."

나란히 걷던 세희가 호기심 가득한 눈망울을 반짝였다. 연우는 그녀의 까만 눈동자를 가만히 들여다보았다.

근사한 외모의 그와 오래도록 시선을 마주치자니 점점 가슴이 뛰었다. 핸드백을 든 세희의 손에 긴장으로 힘이 들어갔다.

'진지하게 하고 싶은 말이라니, 대체 뭐지? 설마…….'

그 순간 머릿속에 떠오른 단어는 딱 하나였다. 고백.

제게 사랑스럽다, 좋아서 미치겠다, 온갖 표현을 다 쓰고도 튀어나오지 않았던 그것. 아마도 자신이 부담을 느낄까 걱정되어 일부러 참는 게 분명한 그것.

멀리서 불어온 바람이 세희의 차분한 머리칼을 마구잡이로 흐트러 놓았다.

"그게…… 뭔데요?"

"지금 말하기엔 좀 길어질 거예요. 나중에 꼭 말할게, 그때까지 기다려요."

연우의 가늘어진 눈매에 부드러운 눈웃음이 실렸다. 가슴속 불안마저 사르르 녹여 버릴 듯 달콤한 눈웃음이었다.

세희는 절로 말라붙은 입술을 잘근 씹으면서 고개를 끄덕였다.

'꿈 얘기를 한번, 진지하게 나눠 봐야겠어.'

연우는 가슴 깊숙이 숨긴 소망을 떠올리면서 미소 지었다.

세희가 홀로 어떤 오해를 했는지, 눈치채지 못한 채.

"……이게 지금 상황입니다."

픽시 기획 팀 사무실.

사람들은 모두 회의실에 머리를 맞대고 모여 있었다.

냉랭한 분위기 속에서 세희는 짧게 현 상황을 설명했다. 그녀의 설명이 끝나자 회의실의 공기는 더욱 무겁게 가라앉았다.

"이게 무슨 난리람."

"그러니까요. 진짜 마른하늘에 날벼락이 떨어진 것 같아."

구석에 앉은 정아와 가은이 신세 한탄을 흘렸다.

다른 사람들의 상태도 두 사람과 별반 다르지 않았다. 다들 하늘이 무너지기라도 한 것처럼 어둑어둑한 분위기였다.

"아까도 말했듯이, 가장 중요한 콘셉트가 겹쳤어요."

세희는 모니터에 띄운 피오레 코스메틱과 픽시의 광고 캡처 이미지를 가리키며 말했다.

공병에 장식하는 꽃이 라넌큘러스와 리시안셔스로 갈릴 뿐, 전체적인 광고 콘셉트가 비슷했다.

광고 문구도 유사하며 모델이 카피를 읊조리는 연출도 같앗다. 제품의 유사성은 말할 것도 없었다.

"분명히 중간에서 정보가 샜을 거야."

팔짱을 낀 샛별이 냉랭한 목소리로 쏘아붙였다. 세희는
그녀의 의견에 동의하면서 화면을 껐다.

"네, 맞아요. 일단 그 점부터 해결해야 해요."

단호하게 문제의 원점을 짚은 순간, 누군가 노크와 함께
문을 열었다.

"실례합니다."

열린 문 너머로 훤칠한 외모의 청년이 들어왔다. 깔끔한
슈트 차림의 연우였다. 연우를 발견한 회의실 안에 있던 모
두가 깜짝 놀라 눈을 크게 떴다.

"어머!"

자리에서 벌떡 일어난 한 실장도 달려가서 그를 맞이했
다. 미리 그에게서 문자를 받고서 기다리던 세희만이 담담
하게 서 있었다.

연우는 짧게 세희와 눈빛을 주고받은 다음, 반가워하는
샛별을 내려다보았다.

"한 실장님, 광고 촬영 이후로 오랜만이네요."

"연우 씨도 소식 듣고 온 거야? 잘 왔네, 마침 그 얘기
를…… 응?"

발을 동동 구르던 샛별이 고개를 갸웃하며 멈칫했다. 연
우의 등 뒤에서 덜덜 떨며 서 있는 여자 모델을 발견한 탓이
었다.

"아, 안녕하세요."

그녀는 샛별과 눈이 마주치자마자 득달같이 허리를 수그렸다.

"아아, 은하 씨? 연우 씨랑 같이 왔구나?"

은하를 알아본 샛별이 손뼉을 치며 다가갔지만, 얼마 지나지 않아 걸음을 멈추어야 했다. 사이로 끼어든 연우가 갑자기 고개를 푹 숙였기 때문이었다.

"한 실장님. 이번 일은 전적으로 루비노 에이전시 측의 잘못입니다. 제가 다 책임지겠습니다."

갑작스러운 사과에 당황한 샛별이 놀라서 입을 가렸다.

"아니, 그게 무슨……."

"은하 씨, 직접 설명하세요."

샛별이 의아한 얼굴로 쳐다보는 동안, 연우는 은하를 응시하며 속삭였다.

은하는 아침 일찍 광고를 확인하자마자 짐작 가는 바가 있었는지, 루비노 에이전시로 달려왔다.

그 후 연우를 만나 이야기를 나누고서 함께 도착한 상황이었다.

"제 잘못이에요."

은하는 삐질삐질 땀을 흘리다가 침울하게 입을 뗐다.

"촬영한 광고 내용을…… 유미 선배가 제 핸드폰에 있던 사진을 보고 알아내신 것 같아요."

"뭐? 유미가?"

"확신할 수는 없지만, 심증이 있어요. 화장실 다녀온 사이에 핸드폰을 건드리신 것 같았거든요."

회의실에 무거운 정적이 찾아왔다. 원망의 눈초리로 은하를 흘겨보는 이들도 있었다.

"아니, 유미 걔도 어쩜…… 베낄 게 따로 있지! 이런 식으로 뒤통수를 쳐? 나랑 알고 지낸 시간이 얼마인데?"

"죄송해요. 죄송합니다."

한 실장은 연거푸 헛숨을 삼키다가 언성을 높였다. 은하는 울먹이는 목소리로 연신 고개를 수그렸다.

이제 와 사과해도 소용이 없는 일이지만, 그나마 찾아와 알려 줬으니 다행이었다. 어디서 기밀이 누출되었는지 기획팀 사람들을 조사할 필요가 없어졌으니까.

세희는 애꿎은 피해자가 발생하지 않았다는 걸 다행으로 여기며 그녀에게 다가갔다.

"은하 씨, 광고의 전반적인 콘셉트가 사진첩에 있었나요?"

"그게…… 촬영할 때 들고 있던 공병이나, 캠페인 포스터 이미지도 찍었었어요."

생각보다 많은 내용이 유출된 듯했다. 은하 본인도 잘 알았기에 표정이 아주 울적했다.

"유미 씨가 핸드폰을 건드렸다는 증거가 있나요?"

"증거는 없지만, 제가 핸드폰 위치가 바뀌었다는 걸 기억해서……."

"눈에 보이는 증거가 있어야 법적으로 짚을 수 있는 문제라서요."

세희가 차근차근 알려 주자 은하가 쭈뼛쭈뼛 고개를 떨구었다.

"죄송해요, 증거가…… 없어요. 그날은 술에 취해서 계속 얘기만 나누다가 헤어졌거든요. 설마 싶어서, 유미 선배한 테 물어보지도 않았어요."

세희는 턱을 괴고서 미간을 찌푸렸다. 아주 곤란한 상황이었다.

유미에게 직접 따지자니 증거가 없고, 어차피 엎질러진 물이다. 모델을 연결해 준 연우가 피해 보상액을 줄 수밖에 없었고, 아마도 그럴 터였다.

'지금 중요한 건 그게 아니야. 급한 문제는 따로 있지.'

하지만 급히 해결할 문제는 따로 있었으니, 당장 내보내야 할 광고였다. 후발 주자가 아무리 표절이라고 주장한들 아무도 믿지 않을 테니까.

그대로 광고를 내보낸다면, 피오레 코스메틱 측에서 법적으로 문제를 제기할 터였다.

"좋아요, 일단……."

세희는 우선 눈시울이 붉어진 은하를 샛별과 함께 내보냈다. 샛별이 직접 은하에게 자세한 이야기를 듣고 싶다며 요청했기 때문이었다.

"다들, 이번 프로젝트로 정말 고생 많이 했죠."

조용해진 회의실을 바라보면서 세희가 침착하게 말했다. 지치고 좌절한 듯한 직원들의 표정을 보니, 그녀도 마음이 편치 않았다. 팀장으로서의 책임감을 느꼈기에 더욱더.

"여러분이 얼마나 힘썼는지는 제가 제일 잘 알아요."

우울한 침묵 속에서 세희는 일부러 더 당당하게 소리쳤다.

"제가 책임지겠어요, 이 문제."

마침 세희의 머릿속에 떠올랐던 대책이 있었다. 그녀의 서랍을 가득 채운 색조 라인의 신제품들이었다. 최종 선택에서 탈락하는 바람에 후일로 미룬 제품들.

'그래, 그걸 쓰자.'

위기를 기회로 삼는 건, 경영자의 가장 기본적인 자세였다.

기회를 맞이한 세희의 눈이 날카롭게 반짝였다.

10. 알 수 없는 꿈

## 10. 알 수 없는 꿈

바쁜 하루가 지났다.

특히나 오전 회의 이후, 사람들은 반쯤 정신이 나가 있었다. 몇몇은 점심까지 거르고 스트레스로 인한 복통을 호소할 만큼 상태가 좋지 않았다.

한 실장은 너그럽게 병가를 허락하며 사무실에 틀어박혔다. 연우, 그리고 은하와 함께 앞으로의 방향을 논의하는 모양이었다.

'하…… 정신이 하나도 없었어.'

세희는 뻐근한 어깨를 주무르며 엘리베이터에 올랐다. 천천히 내려가는 엘리베이터 안에는 조용한 정적만이 흘렀다.

어느덧 퇴근 시간이었고, 바깥은 캄캄한 어둠에 잠겨 있었다.

'내일까지 해결책을 마련해야 하는데.'

그녀는 회의에서 호언장담했던 자신을 떠올리면서 이마를 짚었다. 이번 일은 팀장으로서 자신이 책임지겠다고 했던 그 말을.

'팀장님, 그게 무슨 말씀이세요?'

'생각해 둔 방안이 있어요. 정리해서 내일 회의 안건으로 올리도록 하죠.'

무모하지만, 근거 없는 자신감은 아니었다. 마무리 단계까지 마친 색조 라인의 신제품은 그만큼 높은 완성도를 자랑했다.

어쩌면 원래 계획했던 기초 제품보다 훨씬 판매량이 좋을 수도 있었다. 예정했던 날짜까지. 광고만 잘 찍는다면 말이다.

'문 팀장. 내가 어떻게든 런칭 날짜는 미뤄 봤어. 하지만 딱 일주일뿐이야. 그 이상은 힘들겠다네.'

납품하기로 한 백화점 측과 연락을 마친 한 실장이 시무룩한 얼굴로 돌아왔을 때.

세희는 일주일이나 기한이 늘어났다는 점에 뛸 듯이 기뻐하며 그녀를 위로했다. 유예 기간이 조금이라도 더 늘어났다는 건 당연히 기쁜 소식이었으니까.

'문제는 광고인데.'

광고 모델을 누구로 해야 할지도 걱정이었다. 루비노 에이전시 소속의 모델은 대부분 해외 촬영으로 자리를 비운 상황이었다.

물론 남은 사람도 있었지만, 제품의 풋풋한 매력을 담기엔 역부족이었다. 오디션을 통해 뽑은 은하를 대체할 만한 인물이 없어서 고역이었다.

[회사 앞에서 기다려요. 곧 내려갈게.]

세희는 연우에게서 도착한 문자를 확인하며 엘리베이터에서 내렸다. 아직 한 실장과 의논이 끝나지 않은 듯했다.

터덜터덜 회사 바깥으로 나가는 걸음이 무거웠다. 직원들이 퇴근하여 드문드문 불이 꺼진 건물의 풍경이 오늘따라 스산했다.

"언제쯤 내려오려나."

세희는 핸드폰을 주머니에 넣으며 가로등에 기대섰다. 얼른 집으로 돌아가 연우와 고민도 나누면서, 내일의 일을 구상하고 싶었다.

피로감을 떨쳐 내고자 세게 고개를 젓는데, 별안간 그녀의 눈앞으로 커다란 그림자가 졌다.

"세희야."

나직한 부름과 함께 그림자가 흔들렸다. 세희는 귀를 의심하면서 느리게 고개를 올렸다. 단정한 슈트에 트렌치코트를 걸친 진혁이 서 있었다.

"당신……."

어떻게 왔을까, 왜 여기까지 찾아온 걸까.

세희는 수많은 의문을 떠올리며 입술을 달싹였다. 그녀를 내려다보는 진혁의 눈꺼풀도 파르르 떨렸다.

말끔하게 넘긴 머리칼과 달리, 그의 얼굴은 제법 상해 있었다. 며칠째 잠도 제대로 자지 못했는지 눈가에도 그늘이 짙었다.

"너 나올 때까지 기다렸어, 쭉."

대체 언제부터 기다렸던 걸까. 세희는 한없이 차갑고 벽처럼 완고했던 이전의 차진혁을 떠올렸다. 그는 절대 이런 식으로 연락도 없이, 누군가를 간절하게 찾던 사람이 아니었다.

특히 저런 식으로 절절 들끓는 눈빛을 보는 건, 어이가 없을 만큼 낯설었다. 차진혁을 찾는 건 언제나 문세희였으니까.

"그때 부탁했죠. 내가 지금보다 더 진혁 씨를 미워하지 않게 해 달라고."

차디찬 세희의 물음이 단호하게 벽을 쳤다.

"그 부탁에 대한 대답이 이건가요?"

멍하니 그녀의 얼굴을 응시하는 진혁의 눈가가 자세히 보니 조금 붉었다. 세희는 미간을 찌푸리면서 재차 물었다.

"술…… 마신 거예요?"

진혁은 침묵으로 긍정했다. 어찌나 무감한 얼굴이었던지, 약간의 붉은 기가 아니었다면 알아차리지 못했을 터였다.

세희는 차가운 웃음을 내뱉으며 그를 노려보았다. 조금 떨어진 거리에 세워 둔 차와 비서실장의 모습이 보였다.

"김 실장님, 아무리 부사장님이 명령하셨더라도 거절했어야죠."

책망하는 목소리에 비서실장이 멋쩍게 고개를 숙였다. 사실 세희도 알고 있었다. 그 누구도 진혁의 고집을 꺾지 못했으리라는 걸.

"내가 부탁했어."

취기 때문인지, 혹은 다른 감정 때문인지 진혁의 음성이 먹먹했다. 낮게 잠긴 그의 목소리가 허공을 맴돌았다.

"네가 너무 보고 싶어서. 그래서 부탁했어, 세희야."

참 딱할 정도로 절절한 고백이었건만, 세희의 미간은 더욱 일그러졌다.

세희는 그에게서 이런 모습을 보고 싶던 게 아니었다. 제게 매달리는 차진혁이 보고 싶어서 떠난 게 아니었다.

정말로 그와 아무 관련도 없는 사람이 되고 싶었고, 그래서 떠났다. 진혁이 뒤늦게 매달리는 모습을 보여 봤자 모두 허무하게만 느껴질 뿐이었다.

"나한테 돌아와."

벽을 마주한 것처럼, 무의미한 대화만 이어졌다. 맥이 빠지는 기분에 세희의 입술이 벌어졌다.

"돌아오라니, 그게 무슨 뜻이에요?"

"이번 일, 확실하게 정리해 줄게. 그러니까 얼른 돌아와."

내 곁으로. 담담하게 보탠 목소리에 간절함이 묻어났다. 세희는 천천히 인상을 찡그렸다.

제 상황을 이해한다는 그의 말에 한 가지 의심이 떠올랐다. 이번 일이 유미의 단독 행동이 아닐지도 모르겠다는 의심이.

"설마…… 당신이 꾸민 짓이었어요?"

세희는 충격 속에서도 힘없이 자조했다.

그래, 왜 처음부터 의심하지 못했을까. 제 삶에서 큰 불행이 닥칠 때마다, 항상 그 뒤에는 저 남자가 있었는데. 지금처럼 무감한 얼굴로 아무렇지 않게 서 있던 저 남자가.

"어떻게 이럴 수 있어요?"

세희의 음성이 혀끝에 칼을 문 것처럼 날카로웠다.

"우리의 감정과 상관없이, 내가 이 일을 얼마나 사랑하는지, 얼마나 열심히 노력하는지 알면서⋯⋯."

"그래, 알아."

"자세하게 대화를 나눈 적은 없어도, 당신이 내 열정만큼은 알고 있으리라 믿었어요."

"알고 있어. 알고서 저질렀어. 너를 돌려받을 방법이 고작이딴 것뿐이어서."

"아뇨, 내 마음을 안다면 절대 이런 식으로 행동 못 해요."

진혁이 한 걸음 다가오자 세희가 비명을 지르듯 소리쳤다.

"당신은 나를 무시한 거야. 내 자존심을 짓밟은 거라고!"

"이렇게라도 하지 않으면, 견딜 수 없었어."

진혁의 가라앉은 음성에 지독한 회한이 담겨 있었다.

"네가 아무것도 모르니까⋯⋯ 너를 안전하게 지키려면, 이 방법밖에 없었어!"

"대체 무슨 소리예요. 당신이 없어도 안전해요, 나는."

"아니야, 너는 몰라서 그러는 거야. 제발⋯⋯."

도저히 영문을 알 수 없는 소리가 이어졌다. 세희는 물러섰고, 진혁은 아예 손을 뻗었다. 자꾸만 멀어지려는 그녀의 반응에 속이 까맣게 타들어 갔다.

"다가오지 마요!"

세희는 진혁의 손을 피해 뒷걸음질 쳤다. 신호등에 파란불이 들어온 걸 확인한 후, 바로 몸을 돌렸다.

"기다려, 세희야!"

거리부터 벌리고자 건너편으로 달려가려던 찰나, 진혁의 고함과 함께 요란한 경적이 울려 퍼졌다.

왼쪽을 돌아보자 세희의 시야에 거대한 트럭이 들어섰다. 맹렬한 속도로 달려오는 트럭 앞에서 그녀가 하얗게 질렸다.

"세희 씨!"

동시에 거친 손길이 그녀를 붙잡고 끌어안았다. 세희는 그와 함께 인도 위로 쓰러졌다.

트럭 기사가 창문 너머로 욕설을 내뱉으며 지나갔다. 벌벌 떠는 세희의 시선이 위로 올라갔다.

"괜찮아요? 다친 곳 없어?"

연우가 얼어붙은 표정으로 거친 숨을 몰아쉬었다. 세희는 그의 품에 안긴 채, 트럭이 지나간 자리를 응시했다.

'죽을 뻔했어, 방금……'

과거로 넘어오기 직전의 순간이 불현듯 머릿속을 스쳤다. 온몸을 짓누른 공포가 사라지기도 전에, 멀리서 비서실장의 외침이 들렸다.

"부사장님, 괜찮으십니까? 부사장님!"

비서실장이 쓰러진 진혁을 부축했다. 진혁은 창백한 낯으로 거칠게 콜록대며 괴로워했고, 과호흡으로 기절하기 직전까지 세희를 향해 손을 뻗었다.

이내 툭 떨어지는 진혁의 손끝을, 세희는 복잡한 표정으로 직시했다.

＊　＊　＊

응급실은 지나치게 고요했다.

연우는 소름이 끼칠 정도로 조용한 복도를 빤히 노려보았
다. 진료를 마치고 나온 세희도 그의 곁에서 침묵을 지켰다.

다행히 그녀에게는 아무 이상도 없다는 의사의 소견이 떨
어졌다.

"크게 다친 곳이 없어서 정말 다행이에요."

주차장으로 내려가 차에 올랐을 때, 연우는 드디어 침묵
을 깨고 입을 열었다. 꺼낸 첫마디는 역시나 세희에 관한 이
야기였다.

"아까 너무 놀랐어요. 조금만 늦게 당겼어도……."

연우는 끝까지 말을 잇지 못하고 입술을 악물었다. 트럭
이 달려오는 순간, 정말로 숨이 멎는 듯했다.

오래전 모친의 사고까지 떠오르면서 눈앞이 까맣게 점멸
했다. 본능적으로 뻗은 손이 아니었다면, 그랬다면 정말로
어떻게 되었을까.

"걱정 끼쳐서 미안해요. 내가 제대로 보고 건넜어야 했는데."

어두워진 연우의 낯에 세희가 허둥지둥 사과했다. 연우는
제 팔에 닿은 그녀의 손을 가만히 내려다보다가, 꽉 움켜쥐
었다.

"아니에요, 파란불이었고…… 트럭 기사가 너무 빨리 우

회전해서 들어온 탓이었잖아요."

연우의 체온이 무척 뜨거웠다. 세희는 그제야 제 손이 아직 떨리고 있음을 알아챘다. 안심하라고 토닥이는 연우의 손길에 조금씩 떨림이 멎었다.

"비서실장에게 연락이 왔어요. 차진혁도 크게 다친 곳 없이 괜찮다는 모양이에요."

연우는 진혁의 비서실장에게서 받았던 전화를 떠올리며 말했다. 세희는 이렇다 할 반응 없이 담담하게 고개를 끄덕였다.

"그건…… 다행이네요."

그 무던한 반응이 오히려 연우에게 혼란을 일으켰다. 연우는 의미심장한 세희의 대답을 속으로 곱씹었다.

'대체 형과 얼마나 가까운 사이였어요?'

당장 던지고픈 질문이 목 끝까지 부글부글 차올랐다.

하지만 그로 인해 공기가 불편해진다면, 세희가 제게 거리감을 느낀다면. 그럼 자신은 그 분위기를 견디지 못할 게 뻔했다.

연우는 질문을 참아 내고서 세희의 손만 힘주어 잡았다.

"저기, 연우 씨."

세희는 아무런 질문도 덧붙이지 않는 그를 빤히 바라보았다. 연우가 지금 무슨 생각을 하는지 궁금했다.

진혁과 제대로 관계를 정리하지 않고서, 그를 만난다고 오해하는 건 아닐까. 언젠가 선영이나 재섭이 저를 양다리라고 오해했던 것처럼.

"나 연우 씨한테 부탁할 게 있어요. 혹시 들어줄 수 있나요?"

"부탁이요?"

갑작스러운 이야기에 연우가 고개를 돌렸다. 세희는 드디어 제 눈을 제대로 바라보는 연우를 보며 작게 미소 지었다.

"네, 어려운 부탁일지도 모르지만…… 믿을 사람이 연우 씨밖에 없어서. 정말이에요."

예전과 달리, 민폐라고 생각하지 않는 그녀의 변화가 신기했다. 연우는 저를 믿는다는 그녀의 새카만 눈을 마주했다.

"네, 말해 봐요."

그래, 진혁과 세희의 관계는 이미 오래전에 끝난 이야기였다. 연우는 더 불안할 필요 없다고 자신을 다독였다.

"어떤 부탁이든 들어줄게요."

중요한 건, 제 마음이 세희를 향한다는 점이었으므로.

이른 새벽.

잠자리에 누운 연우가 식은땀 맺힌 얼굴로 연신 뒤척거렸다. 그는 불안감 때문인지 악몽을 꾸고 있었다.

꿈속에서 그는 짙은 회색 양복을 입은 채, 결혼식장에 서 있었다. 다름 아닌 진혁과 세희의 결혼식장이었다.

결혼식장의 하객이 되어 세희를 응시하는 기분은 무척 찝 찝하고 더러웠다.

'아니야.'

눈앞의 풍경이 현실일 리가 없는데, 꿈속의 자신은 무기력하게 손뼉이나 치고 있었다. 가까이 다가가 축하해 주는 제 태도에 진혁은 무심히 고개만 끄덕일 뿐이었다.

저토록 아름다운 신부를 맞이하는데도 그의 눈빛에서는 어떤 여유나 행복도 느껴지지 않았다. 오히려 진혁은 뭔가를 잃어버릴 것처럼 불안에 떨고 있었다.

'둘은 파혼한 사이잖아. 이건 꿈이야, 꿈!'

악몽임을 자각한 순간, 연우는 소스라치게 놀라며 눈을 떴다. 허억, 깊은숨을 들이마시자 가슴팍이 크게 부풀었다.

어둠 속에서 천장을 응시하는 동안, 점점 눈이 어둠에 익숙해졌다. 푸른빛이 스며드는 새벽의 풍경이 눈앞을 장악했다.

"하아, 하……."

연우는 천천히 고개를 돌렸다. 제 옆에 나란히 누워 잠든 세희의 얼굴이 보였다. 그녀는 평온한 얼굴로 색색 고른 숨을 내쉬었다.

"역시 꿈……."

연우는 부스스한 머리칼을 쓸어 넘기며 상체를 일으켰다. 무서운 꿈을 맞닥뜨린 양, 등이 흠뻑 젖어 있었다.

아무리 생각해 봐도 꿈의 내용은 굉장히 이상했다. 일단, 그동안 세희의 곁에서 잠들 때마다 꿨던 꿈과 크게 달랐다.

과거의 기억이 떠오르던 것과 달리 이상한 풍경이 나타났으니까. 마치 미래의 풍경을 엿본 것처럼.

"미래라니, 무슨 말도 안 되는 생각이야."

차진혁과 문세희의 결혼식, 하객으로 참석한 자신이라니.

두 가지 상황이 너무나 기가 막혀서 헛웃음만 나왔다.

자조하듯 중얼거리는 연우의 턱 끝으로 땀방울이 흘러내렸다.

"뭐냐고, 대체……."

단단히 다물린 연우의 턱에 불끈 힘이 들어갔다. 예지몽이라니, 정말 어이가 없는 추측이었다. 그러면서도 한편으로는 근거 없는 불안감이 밀려왔다.

실제로 진혁과 세희는 결혼할 사이였지 않은가. 만약 두 사람이 결혼을 맞이했다면, 자신은 꿈속의 풍경처럼 하객으로 참석했을 터였다.

웨딩드레스를 입은 세희를 보고, 멀리서 손뼉이나 쳐 대면서.

"세희 씨, 자요?"

"……."

"자는구나."

연우는 이마의 땀을 닦아 낸 다음, 손을 뻗었다.

내려간 이불을 꼼꼼히 덮어 주는 그의 손가락이 가볍게 떨렸다. 그는 한숨을 깊게 내쉬면서 혼잣말처럼 중얼거렸다.

"차진혁은…… 왜 그렇게 당신한테 집착할까."

잠든 사람이 대답할 리 없다는 걸 알면서도 궁금했다.

차진혁이 그토록 무언가에 지독히 집착할 수 있다는 걸, 이번 일로 처음 알게 되었으니까. 세희와 그만큼 많은 추억을 보냈기 때문인 걸까, 아니면…….

'내가 알던 차진혁은 그런 사람이 아니었는데.'

다시 모로 누운 연우가 세희의 얼굴을 향해 손을 뻗었다. 검지가 반듯한 콧대를 스치며 아래로 떨어지자, 세희가 가볍게 미간을 찡그렸다. 입술을 오물거리는 모습이 꼭 한 마리의 토끼 같았다.

"형이 어째서 당신 앞에서만 그렇게 절절하게 구는지 모르겠어. 아버지 앞에서조차 그러지 않았는데."

기억 속의 차진혁은 언제나 무뚝뚝하고 냉정한 사람이었다. 또한, 아버지의 칭찬을 듣기 위해서라면 뭐든지 하는 성격이기도 했다.

저보다 훨씬 월등한 성적을 거둬도 만족하지 못했고, 제게도 늘 거리를 뒀다. 그는 타인에게 일정한 거리를 두는 데 익숙한 사람이었다.

그 예외가 된 건, 오로지 문세희 한 명뿐이었다. 적어도 지금까지 연우가 지켜본 바로는 그랬다.

"하지만, 이번에는 나도 양보 못 해."

세희의 볼을 더듬던 손가락이 가볍게 머리카락을 움켜쥐었다. 깃털처럼 가볍고 부드러운 머리카락이 부드럽게 손바닥을 간질였다.

"나도 당신의 곁에 있고 싶거든. 왜냐하면⋯⋯."

나 역시 당신과 많은 추억이 생겼으니까. 앞으로 더 많은 시간을 보내고 싶으니까.

'당신을⋯⋯ 이토록 깊이 사랑하게 되었으니까.'

연우는 꺼내지 못한 고백을 삼키며 고개 숙였다. 손에 쥔 머리칼에 입을 맞추는 그의 속눈썹이 가볍게 흔들렸다.

조용하고 가슴 떨리는 새벽이었다.

다음 날, 세희는 기획 팀에 파격적인 제안을 던졌다.

강은하와 찍은 기존의 광고 영상을 통째로 폐기하자는 것이었다. 또한, 기존의 콘셉트를 버리고 새로운 광고를 찍자고 말했다.

'완전히 새로운 제품, 새로운 광고로 정면 승부를 볼 거예요.'

새로 발매하는 픽시 브랜드의 첫 단추부터 문제가 생기게 둘 수는 없었다. 앞으로의 행보에 표절 시비가 꼬리표처럼 따라붙을 게 뻔했기 때문이었다.

다행히 직원들은 모두 그녀의 의견에 동의했다.

'문 팀장. 생각해 둔 콘셉트는 있는 거야?'

한 실장은 전전긍긍했지만, 세희가 내민 기획서를 확인하고는 안도의 한숨을 내쉬었다. 그렇지만 곧 한 가지 문제를 더 떠올리고서 풀이 죽었다.

'그런데 모델은 어떡하지?'

그 문제는 세희도 똑같이 고민하던 부분이었다. 세희는 곰곰이 생각하다가 이 문제를 든든한 아군과 논의하기로 했다.

다행히 아군은 연락을 받자마자 회사로 달려왔다.

"세희 씨, 오래 기다렸어요?"

활짝 웃으며 회의실로 들어온 연우가 커피를 건넸다. 혼자만 몰래 마시라는 속삭임에 세희가 작게 웃었다.

어떤 이유도 묻지 않고, 와 달라는 부탁에 달려온 그가 무척 고마웠다.

"그래서 뭘 이야기하자는 건가요? 오면서 계속 궁금했는데."

세희는 맞은편에 앉은 연우에게 현 상황을 짧게 설명했다. 끝까지 이야기를 들은 연우가 고개를 갸웃하며 물었다.

"판매하기로 한 신제품이 뭔가요?"

"이거예요."

세희는 테이블 위로 신제품의 기획안과 샘플을 하나하나 올려 두었다. 파운데이션과 립스틱이었고, 남성용 제품이라는 특징이 있었다.

"뷰티 샛별은 메이크업 샵을 따로 운영하는 만큼, 색조 제품을 발매해도 괜찮을 것 같았어요. 다만 기존의 제품과 차별적인 요소가 필요해서 고객층을 젊은 남성으로 잡았어요."

기획안을 읽는 연우의 표정이 진지해졌다.

"뷰티 샛별에서 처음 나왔던 색조 제품은 조금 엉성했거든요. 이 제품은 그것보다 순하고 색도 세련되었어요. 안전성 검사도 통과했으니, 광고만 새로 찍으면 바로 선보일 수 있어요."

그야말로 만반의 준비를 마친 신제품이었다. 딱 하나, 광고를 제외하면.

"문제는…… 모델이죠. 당장 찍어야 하는데 마땅한 사람이 없으니까요."

아무래도 연예계에 차강 그룹의 입김이 다수 들어간 모양이었다. 어디서든 모델 제안을 거절하는 걸 보면 말이다.

제안을 받아 줄 만한 건, 루비노 에이전시뿐이었으나 경력이 충분한 모델이 없었다. 강은하는 신인이어도 뷰티 화보 경력이 있었지만, 다른 이들은 그러지 못했다.

"어떤 조건의 모델을 원해요?"

"음…… 이목구비가 뚜렷한 남자 모델이면 좋겠어요. 화장이 옅어도 결과가 도드라지게 드러나는 마스크요. 순한 화장품이 기본 바탕이니, 피부 결도 중요하고요. 무엇보다 당장 촬영에 들어가도 괜찮은 사람이 필요해요."

세희는 줄줄 설명을 읊다가 민망함으로 얼굴을 붉혔다. 스스로 생각해도 조건이 지나치게 까다로웠기 때문이었다.

"그런 모델이 딱 하나 있긴 한데."

하지만 진지하게 듣던 연우의 입가에는 미소가 번졌다. 반가운 대답에 세희의 눈이 휘둥그레 커졌다.

"네? 누구요?"

연우가 근사한 미소와 함께 제 얼굴을 검지로 가리켰다.

"나요."

"……네? 연우 씨요?"

상황 파악을 하지 못한 세희가 멀뚱멀뚱 눈을 끔뻑였다.

"농담이죠? 연우 씨가 우리 화장품 광고를……."

그 순진한 얼굴을 바라보던 연우가 단호하게 속삭였다.

"왜 농담이라고 생각해요?"

"그야, 연우 씨는 화장품 화보를 찍지 않기로 유명하잖아요."

세희가 전 회사 동료에게서 처음 연우에 관한 이야기를 들었을 때를 떠올렸다. 그는 오로지 패션 화보만 촬영하고,

뷰티 화보를 찍지 않는 것으로 유명하다고.

"피부도 예민하고요."

게다가 한 실장에게서 연우의 피부가 유독 약하다는 이야기를 들은 적이 있었다. 연우는 턱을 괴고 여유롭게 미소를 머금었다.

"피부가 예민한 건 사실이지만, 피부 결은 자신이 있는데."

증명이라도 하고 싶었는지, 연우가 세희의 손을 끌어다 제 얼굴로 가져갔다.

자연스레 연우의 볼을 더듬게 된 세희가 움찔하며 손을 떨었다. 확실히 손끝에 닿은 연우의 살결은 보드랍고 따뜻했으며, 조금의 잡티조차 없었다.

"이번 제품은 순한 게 장점이라면서요. 내 피부가 약하다는 건 널리 알려진 이야기니까, 그 장점을 더 부각할 수 있지 않겠어요?"

세희는 쭈뼛쭈뼛 조심스러운 물음을 던졌다.

"연우 씨가 모델로 촬영해도 괜찮은 거예요?"

"내 결정인데, 누가 토를 달겠어요."

확실히 연우가 모델을 해 준다면, 그야말로 천군만마를 얻는 셈일 터였다. 지나치게 반가운 제안 앞에서 세희는 고마움에 어쩔 줄 몰랐다.

"세희 씨를 도와주고 싶어. 그러니까 내 손을 잡아요. 아무것도 걱정하지 말고."

연우는 세희의 손을 내려놓으면서, 맞닿은 손가락을 바라보았다. 유혹하듯 내리깐 시선을 마주하며 세희가 입술을 달싹였다.

"연우 씨……."

"어떤 도움은, 아무런 이유도 없이 베풀 수 있는 거예요. 상대방을 향한 호감만으로도."

호감이라는 단어를 힘주어 말하는 연우의 눈빛이 다정했다.

"받아 줘요, 내 마음."

마치 고백과도 같은, 친절하고 상냥한 권유였다. 설레는 마음으로 연우를 응시하던 세희 또한 결심이 섰다.

"그럼…… 부탁해도 될까요?"

연우를 바라보는 세희의 눈동자가 맑게 일렁였다.

"어려운 부탁이겠지만, 저도 믿을 사람이 연우 씨밖에 없어요."

간절한 세희의 눈빛에 연우의 심장도 두근두근 뛰었다.

"그때 말한 내용과 비슷하네요."

"네?"

"우리가 차에서 했던 대화요."

그의 대답에 세희의 머릿속에도 기억 한 줄기가 스쳤다.

'나 연우 씨한테 부탁할 게 있어요. 혹시 들어줄 수 있나요?'

'네, 말해 봐요. 어떤 부탁이든 들어줄게요.'

'고마워요. 자세한 건 회사에서 말해 줄게요.'

연우는 저번의 대화를 회상하다가 밝게 미소 지었다.

"그때도 말했지만, 어떤 부탁이든 들어줄 테니까 걱정하지 마요."

다정하고 따뜻한 속삭임이 세희를 안심시켰다. 그의 부드러운 음성에 세희도 자그맣게 미소를 지었다.

이보다 더 든든한 응원이 어디 있을까. 연우의 미소를 볼 때면, 모든 일이 잘 풀릴 것만 같은 기분이 들었다.

'그래, 다 잘될 거야.'

세희는 더 불안해할 필요가 없다며 마음을 다독였다.

"그럼, 우선 모델은 연우 씨한테 부탁하고……."

세희는 나머지 내용도 논의하기 위해 기획안을 주르륵 펼쳤다. 기획안을 꼼꼼하게 살피는 그녀의 눈이 날카롭게 반짝였다. 일에 집중하기 때문인지, 차갑고 도회적인 인상이 유달리 돋보였다.

"아까 말한 대로 이 제품의 주요 고객층은 남자로 정했어요."

"네, 그랬죠."

연우는 세희의 미간에 잡힌 주름을 귀엽다는 듯 지켜보았다.

"연우 씨가 모델을 해 주는 만큼 더 확실하게 결정했어요. 젊은 남자도 손쉽고 편안한 마음으로 구매할 수 있는 제품. 그게 목표예요."

요즘은 남자 중에서도 화장하는 사람들이 늘어나는 추세였다. 물론 대다수는 연예인이었고, 아직까지 일반 대중에게는 조금 낯선 모습이기도 했다.

연예인이 아니고서야 일반 대중이 일상에서 색조 화장품을 구매하고 사용하기란 여간 어려운 일이 아닐 터였다.

세희는 바로 그 색조 화장품을 일상의 한 부분으로 만들 계획이었다.

"이런 건 어떨까요? 연우 씨만 괜찮다면, 좋은 생각이 있거든요."

세희는 형광펜으로 기획안에 쓱쓱 줄을 그었다.

광고 영상은 직접 화장하는 연우의 모습을 일상처럼 찍을 계획이었다. 어떤 방송에 나오는 것처럼 설명하는 게 아니라, 그냥 자연스러운 모습으로.

"남자에게 색조 제품이 필요한 이유가 있을까, 그것부터 고민했어요."

세희는 펜 끝을 입술에 걸치고 오물거렸다.

"여자들은 특별한 날, 블러셔나 립스틱을 바꾼다든지…… 여러 방법이 있잖아요. 반대로 남자들도 사랑하는 여자를 위해 스스로 꾸미는 경우도 있겠지만, 화장을 택하는 건 극소수고."

"아무래도 그렇죠. 연예인이 아닌 이상, 화장품에 대해서 잘 알기도 어려우니까."

"그래도 사랑하는 사람이 자신을 위해, 서툴지만 열심히 꾸몄다고 생각하면 귀엽잖아요? 여자도 남자와 똑같은 마음이라는 거죠."

세희는 저를 만날 때마다 멋지고 완벽하게 꾸몄던 연우의 모습을 떠올렸다.

촬영을 마치고 달려오느라 화장한 상태 그대로여도 그저 멋있었다. 제게 가장 멋있는 모습으로 오고 싶어서, 그대로 달려왔을 거라고 생각하면 설레기도 했다.

"잠깐의 손질만으로도 깨끗하고 투명한 피부를 연출할 수 있고, 입술도 더 생기 있게 만들어 준다는 설명을 덧붙였고요. 남녀가 소개팅에서 만나기 전, 각자 화장하는 모습을 기획해서 찍어 보는 것도 재미있을 거예요."

세희가 손가락을 들어 파운데이션 옆에 적힌 설명을 짚었다.

[하얀색은 인간의 욕망을 자극하는 색. 순결, 고결함, 순수를 상징하는 색으로서 어떤 것에도 물들지 않은 깨끗함을 드러낸다.]

기획안을 뚫어져라 바라보던 연우가 하단에 적힌 광고 문구를 읊었다.

"남자는 투명하다. 남자는 순수하다. 남자는…… 아름답다."

"어때요?"

"좋아요. 일상에서도 틈틈이 관리하는 남자들의 매력을 어필하는 거니까."

연우는 긍정적인 답변과 함께 고개를 주억거렸다. 조마조마한 마음으로 지켜보던 세희가 그제야 나직이 안도했다.

"립스틱은 뭐예요?"

"아, 정확히는 립밤이에요. 두 가지 색조로 나뉘었고요."

호기심 어린 연우의 질문에 세희가 열기 띤 얼굴로 설명했다.

첫 번째 립밤은 특별한 날, 입술을 매력적으로 돋보여 줄 진한 빨간색이었다. 나머지 하나는 일상에서도 깔끔한 입술라인을 연출할 수 있는 옅은 분홍색이었다.

"상대에게서 가장 빠르게, 또 매력적으로 보이는 요소가 눈과 입술이라고 생각했거든요."

하지만 아이라인을 권하기엔, 아직 부담스럽게 느껴질 수도 있었다.

세희는 가장 무난하면서도 손쉽게 구매할 수 있는 제품에만 집중하기로 했다.

전체적인 얼굴의 톤을 균일하게 잡도록 도와주고, 입술에만 포인트를 준다. 딱 그 정도가 부담스럽지 않고 무난한 기초화장이었다.

"입술이라……."

연우가 그녀를 따라 고저 없는 음성으로 중얼거렸다. 목소리를 따라 올라간 시선이 그의 입술을 스쳤다. 집중하느라 아랫입술을 슬며시 깨문 모습이 섹시하게 다가왔다.

"세희 씨?"

갑자기 말을 멈춘 탓인지, 아니면 시선을 느꼈는지 연우가 그녀를 불렀다.

"네, 네. 다음으로 이야기하고픈 건……."

세희는 아차 싶은 얼굴로 후다닥 고개를 떨구었다.

머리카락 사이로 붉어진 귓불이 톡 튀어나온 것도 모른 채.

"문 팀장님, 잠시 이쪽으로 와 주세요! 사진작가님이 찾으세요!"

"네, 지금 갈게요!"

세희는 자그마한 파우치를 손에 쥐고서 이리저리 뛰어다녔다. 다행히 하늘은 화창했고, 광고를 촬영하기에 좋은 날씨었다.

오늘은 드디어 연우의 단독 광고 촬영이 잡힌 날이었다. 내일모레까지 편집을 마치고, 검수까지 마무리되면 바로 송출될 광고였다.

즉, 수정할 기한이 없으니 하루 만에 완벽하게 찍어야 한다는 뜻이었다.

"이쪽! 조명 팀 빨리 와 줘요!"

당연히 촬영 현장은 정신이 하나도 없었다. 이번에는 같은 일을 당하지 않기 위해, 인원도 축소하여 극비리에 촬영이 진행되었다.

한참 이곳저곳을 돌아다니던 세희의 발길이 우뚝 멈추었다.

'와…….'

세희의 시선이 닿은 곳에 연우가 서 있었다. 그는 두 번째 촬영을 위해서 검정 슈트로 갈아입던 참이었다.

처음 입었던 스웨터와 청바지 차림이 풋풋한 분위기를 연출했다면, 이번은 완전히 달랐다. 물에 젖은 것처럼 넘긴 머리칼과 흐트러진 슈트 차림이 무척 매혹적이었다.

"왜 그렇게 봐요?"

옷매무시를 고쳐 주던 스타일리스트가 떠난 후, 연우는 세희를 보며 나른한 미소를 머금었다.

"매일 같은 집에서 보는 얼굴이잖아요. 아직도 내 얼굴이 익숙하지 않은 건 아니겠고."

도무지 시선을 떼기 힘들 정도로 잘생긴 얼굴이었다. 세희는 그를 가만히 바라보다가 진지하게 중얼거렸다.

"……안 익숙해."

"응?"

"안 익숙하다고요. 연우 씨 얼굴 진짜……."

차연우는 심각하게, 그리고 지나치게 잘생겼다. 얼굴에서 뿜어져 나오는 빛으로 공격받는 기분이라고 설명해야 할까.

연우의 팬들이 왜 낯부끄러운 문장까지 동원하며 열광하는지 이해가 가는 외모였다.

소위 말하는, 주접을 아무리 떨어도 모자랄 얼굴. 그만큼 조각처럼 아름다웠다.

"그런데, 연우 씨. 촬영장에서 계속 저랑 같이 있어도 괜찮아요?"

연우의 얼굴에 감탄하던 세희가 슬그머니 주변을 살폈다. 걱정과 달리, 이쪽을 집요하게 살피는 시선은 느껴지지 않았다.

촬영 인원을 축소하는 과정에서 기획 팀 직원이 줄어든 게 다행이었다.

"누가 봤다가 괜히 이상한 소문이라도 나면 어떡해요. 저번에도 큰일 날 뻔했는데."

한재섭과 다퉜던 일을 떠올리던 세희가 끙, 앓는 소리를 냈다.

"나는 아이돌도, 배우도 아니라서 그 정도까지 숨길 필요는 없어요. 물론 당신한테 부담이 간다면 당연히 숨겨야겠지만……."

연우는 싱그러운 미소와 함께 걱정하지 말라는 듯 그녀의 머리를 쓰다듬었다.

"당분간은 그러고 싶지 않아서."

나직한 속삭임과 함께, 연우는 다시 조명 아래로 향했다.

촬영을 이어 가는 그의 모습을 지켜보면서 세희가 볼을 붉혔다. 머리를 쓰다듬은 감촉이 아직도 남아 있는 느낌이었다.

"흐음, 좀 아쉬운데……."

한창 촬영을 이어 가던 도중, 사진작가가 카메라를 내리며 중얼거렸다.

첫 번째 촬영은 무난히 마쳤는데, 두 번째 촬영은 약간의 문제가 있는 듯했다.

"왜 그래, 형?"

"조금만 더 관능적으로 보였으면 좋겠는데, 아쉬워서. 메이크업을 수정해야 하나."

사진작가는 이리저리 카메라를 돌려 가면서 미간을 찌푸렸다. 조금 더 매혹적으로 보일 만한 요소가 없는지 고민하는 표정이었다.

"형, 잠깐 기다려 줄래?"

고심하는 사진작가에게 연우가 선뜻 제안을 건넸다. 평소 가깝게 지내던 터라 작가의 열정을 누구보다 잘 알던 그였다.

"내가 대기실에서 화장 좀 고치고 올게."

"아, 그래. 좋은 생각이다. 나도 머리 좀 식히고 올 테니까 십 분만 쉬자."

반갑게도 허락이 떨어졌다. 연우는 그대로 몸을 돌려 구석에 서 있던 세희에게 다가갔다.

"연우 씨? 무슨 문제라도 생겼나요?"

세희는 성큼성큼 다가오는 그의 모습에 당황하여 고개를
들었다.

"잠깐 도와줬으면 좋겠는데, 괜찮아요?"

능청스러운 물음에 세희가 곧바로 고개를 주억거렸다.

"네, 물론이죠! 제가 도울 수 있다면, 뭐든…….'

"그럼, 잠깐 이쪽으로."

은밀한 속삭임에 따라 도착한 곳은 대기실이었다. 세희는
누가 볼세라 대기실 문을 단단히 잠그고 들어섰다.

화장대 앞에서 무언가 집어 든 연우가 그녀에게 손을 뻗
었다. 뺨을 움켜쥐는 손아귀에 세희가 움찔하며 소리쳤다.

"뭐, 뭐 하는 거예요?"

"쉿, 번지니까 가만히 있어요."

뭉툭한 끄트머리가 입술을 가볍게 짓눌렀다. 세희는 곧
그게 붉은 립스틱이라는 걸 알아차렸다.

꼼꼼하게 립스틱을 발라 주는 연우의 표정이 진지했다.

"갑자기 왜 립스틱을…….'

"됐다."

도톰하고 붉은 입술을 만족스럽게 지켜보던 연우가 불쑥
뺨을 내밀었다. 깨끗하고 투명한 피부를 마주한 그녀의 귓
가에 얄궂은 요청이 들렸다.

"내 볼에 입술 자국 좀 남겨 줘요."

"입술 자국이요? 볼에 뽀뽀를…… 하라는 거예요?"

"맞아요. 촬영할 때, 조금 더 성숙한 느낌이 필요하다고
해서."

그 이상의 설명은 필요 없다는 듯, 연우가 두 눈을 감았
다. 사르르 감긴 눈 아래로 조각 같은 이목구비가 보였다.

세희는 목이 타는 기분에 애꿎은 입술을 달싹였다.

'정신 차려, 눈 딱 감고 하는 거야. 내가 받은 게 얼마인데
이 정도는 도와줘야지.'

절대 흑심을 품어서 이러는 게 아니야.

세희는 스스로 다짐하면서 조심스레 입술을 내밀었다. 보
드라운 살갗에 입술을 꾹 누르는 순간, 연우가 눈을 떴다.

후다닥 멀어지는 세희의 얼굴이 사과처럼 붉어 사랑스러
웠다. 세희 역시, 그의 뺨에 찍힌 제 흔적을 응시하면서 이
상한 만족감을 느꼈다.

"했어요. 한 번 확인을…… 앗!"

물러나려는 찰나, 연우가 세희의 팔을 잡아 끌어당겼다.

순식간에 끌려간 세희가 재빨리 손바닥으로 입을 가렸다.
연우는 입술로 그녀의 손등을 누른 채, 물끄러미 눈을 맞추
었다.

"손 내려요."

낮게 가라앉은 음성에 묘한 소름이 돋았다. 세희는 쿵쿵
뛰는 심장을 느끼며 황급히 고개를 저었다.

"리, 립스틱 번져요."

"안 번지게 할 테니까."

거짓말이 분명했다. 무슨 재주로 안 번지게 키스를 한단

말인가. 흔들리는 세희의 눈빛에 연우의 눈매가 더욱 가늘어졌다.

"손 내려, 얼른."

등 뒤로 다가온 손이 단단히 허리를 붙들었다.

"지금 키스 안 하면, 당신 얌전히 보낼 자신 없어."

"하지만 립스틱이 지워져서 다른 사람한테 들키면……."

만류하고자 입을 뗀 순간, 커다란 손바닥이 그녀의 손목을 붙잡아 아래로 끌어 내렸다.

호를 그린 입술이 점점 다가오자 세희는 질끈 눈을 감았다. 뜨겁고 말랑한 입술의 감촉이 아랫입술에 닿았다.

"당신이 고쳐 줘, 그럼."

짓궂은 속삭임이 열기와 함께 입 안 깊숙이 밀려왔다.

가볍고 다정한 입맞춤이었다.

픽시(PIXY)의 신제품은 성공적으로 판매를 시작했다.

광고의 여파는 그야말로 엄청났고, 완전 대박이 터지고 말았다.

광고를 보고 찾아온 고객들은 대다수가 남자였지만, 여자도 많았다. 바로 연인이나 가족에게 직접 선물하기 위해 찾아온 이들이었다.

첫날에는 상품을 구매할 시, 연우의 포토 카드를 증정하는 이벤트도 진행했다. 그 결과 포토 카드는 한 시간 만에 동이 났다.

어찌나 인기가 있는지, 나중에는 사람들이 웃돈을 주고 거래할 정도였다. 그에 관한 기사도 매일 끊이지 않았다.

연우가 난생처음으로 촬영한 뷰티 광고라는 문구 하나만으로도 화제성이 컸다. 그야말로 위기를 기회로 맞이한 순간이었다.

'뷰티 샛별의 인지도를 확실하게 잡았어. 우리 문 팀장이 복덩이네, 복덩이야!'

한 실장은 전화위복이라면서 덩실덩실 춤까지 췄다.

피오레 코스메틱 신제품의 판매량까지 넘어섰다는 소식에 기획 팀 전체가 뛸 듯이 기뻐했다.

한 실장이 기념 회식을 선언한 건 당연한 일이었다.

'다들 기뻐해, 오늘은 전체 회식이니까!'

한 실장의 한마디에 직원들 모두가 웃음을 터트렸다.

그간의 고생을 단번에 보상받았다는 생각에 행복감이 뭉게뭉게 피어올랐다.

세희는 안도의 한숨과 기쁨의 웃음을 동시에 내뱉었다. 이번 일을 잘 마무리한 공로로 회사에서 보상이 주어질 터였다.

'전부 연우 씨 덕분이야.'

그의 도움이 없었다면, 이번 일도 무사히 넘기지는 못했으리라.

어쩌면 압박에 굴복하여 이 업계를 떠났을지도 몰랐다. 무엇보다 열심히 고생하여 만들어 낸 제품이 빛을 보지 못했을 수도 있었다.

열심히 준비한 제품이 좋은 평가를 받자 기분이 짜릿했다.

"팀장님, 잔 받으세요!"

정아가 크게 외치며 맥주를 콸콸 따랐다. 세희는 흠칫하며 넘칠 정도로 찰랑거리는 맥주를 바라보았다.

잠깐 잡념에 빠진 동안, 모두의 시선이 그녀에게로 향해 있었다.

"고마워요, 정아 씨."

"자, 그럼 모두 건배해요!"

사람들은 시끌벅적하게 웃으며 잔을 부딪쳤다. 어느새 자정에 가까워진 시간이었다.

피곤한 사람들은 집으로 돌아갔으며, 남자 직원들도 떠나서 몇몇 여자 직원들만 옹기종기 모여 있었다.

다들 거나하게 취한 상태였고, 세희도 평소보다 들뜬 마음에 술을 거부하지 못했다.

그녀는 자꾸만 흐려지는 정신에 힘을 주면서 맥주잔을 꽉 쥐었다.

"이번에 다들 놀랐어요. 우리 팀장님 아니었으면, 정말 망했을 거예요."

"맞아요. 역시 경력자는 다르다니까요. 피오레에서 엄청배 아팠겠다."

"팀장님 놓쳤다고 울면서 땅 치고 후회하는 거 아니에요? 더 붙잡을 걸, 이러면서."

즐겁게 웃고 떠드는 직원들의 모습에 세희가 어색하게 웃었다.

'슬슬 위험한데…… 너무 많이 마셨어.'

세희는 느리게 흘러가는 벽시계의 초침을 가만히 응시했다. 술에 취한 탓인지, 평소보다 더 뚜렷하게 잡념이 떠올랐다. 특히 연우에 관한 생각이.

"참, 팀장님."

바로 그때, 소주 한 병을 통째로 비운 정아가 슬그머니 말을 걸었다.

"모델 연우랑…… 대체 무슨 사이인지 물어봐도 괜찮나요? 저희 너무 궁금해요!"

"맞아요, 맞아요!"

순식간에 주변에서 기대감 섞인 눈빛이 몰려왔다. 흥분한 나머지, 손으로 마구 테이블을 두드리는 사람도 있었다.

"연우 씨는 이번 일에 큰 책임을 느끼고 도와주신 것뿐이에요. 다들 알잖아요. 강은하 씨가 루비노 에이전시 소속이라는 거."

세희는 갑작스러운 관심에 어쩔 줄 모르고 손사래를 쳤다. 그렇지 않아도 한 실장까지 의심 어린 눈길을 보내서 걱정이었다. 이번 기회에 단단히 변명해야 할 듯싶었다.

"정말 그것뿐일까요?"

"네?"

"제가 볼 때, 팀장님은 아니어도…… 연우 씨는 호감이 있는 것 같아요."

정아의 날카로운 눈빛 앞에서 세희가 마른침을 꿀꺽 삼켰다. 필사적으로 표정을 관리했지만, 사실 가슴이 철렁 내려앉았다.

"진짜? 정아 씨도 그렇게 생각해?"

"제 눈이 귀신이라서 못 속여요. 어릴 적부터 친구 커플도 다 이어 줬거든요."

"팀장님, 정말 연우 씨랑 아무 사이도 아니에요?"

사방에서 질문이 줄줄이 소시지처럼 이어졌다. 세희는 제게 향한 수 쌍의 눈동자를 차례대로 바라보다가 슬그머니 몸을 일으켰다.

"다들 너무 취했네요. 저 잠깐 화장실 좀 다녀올게요."

"앗, 팀장님! 왜 하필 지금 가시는 거예요!"

"금방 올게요, 금방."

비틀거리며 화장실로 향하는 그녀의 모습에 모두가 아쉬운 한숨을 삼켰다. 아무도 함부로 물어보지 못했지만, 내심 그녀와 연우의 관계가 궁금했던 눈치였다.

"후……."

세희는 화장실로 들어가자마자 찬물로 손을 씻었다. 차게 식은 손으로 얼굴의 열을 식히고 있으니, 주머니 속 핸드폰이 작게 진동했다.

서둘러 꺼내자 방금 도착한 문자가 화면에 떴다.

[어디예요? 데리러 갈게.]

방금까지 절대 아니라고 말했지만, 사실 그의 마음을 눈치채고 있었다.

당연했다. 세희는 바보가 아니었고, 연우의 눈빛은 너무나도 순수했으니까. 그는 매번 눈빛으로 좋아한다, 관심 있다고 외치는 것과 마찬가지였다.

세희는 머쓱하게 미소 짓다가 답장을 보냈다.

[이제 3차예요. XX 호프집인데, 곧 끝날 것 같아요. 택시 타고 돌아갈게요.]

멍하니 거울을 바라보자 피곤함에 지친 제 모습이 눈에 들어왔다.

잔뜩 취해서 발개진 볼, 헝클어진 머리칼, 반쯤 풀린 눈꺼풀. 아무리 다정한 연우라도 이 모습을 본다면, 좀 꺼리지 않을까.

'나는 아이돌도, 배우도 아니라서 그 정도까지 숨길 필요는 없어요. 물론 당신한테 부담이 간다면 당연히 숨겨야겠지만…….'

왜 하필 지금 연우가 진지하게 건넸던 말이 생각나는 걸까. 세희는 스스로 뺨을 찰싹찰싹 때리며 눈을 깜빡였다.

이번 일로 느꼈지만, 연우는 아무래도 자신의 인기를 잘 모르는 듯했다. 포토 카드만 해도 순식간에 동이 나지 않았던가.

'역시 더 조심해야겠어. 기사라도 난다면, 연우 씨도 곤란할 거야.'

세희는 재차 굳은 다짐을 하면서 고개를 가로저었다.

한편, 세희가 자리를 비운 동안.

기획 팀 사람들도 저마다 머리를 맞대고 더 진지하게 토론하고 있었다. 주제는 당연히 세희와 연우의 관계였다.

"저는 연우 씨가 우리 팀장님께 좋은 감정 가진 줄 알았는데."

시끌벅적한 잡담 사이로 누군가의 중얼거림이 들렸다. 내심 재미있는 이야기를 기대했던 모양인지 목소리에 실망감이 묻어났다.

가은은 열렬히 고개를 끄덕이다가 정아의 귓가에 대고 속삭였다.

"제가 봤는데, 연우 씨가 회의실에서 우리 팀장님만 보시더라고요."

"진짜요? 역시, 내 감은 틀리지 않았다니까."

기획 팀의 오해가 깊어지는 밤이었다.

결국, 3차 회식은 자정을 넘기고서야 끝이 났다.

거나하게 취한 사람들을 택시에 태워 보낸 후, 세희는 굽은 허리를 쭉 펴고 기지개를 켰다.

술기운이 서서히 올라와 졸음이 그녀의 눈꺼풀을 덮쳤다.

'얼른 집으로 가야 하는데…….'

세희는 한숨과 함께 핸드폰을 꺼냈다. 콜택시를 호출하려던 순간, 멀리서 경적이 들렸다. 뭔가 싶어 고개를 들자 익숙한 차 한 대가 그녀를 향해 다가왔다.

"어?"

당황한 세희가 핸드폰을 내리고, 도로 가까이 다가갔다. 곧 그녀의 앞까지 다가온 차가 멈추고 문이 열렸다.

"이제 끝났어요?"

연우가 근사한 차림으로 웃으면서 다가왔다. 깜짝 놀란 세희가 서둘러 그 앞으로 달려갔다.

"연우 씨? 여긴 어떻게……."

"데리러 왔어요. 너무 늦어서 택시 잡기도 힘들까 봐."

연우의 다정하고 낮은 목소리에 심장이 기다렸다는 듯이 반응했다.

술기운 때문일까, 아니면 봄바람에 취한 탓일까.

세희는 자신과 연우의 관계를 의심하던 직원들의 말을 떠올렸다. 연우가 제게 호감을 느낀 게 분명하다던 의심을.

'제가 볼 때, 팀장님은 아니어도…… 연우 씨는 호감이 있는 것 같아요.'

'팀장님. 정말 연우 씨랑 아무 사이도 아니에요?'

그들의 말을 떠올리니, 연우의 눈을 똑바로 바라보기 어려웠다.

"세희 씨?"

세희가 대답이 없는 게 이상했는지, 연우가 슬쩍 고개를 기울였다. 가까워진 그의 담갈색 눈동자가 맑게 일렁였다.

"!"

그 순간 세희가 용기를 끌어모아 양팔을 넓게 벌렸다. 갑작스럽게 품에 안기는 그녀의 모습에 연우가 그대로 굳었다.

술에 취한 탓인지 평소보다 따듯해진 세희의 팔이 그의 허리에 매달렸다.

고르지 못한 숨결, 열기가 맴돌아 다홍빛으로 물든 뺨. 코끝을 간질이는 프리지아 향기까지. 가로등 아래서 안긴 세희의 모습이 보호 본능을 자극했다.

"연우 씨."

세희는 떨리는 목소리로 힘겹게 그의 이름을 불렀다. 가슴팍에 댄 귓가로 연우의 심장 소리가 두근두근 울려 퍼졌다.

그게 마치 증거처럼 느껴졌다. 연우 역시 저를 단순한 계약 연애 상대로 여기지 않는다는 증거. 아마도 훨씬 이전부터, 지금까지 쭉.

"연우 씨, 저번에…… 나한테 하고 싶은 말이 있다고 했잖아요."

뭉클한 마음에 세희의 목소리가 물에 잠긴 것처럼 먹먹해졌다.

품에 안긴 그녀를 내려다보던 연우의 손이 허공에서 작게 떨렸다. 그건 꿈과 관련된 이야기였다. 즉, 지금 꺼낼 만한 이야기는 아니었다.

"그 말, 오늘 듣고 싶어요."

당황한 그의 마음도 모른 채, 세희는 높이 고개를 들었다. 연우의 고백을 받아들이기엔 오늘이 제격이라는 생각이 들었다.

약간의 술기운이 자신의 걱정과 불안을 날려 줄 테니까. 덤으로 진혁에 관한 생각마저 완전히 잊을 수 있다면, 그보다 좋을 게 없었다.

"그리고…… 저도 하고 싶은 말이 있어요."

세희의 눈이 밤하늘을 옮긴 듯 새카맣게 반짝였다. 그녀에게는 지금, 제 마음을 고백할 만큼 확 트인 장소가 필요했다.

"집이 아니라 다른 장소에서요."

"다른 장소라면, 어디……."

"바다요."

갑작스러운 세희의 제안에 연우의 눈빛이 짧게 흔들렸다. 답지 않게 표정이 풀린 그의 얼굴을 올려다보며 세희가 빙그레 미소 지었다.

"우리 바다로 가요."

"……."

"어차피 내일 주말이니까. 연우 씨만 괜찮으면 바다 구경한 다음, 근처에서 자고 오는 게…… 나쁘지 않을 것 같아요."

부끄러움을 꾹 참고 꺼낸 고백에 긴 정적이 찾아왔다.

세희는 그의 허리를 꽉 껴안은 채 대답을 기다렸다. 잔뜩 긴장했는지 그녀의 어깨가 움츠린 채 떨리고 있었다.

"지금 한 말, 잊지 마요."

커다란 손바닥이 어깨를 꽉 붙잡아 더 세게 끌어안았다. 질식할 것처럼 강하게 안긴 채 세희가 고개를 끄덕였다.

"같이 자고 오자는 약속."

빨개진 귓가에 연우의 웃음소리가 달콤하게 내려앉았 다. 연우가 부드러운 대답과 함께, 그녀의 이마에 입을 맞 추었다.

"가요, 바다. 지금 당장."

아무도 없이 텅 빈 거리에 두 사람의 그림자가 천천히 겹 쳤다.

덜컹.

차체가 살며시 흔들렸다. 진동을 느꼈는지 세희의 눈꺼풀
이 파르르 떨렸다. 연우가 덮어 준 담요가 무릎까지 툭 흘러
내렸다.

연우는 재빨리 담요를 붙잡아 다시 허리까지 올려 주었
다. 색색, 잠이 든 세희의 숨소리가 고요한 차 안을 채웠다.

"……."

차창으로 새카만 풍경이 연달아 나타났다. 이따금 가로등
이 나올 때면, 연우는 곁눈질로 잠든 세희를 살폈다.

다홍빛 그림자가 얼굴을 덮어도 그녀는 반응조차 없었다.
술에 취한 것도 있겠지만, 지난 며칠간 피로가 꽤 쌓인 모양
이었다.

'이상한 점도 아니지. 이번 일로 제일 스트레스를 많이 받
았을 텐데.'

내색하진 않았지만, 세희가 얼마나 마음고생을 했는지는
연우가 제일 잘 알았다.

근래 밥을 먹으면서도 졸기 일쑤였고, 커피를 하루에 서
너 잔씩 마셔 가며 야근을 견뎠으니까.

오죽하면 기획 팀 사람들이 그녀의 책상에 에너지 음료만
수북하게 쌓아 놓았을까.

'자기 몸 돌보는 데 익숙하지 않은 거겠지, 분명.'

가끔 미련할 정도로 일에 매달리는 세희를 볼 때마다 연우는 알게 모르게 모친의 모습을 떠올리곤 했다.

차강태 회장에게 자신의 존재를 비밀로 한 채, 어떻게든 혼자 지켜 내고자 발버둥을 쳤던 모습.

"외로운 사람들의 천성 같은 걸까……."

그는 나직한 중얼거림과 함께 핸들을 꺾었다. 좌회전한 차의 바퀴가 흙길로 요란하게 들어섰다.

약 한 시간을 운전하고 나서야 바닷가의 풍경이 보이기 시작했다.

"세희 씨."

느리게 주차를 마친 연우가 안전벨트를 풀었다. 이름을 들은 세희도 잠에서 깨어나 앓는 소리를 흘렸다.

"으응……."

"다 왔어요."

연우가 헝클어진 세희의 머리칼을 귀 뒤로 넘겨 주었다. 간지러운 손길에 휙 고개를 돌린 세희의 눈앞으로 차창의 풍경이 나타났다.

새카만 하늘 아래 넓게 펼쳐진 수면이 반짝반짝 일렁였다. 그제야 세희는 화들짝 놀라며 몸을 일으켰다.

"미, 미안해요. 깜빡 잠들었네요."

"괜찮아요. 술도 마셨고 피곤했을 텐데."

연우는 차에 있던 여벌의 카디건을 둘러 주며 빙긋 웃었다.

"나가 볼까요?"

세희는 부랴부랴 머리카락을 정리하고서 고개를 끄덕였

다. 그의 옆에서 세상 모르게 잠들었다고 생각하니, 뒤늦은 부끄러움이 밀려왔다.

하지만 곧 시원한 바닷바람을 맞이하니 잡념도 깨끗하게 사라졌다.

'정말 와 버렸다, 바다에.'

두 사람은 나란히 걸어서 주차장 바깥으로 나왔다.

야외 주차장과 가까운 곳에 동막 해변이라고 적힌 팻말이 보였다. 팻말을 따라가자 해변으로 통하는 나무 계단이 나타났다.

연우는 주변을 둘러보다가 반짝이는 전광판을 가리켰다.

"카페도 있네. 야간에도 영업하나 봐. 커피부터 한 잔 마실래요? 피곤해 보여서."

"커피도 좋지만……."

세희는 밤하늘 아래 까맣게 일렁이는 수면을 응시했다. 가운데 둥그런 달 그림자가 바다에 퐁당 잠긴 것처럼 흔들렸다.

밤하늘을 수놓은 별을 그대로 옮겨다 놓은 듯한 바다가 황홀하도록 아름다웠다.

"그 전에 해변을 좀 걷고 싶어요."

연우는 세희의 옷차림을 걱정스레 살폈다. 그녀는 펜슬 스커트와 얇은 블라우스 차림이었다. 그의 카디건을 빌려주었지만, 오래 걸으면 쌀쌀할 터였다.

"춥지 않겠어요?"

"바닷물에는 들어가지 않을 거니까 괜찮아요."

세희는 기분 좋은 설렘을 느끼며 나무 계단을 내려갔다. 뒤따라 내려가는 연우의 입술이 빙그레 호선을 그렸다. 아이처럼 좋아하는 세희의 모습이 순수하고 사랑스러웠다.

"그때 생각이 나요."

계단을 끝까지 내려가자 모래사장이 나타났다. 모래사장에 푹푹 빠지는 신발을 느끼며 세희가 중얼거렸다.

"그때요?"

"내가 퇴사했던 날, 둘이서 한강에 갔잖아요."

세희는 그날의 기억을 떠올리면서 소리 죽여 웃었다. 쌀쌀했던 바람과 연우가 건네줬던 맥주, 그리고 목도리. 그날의 풍경이 선명히 기억에 박혀 있었다.

"연우 씨가 갑자기 한강으로 데려가서 참 특이한 사람이구나 싶었는데. 지금은 내가 더 이상한 사람 같네요. 이 시간에 바다를 가자고 조르다니……."

"나야, 좋은데. 탁 트인 장소에 단둘이 있으니까."

툭, 자연스럽게 스친 손이 서서히 깍지를 꼈다. 연우는 붙잡은 손을 가볍게 들어 보이며 픽 웃었다.

"이렇게 손도 잡고."

깍지 낀 손이 단단하고 뜨거웠다. 늘 생각하지만, 연우의 손은 정말 따뜻하고 포근했다.

"주변 시선도 걱정하지 않아도 좋고. 가끔 시간 내서 멀리 와 보는 게 좋겠어요, 오늘처럼."

그래야 단둘이서 데이트도 할 테니까.

연우가 자그맣게 보탠 말에 세희는 가슴이 간질거렸다.

어쩜 이토록 설레는 말을 아무렇지 않게 건네곤 할까.

바닷바람을 맞이한 세희의 머리칼이 부드럽게 흩날렸다. 쏴아아, 멀리서 들려오는 파도 소리가 침묵을 메꾸었다.

"연우 씨."

세희는 모래사장에 닿아 하얗게 부서지는 물거품을 보면서 입을 뗐다.

"오늘은 꼭 하고 싶은 말이 있었어요."

떨리는 마음 탓인지, 차마 연우의 눈을 똑바로 바라볼 수 없었다. 세희는 자꾸만 흔들리는 목소리에 힘을 주면서 말을 이었다.

"듣고 싶은 말도 있었는데, 연우 씨만 괜찮으면…… 내가 먼저 말하고 싶어요."

연우는 대답 대신 진지한 얼굴로 고개를 끄덕였다. 깍지를 낀 손가락이 부드럽게 손등을 매만졌다.

끝까지 들어 줄 테니, 편안하게 말하라는 것처럼 느껴졌다. 그에 용기를 얻은 세희가 또박또박한 발음으로 속삭였다.

"예전에 약속했잖아요. 우리, 계약 연애를 하자고."

두 사람의 머릿속으로 똑같은 기억이 둥실 떠올랐다.

세희가 술에 꽤 취했던 날, 미끼처럼 연우가 던졌던 제안. 서로의 이익을 위해 연인인 척을 하자고 건넸던 이야기.

"차진혁이 우리의 관계를 의심하지 않도록. 그리고 차강태 회장님이 연우 씨한테 맞선을 강요하지 않도록. 그런 조건으로 맺어진 계약이었잖아요."

"맞아요, 전부 기억해."

연우가 높낮이 없는 음성으로 담담하게 동의했다. 한참 걸어가던 세희가 조용히 뒤돌아섰다.

"우리는 나름대로 훌륭하게 그 계약을 완수했다고 생각해요."

마주한 연우의 시선이 불안하게 흔들렸다. 그의 뒤편으로 두 사람의 발자국이 그림처럼 찍혀 있었다.

"이제 그 계약을 이어 갈 필요가 없다는 점도 알아요."

각자 원하는 바를 얻었으니, 더는 계약 연애를 할 이유가 없었다. 알면서도 세희의 마음은 생각과 다른 방향으로 향했다.

절대 좋아해서는 안 된다고 생각했던, 차진혁의 동생에게.

"머리로는 알고 있는데, 이 손을 놓기 싫어요."

그렇지만 세희는 연우의 손을 놓는 대신, 더욱 강하게 붙잡았다. 손에 힘이 들어가는 것을 느낀 연우가 조금 놀란 표정을 지었다.

"연우 씨를…… 놓아주기 싫어졌어요."

차에 오르고 바다로 향하는 동안, 잠들기 직전까지.

세희는 지금 이 순간에 꺼낼 말을 열심히 고민했다. 조금 더 분명하고 세련된 단어로 제 마음을 표현하고 싶었으니까.

"계속 연우 씨 곁에 있고 싶다는 생각이 들었어요."

그러나 어둠 속에서도 별처럼 빛나는 눈을 마주하자, 머릿속은 새하얘지고 입술은 멋대로 움직였다.

연우의 밤색 눈동자가 그녀만을 오롯이 담은 채 가만히 흔들렸다. 뭐든지 털어놓고 싶어지게 만드는, 보석처럼 아름다운 눈동자였다.

"저번에도 말했죠. 나는 지금까지 다른 사람한테 기대고, 의지하고 싶다는 생각을 한 적이 없었어요. 다른 사람에게 기댔을 때 결과가 좋았던 적도 없었고, 항상 안 좋은 결과만 남아서…… 쉽게 의지하기도 어려웠거든요."

세희는 길다면 길고 짧다면 짧았던, 자신의 울적한 삶을 떠올렸다. 외롭고 힘들었으며 끝내 죽음을 택해야 했던 삶이었다.

우연히 돌려받은 삶을 이어 가도록 도와준 건, 위험한 순간마다 손을 내밀어 준 연우였다.

"그런 경험을 겪다 보니까 자연스럽게 잊고 살았어요. 누군가를 믿으면, 누군가 나를 믿어 주면…… 그만큼 든든한 일이 없다는 걸요."

이제 이 마음을 분명히 하고 싶었다. 이 감정에 새로운 이름을 붙이고 싶었다. 죄책감이나 고마움, 혹은 불편함 같은 게 아니라…….

"연우 씨는 저한테 너무 과분하고, 또 든든한 사람이에요."

그 감정에 사랑이라는 이름을 주고 싶었다.

"내가 이런 부탁을 건넬 자격이 없다는 점도 알고요. 잠깐이라도 연우 씨의 형과 교제했던 사람인 만큼…… 내 존재가 부담스러울 수 있다는 점도 알아요."

세희의 눈가가 조금씩 발갛게 물들었다. 금방 눈물이 맺힐 듯 어둡게 일렁이는 눈빛이 처연했다.

"알고 있지만, 꼭 말하고 싶었어요."

연우는 기묘한 갈증을 느끼며 세희의 슬픈 미소를 바라보앉다. 기분이 이상했다. 고개를 들수록 자꾸만 목이 메었다.

"세희 씨."

"나는, 그러니까 내가, 연우 씨를……."

세희는 핫핫해지는 눈시울에 괜스레 헛기침을 내뱉었다. 그럴수록 붉어진 콧등만 더 훌쩍이게 될 뿐이었다.

"당신을 진심으로 좋아해서요."

"……."

"나도 모르게, 어느 순간, 그렇게 되어 버려서요."

연우와 진혁의 관계는 이제 신경 쓰고 싶지 않았다. 신이 허락한다면, 제 운명이 허락해 준다면…… 세희는 지금의 감정과 새로운 관계에 충실해지고 싶었다.

이번에야말로 사랑하고, 사랑받으며 행복한 삶을 쟁취하고 싶었다. 그게 유일한 꿈이었다. 두 번째 삶에서 꾸고 싶은 꿈.

"연우 씨가 나한테 하고 싶었던 말은…… 뭐였어요?"

겨우 감정을 추스른 세희가 떨리는 음성으로 물었다. 연우는 아무 말도 꺼내지 못하고 굳어졌다.

이 기대감 어린 얼굴을 보면서 꿈 얘기를 꺼낼 자신이 없었다. 심지어 마지막으로 꿨던 꿈은, 진혁과 세희의 결혼식 장면이었으니까.

"내가 하고 싶었던 말은……."

괜히 지금 진혁의 얘기를 꺼냈다가 애꿎은 혼란을 초래할까 봐 두려웠다.

만약 세희가 부담을 느끼고 자신을 향한 마음을 접는다

면. 그렇다면 이날을 두고두고 후회할 게 틀림없었다.

"당신과 똑같아."

짧은 고민을 마무리한 연우가 손으로 세희의 볼을 감쌌다. 토끼처럼 빨개진 세희의 눈동자가 동그랗게 뜨였다.

"내가 더 일찍, 훨씬 더 먼저 당신한테 반했다고……."

따듯한 숨결이 세희의 입술을 스치며 허공으로 흩어졌다. 나직한 고백과 함께 연우가 세희를 끌어안았다.

"나도…… 그 말이 하고 싶었어, 쭉."

너른 가슴에 안긴 채, 세희는 다급한 입맞춤을 맞이했다. 겹친 입술 너머로 뜨거운 숨결이 깊게 번졌다.

그간의 걱정과 불안을 단번에 날려 버릴 만큼 진한 키스였다. 소금기 묻은 서로의 입술에서 바닷물처럼 짠맛이 났다.

절대 잊을 수 없는 키스였다.

"아……."

세희가 나지막이 달뜬 숨을 흘렸다. 그녀의 목선에 입술을 묻은 채, 연우가 정신없이 걸음을 옮겼다.

현관에서 침실까지 이동하는 동안에도 입맞춤은 끊임없이 이어졌다. 고작 몇 걸음만 걸어도 닿을 거리가 세상에서 가장 먼 것처럼 느껴졌다.

"술을 마셔서 그런가."

물기 어린 입술에 뜨거운 속삭임이 파고들었다. 버거운

입맞춤에 헐떡이는 세희의 눈가가 붉어졌다.

"세희 씨, 평소랑 다르게 뜨거워요."

"연우 씨가 더 뜨거운데······."

"나는 원래 체온이 높은 편이라."

연우가 세희의 허리를 단단히 껴안고 제 무릎 위로 올렸다. 얼떨결에 그의 허벅지에 올라타게 되자 세희의 얼굴이 발갛게 물들었다.

고른 치열을 더듬고 빠져나간 혀가 아랫입술을 장난스레 핥았다. 맞물린 입술 사이로 세희가 흐느끼듯 신음을 흘렸다.

"더워?"

낮고 거친 음성이 귓가를 스쳤다. 세희는 저도 모르게 어깨를 움츠리면서 고개를 가로저었다. 더운 건 사실이었지만, 그에게서 떨어지기 싫었다.

"괜찮아요."

"정말 괜찮아요? 시원하게 해 줄까 고민 중이었는데."

"하아······ 방법이 뭔데요?"

에어컨이라도 틀어 줄 생각인 걸까.

가물거리는 세희의 까만 눈이 물기에 젖어 반짝였다. 연우가 그녀의 눈가를 강아지처럼 핥으며 웃었다.

"욕실로 가면 알려 줄게."

허리 위로 올라가던 손가락이 블라우스에 동그라미를 덧그렸다. 단추가 풀어진 블라우스 사이로 발갛게 물든 살갗이 보였다.

세희가 연우의 목덜미에 손을 두르고 꽉 끌어안았다. 연우의 단단한 가슴팍에 그녀의 살결이 부드럽게 뭉개졌다. 블라우스를 헤치던 손길이 그제야 멎었다.

"사실, 덥긴 해요……."

물기에 잠긴 세희의 중얼거림이 들려왔다. 연우의 이성을 시험하는 듯한 한마디였다. 연우는 이성을 넘어서려는 본능을 힘겹게 잠재우며 웃었다.

"이대로 안아서 가 줄까요."

"뭐든 좋아요."

세희는 답지 않게 적극적인 말도 흘리면서 고개를 들었다. 떨리는 눈빛이 연우를 황홀하게 응시했다.

"나 머릿속이 다 녹을 거 같아요…… 너무 뜨거워서."

벌벌 떨면서 중얼거린 말에 연우가 한숨을 내쉬었다. 어슴푸레한 불빛 아래, 너른 어깨 아래로 그늘이 졌다.

"안 그래도 흥분했는데 더 자극하지 말아요."

웃음 섞인 숨결이 비좁은 입 안을 탐하다가 사라졌다. 버클 푸는 소리를 들으며, 세희가 한껏 고개를 젖혔다.

"자극할 만한 단어가 뭐 있다고, 응……."

"뜨겁다면서. 더 뜨겁게 만들고 싶은 도전 의식이 생기잖아."

길게 이어진 키스 탓에 연우의 숨소리도 꽤 거칠었다. 세희는 파르르 몸을 떨다가 그의 어깨에 팔을 둘렀다. 흥분해서 굳어지는 연우의 반응에 그녀 역시 두근거렸다.

"해 줘요, 그럼."

"……."

"더 뜨겁게."

대답 대신, 연우가 그녀를 껴안고 침대로 쓰러졌다. 세희는 그의 등을 조심스레 할퀴며 지그시 눈을 감았다.

제 안에 휘몰아칠 열기를 고스란히 느끼기 위해서.

# 11. 악몽에 박제된 남자

## 11. 악몽에 박제된 남자

아무도 없는 사무실이 고요한 어둠에 잠겨 있었다. 닫혔던 문고리가 달칵, 소리를 내며 돌아갔다.

열린 문틈으로 정장을 입은 여자 한 명이 슬쩍 고개를 들이밀었다. 은빛 명찰에 그녀의 이름 석 자가 박혀 있었다.

'아무도 없구나.'

채윤은 긴장한 탓에 불규칙한 간격으로 호흡했다. 어느덧 퇴근할 시간이 가까워지고 바깥은 컴컴했다.

하지만 채윤은 퇴근하는 대신, 재빠르게 부사장실에 들러야 했다. 며칠 전, 황남윤 회장에게서 은밀하게 받은 지시를 실행해야 했기 때문이었다.

*'요즘 진혁이 행동이 심상치 않아. 사무실을 한번 조사해 보렴. 수상한 게 있으면, 곧장 가져와.'*

마침 진혁은 비서실장과 함께 자리를 비운 상태였다.

채윤은 핸드폰을 흘낏거리며 진혁이 돌아올 시간을 가늠했다. 아마 이십 분 정도는 여유가 있을 터였다.

'얼른 찾아보자. 보고할 만한 게 있는지.'

채윤은 곧장 진혁이 가장 오래 머무는 책상 앞으로 다가갔다. 책상 옆 쓰레기통에 희끄무레한 물체가 보였다. 정확한 명칭이 적히지 않은 봉투였다.

'이건…… 약이잖아. 무슨 약이지?'

채윤은 미간을 찌푸리면서 쓰레기통을 뒤졌다.

구겨진 봉지를 꺼내 살펴보았지만, 약의 이름은 적혀 있지 않았다. 다만 안쪽에 의사의 명함 한 장이 들어 있었다.

"신경 정신과?"

병원의 명칭을 확인한 채윤의 눈빛이 작게 흔들렸다. 차진혁이 신경 정신과를 찾을 이유가 뭘까.

그러고 보니, 몇 달간 그의 수면 상태가 엉망이 되었다는 이야기를 들은 적이 있었다. 잦은 악몽으로 인해서 제대로 잠을 잘 수가 없었다고.

'수면제를 받아 드시는 건가?'

채윤은 우선 봉지를 주머니에 챙겨 두고 몸을 일으켰다. 고개를 돌리다가 서랍 틈 사이로 삐져나온 봉투를 발견하곤 멈칫했다.

"이게 뭐지?"

책상 아래 서랍의 마지막 칸, 틈 사이로 갈색 봉투가 보였다. 힘주어 붙잡고 꺼내 보려고 했으나 안쪽에 무언가 걸렸는지 무리였다.

채윤이 포기하고 자리에서 일어나려던 찰나.

"차진혁 씨!"

갑작스럽게 문이 벌컥 열렸다. 소리 없는 비명을 삼킨 채윤이 벌떡 자리에서 일어났다. 어색한 자세로 굳어진 그녀의 앞에 나타난 건, 배유미였다.

"배…… 배유미 씨?"

빨간 원피스 차림의 유미가 가만히 사무실을 둘러보았다. 진혁의 모습이 보이지 않는 걸 확인한 그녀의 얼굴이 일그러졌다.

"당신, 왜 여기 있어요? 혼자서."

쯧, 낮게 혀를 차는 유미의 앞으로 채윤이 빠르게 다가갔다. 예기치 못한 불청객의 모습에 당황한 심장이 요란하게 뛰었다.

"갑자기 무슨 일로 오셨나요? 부사장님께서는 잠시 외출하셨습니다. 로비에서 들으셨을 텐데……."

"사무실 앞에서 기다리겠다고 하고 올라왔어요."

그런데 문이 열려 있길래 들어왔다는 소리였다.

유미가 의심 가득한 눈빛으로 방금까지 채윤이 서 있던 책상 주변을 흘겨보았다.

"그나저나 비서님은 왜 그러고 있는 거죠? 서랍이라도 뒤지고 계셨나?"

혹시 싶어 지적한 말에 채윤의 얼굴이 희게 질렸다. 유미는 이것 봐라 싶었는지, 더욱 눈을 가늘게 떴다.

"아, 아닙니다. 멋대로 열어 보다니 그런 짓은……."

"표정이 꽤 수상한데. 연기도 부족하시고."

날쌔게 채윤을 지나친 유미가 서랍으로 향했다. 채윤이 허겁지겁 쫓아가 그녀의 팔을 붙잡았다.

"배유미 씨, 지금 뭐 하는 건가요!"

"궁금해서요. 서랍에 무슨 보물이라도 숨겨 놨나, 계속 눈을 못 떼시길래."

"어서 나오세요! 이러다 부사장님께 들키기라도 하면……."

유미가 서랍으로 손을 뻗자 채윤이 그 앞을 막아섰다.

"배유미."

두 사람의 몸싸움이 멈춘 건, 싸늘한 음성을 들은 직후였다.

"당장 거기서 비켜."

소스라치게 놀란 두 사람이 뒤를 돌아보았다. 언제 도착했는지 진혁이 양손을 주머니에 찔러 넣은 채 서 있었다.

일그러진 그의 눈빛에서 분노가 느껴졌다. 채윤은 후다닥 물러났고, 유미는 심드렁하게 되물었다.

"이제 오세요? 오전에 분명 방문하겠다고 연락 드렸는데."

"그쪽 만나려고 일정 조절할 만큼 여유롭지 않아서."

진혁은 싸늘하게 대꾸하며 뚜벅뚜벅 걸어왔다. 눈치를 보며 구석으로 밀려난 유미가 멋쩍게 머리칼을 넘겼다.

진혁은 멀쩡히 닫힌 서랍을 곁눈질로 확인한 다음, 천천히 의자에 앉았다.

'저기에 대체 뭐가 들었길래, 저렇게 반응하시지?'

채윤은 조용히 서랍과 진혁의 얼굴을 번갈아 바라보면서 골똘히 생각했다.

"무슨 일로 온 건지 짧게 설명해 보세요. 시간 없으니까."

그사이, 진혁은 턱을 괴고서 유미를 응시했다.

"나도 마찬가지예요. 바쁜데 겨우 시간 내서 온 거니까. 단도직입적으로 말할게요. 우리, 계획을 다시 짜요."

진혁이 실소하며 손을 내렸다.

"우리?"

"모른 척하지 마요. 무슨 소리인지 알잖아요?"

유미가 팔짱을 끼고서 날카롭게 쏘아붙였다. 무감한 얼굴의 진혁이 낮은 음성으로 되물었다.

"이전의 계획이 실패로 돌아갔으니 새로 판을 짜 보자는 겁니까?"

"맞아요."

유미의 당찬 목소리에 진혁이 고개를 절레절레 저었다.

"그 제안, 거절하겠습니다."

"뭐, 뭐라고요? 어째서……."

"내가 그쪽 제안으로 얻을 게 없으니까."

유미가 아랫입술을 꽉 깨물었다. 진혁의 말은 사실이었다.

이번 일이 실패하면서, 진혁은 의도치 않게 경제적인 손해를 입었다. 피오레 코스메틱의 신제품은 픽시의 신제품만큼이나 화제성을 모으지도 못했다.

'연우 덕분인데, 그것도.'

유미는 세희가 그저 운 좋게 그 결과를 쟁취했다고 생각했다. 만약 연우가 모델을 해 주지 않았더라면, 이 정도로 성공하지는 못했을 거라고.

그러니까 다시 한번 계획을 세울 이유가 충분하다고 여겼다. 이번에야말로 연우가 도와주지 못하게 방해한다면, 세희의 능력이 부족하다는 게 드러날 테니까.

"이번은 달라요. 부사장님께도 이익이 생길 수 있도록 계획을 다시 짤게요. 그러니까……."

"더 설득할 필요 없습니다. 내 마음이 바뀔 가능성이 없으니."

진혁은 한심하다는 눈초리로 설명을 보탰다.

"저번에 경고하지 않았습니까? 자질구레한 장치 신경 쓸 시간에, 상대방 표정이나 더 신경 쓰라고."

그가 테이블 위로 서류 몇 장을 던졌다. 아직 보도되지 않았지만, 진혁이 미리 입수한 기사였다.

유미는 비틀비틀 걸어가 서류를 들고서 내용을 확인했다. 유미와 은하에 관한 기사였고, 유미의 행각이 낱낱이 적혀 있었다.

"강은하 씨는 그날 생각보다 취하지 않았던 모양인데. 기억도 멀쩡하고, 당신이랑 바에서 만나기로 연락을 나눈 기록도 있다고 적혀 있더군요."

"어차피 명확한 증거가 없잖아요. 내가 정보를 빼돌렸다는 증거. 그게 없는 이상, 단순한 루머가 될 뿐이라고요."

유미는 당황했지만, 애써 웃으면서 목소리를 높였다. 이 순간까지 당당한 그녀의 모습에 진혁이 작게 비웃었다.

"그건 배유미 씨 착각일 텐데."

"강은하가 증인으로 나서도, 신인 모델의 말을 누가 믿겠어요? 나를 질투해서 음모를 꾸몄다는 소리나 들을걸요."

"저한테 이 기사를 전해 준 건 강은하가 아닙니다."

뜻밖의 대답에 유미가 팍 미간을 구겼다.

"그럼, 대체 누가……."

"들여보내."

갑작스러운 진혁의 명령에 여태껏 침묵하던 채윤이 문 쪽을 돌아보았다.

비서실장, 김규태가 문을 열며 누군가를 데리고 들어왔다. 손님의 얼굴을 확인한 유미가 새파랗게 질려서 굳어졌다.

"연우야, 어떻게 여기……."

문 앞에 서 있던 건, 다름 아닌 연우였다.

"배유미."

연우는 참담한 심정으로 유미를 보다가 목소리를 흐렸다.

"어쩌다가 여기까지 온 거야…… 너."

차가운 목소리에 심장이 쿵 내려앉았다. 연우의 눈빛에서 처음 보는 경멸이 엿보였다.

"연우야, 오해야! 나는……."

"이걸 확인하게 하려고 남으라고 한 건가?"

연우의 차디찬 목소리가 유미의 말허리를 끊었다.

그는 한 시간 전, 은밀히 입수한 기사를 들고 진혁을 찾았다. 아무리 생각해도 유미가 단독으로 벌인 일이 아닌 것 같다는 생각 때문이었다.

진혁은 직접 확인해 보라며 그를 기다리게 했고, 이 자리로 불러냈다.

"그래. 네 주제를 알라는 뜻이었지. 세희한테 네 존재가 어떤 식으로든 방해가 된다는 걸 말이야."

진혁이 날카로운 눈빛으로 연우를 노려보았다.

"무슨 헛소리야. 지금 방해가 된 사람이 누구인데?"

연우가 어이없다는 표정으로 이를 갈았다. 그러거나 말거나, 진혁은 평이한 어조로 답했다.

"배유미가 먼저 나한테 제안했던 일이야. 너 때문에, 전부너를 얻으려고."

진혁이 작고 네모난 기계를 테이블에 올렸다. 지난번, 유미가 건네줬던 녹음기였다.

진작 버린 줄 알았던 녹음기가 다시 눈앞에 나타나자 유미의 눈빛이 흔들렸다.

곁으로 다가온 비서실장이 대신 재생 버튼을 누르자, 그날의 일이 흘러나왔다.

"결과적으로는 너 때문에 세희가 곤경에 처했던 거지."

"……."

"알아서 해결해, 이 문제. 너 때문에 벌어진 일이니까."

녹음의 내용을 끝까지 들은 연우의 얼굴이 딱딱하게 굳었다. 유미가 어떻게든 부정해 보려고 다가왔지만, 연우는 그녀를 무시하고 등을 돌렸다.

어떤 대답도 꺼내지 않고 떠나는 그 모습에 유미가 부리나케 뒤를 쫓았다.

"김 실장님."

"네, 부사장님."

목적을 달성했으니 깔끔하게 뒤처리를 할 차례였다. 유미는 몰라도, 피오레 코스메틱의 손해는 감수할 생각이 없었다.

"그 기사는 폐기하도록 지시하세요."

진혁은 녹음기를 쓰레기통에 던지며 단호하게 명령했다. 이번 일로 연우와 세희의 관계에 금이 가기를 바라면서.

경쾌한 퇴근길이었다.

세희는 콧노래를 흥얼거리며 버스에서 내렸다.

연우와 같이 지내는 아파트로 향하는 걸음이 깃털처럼 가벼웠다. 또한, 그가 먼저 잠들었나 싶어 궁금했다. 아까부터 문자 답장이 오지 않아 내심 걱정되던 참이었다.

"같이 저녁 먹자고 할 생각이었는데……."

세희는 핸드폰을 주머니에 넣으며 터벅터벅 걸었다. 정확하게 사귀자는 말이 오간 건 아니었지만, 두 사람은 부쩍 가까워졌다.

바닷가에서 고백한 날부터 연우의 스킨십도 더욱 진해졌다. 밤마다 잠을 제대로 잘 수가 없어서, 낮에 꾸벅꾸벅 졸 정도였다.

'나보다 겨우 두 살 어릴 뿐인데. 이렇게 체력 차이가 날 수 있나?'

그간 다정하고 부드러운 모습만 보여서 깜빡 잊고 있었다. 차연우가 침대에서 얼마나 집요하고 지독한 남자였는지.

피곤하면 아무것도 하지 말라고, 쉬고 있으라며 달콤하게 속삭였지만…… 그게 가만히 두겠다는 뜻은 아니었다.

'차라리 기절하는 게 낫겠다, 싶을 정도였지.'

허리에 손자국이 남을 정도로 단단히 움켜쥐고 땀을 흘리던 연우의 모습이 떠올랐다.

온몸에 흔적을 새기고, 그걸로도 만족하지 못하던 눈빛. 기어이 제가 흐느끼면서 너른 등에 매달리도록 몰아붙이던 열기.

세희는 반사적으로 가슴이 뻐근해지는 걸 느끼면서 조용히 볼을 붉혔다.

'연우 씨도 참…… 적당함을 모른다니까.'

시도 때도 없이 덤벼드는 터라 체력을 회복할 틈이 없었다. 오죽하면, 보약이라도 한 첩 달여 먹어야겠다고 생각했을 정도였다.

그렇게 온갖 생각에 잠겨 아파트 정문을 통과할 때였다.

"응?"

세희는 근처 공원에서 누군가의 목소리를 듣고 걸음을 멈추었다.

빽빽한 풀숲 너머로 익숙한 형제가 모습을 드러냈다. 가로등 불빛이 그 자리를 비추자 인물의 모습이 더욱 뚜렷해졌다.

깜짝 놀란 세희의 눈빛이 가만히 흔들렸다.

'배유미 씨가 왜 여기……'

가로등 밑에서 유미가 손등으로 눈물을 닦았다. 그 앞의 남자도 세희에게 익숙한 얼굴이었다.

'연우 씨도 있잖아? 둘이 왜 같이······.'

세희는 놀라서 어쩔 줄 모르고 굳어졌다. 소리 죽여 지켜보는 가운데, 유미가 갑작스럽게 연우를 끌어안았다.

조용히 그 모습을 지켜보던 세희의 손끝이 순간 차갑게 식었다. 그저 보기만 했을 뿐인데, 심장이 바닥까지 추락하는 느낌이었다.

"떨어져."

재빨리 유미를 떨어트린 연우가 일그러진 얼굴로 물러섰다. 돌아가라고 수차례 말했지만, 유미는 기어이 여기까지 쫓아왔다.

"이런다고 네 잘못, 눈감아 줄 생각 없어."

연우는 일부러 냉정하게 일갈하며 그녀를 밀어냈다. 그럴수록 유미는 더 절박하게 매달릴 뿐이었다.

"연우야, 내 말 좀 들어 봐. 다 너를 위해 그런 거야."

"나를 위해서? 세희 씨의 일을 방해한 게, 나를 위해서라고?"

느닷없이 튀어나온 제 이름에 세희가 눈을 크게 떴다. 모른 척 지나치려던 마음은 이미 사라지고 없었다.

세희는 발소리를 죽인 채, 가까운 풀숲까지 빠르게 다가갔다. 그녀의 존재를 알아차리지 못한 두 사람의 언성이 점점 높아지고 있었다.

"차진혁한테 복수하고 싶잖아. 그래서 그 여자를 만난 거잖아, 아니야?"

진혁의 이름이 들린 순간, 세희의 얼굴이 굳어졌다. 희미하게 어둠이 내려온 나무 아래에서 세희의 걸음이 멈추었다.

'복수?'

순간 다리에 힘이 풀렸다.

'차진혁한테 복수하고 싶어서, 그래서 나한테 접근했다고?'

세희는 떨리는 손으로 겨우 나무 기둥을 붙잡았다. 침묵하는 연우의 모습을 보자 심장이 버겁게 뛰기 시작했다.

'그날, 내 앞에 나타난 게…… 우연이 아니었다는 거야?'

전부 계획하고 벌인 일이라는 뜻일까. 세희의 의심이 이어지기 직전, 연우의 대답이 들려왔다.

"나는 복수 따위, 원한 적 없어."

"거짓말!"

유미가 발개진 눈으로 악을 썼다. 악이라도 쓰지 않으면, 지금 이 순간이 정말 마지막이 될까 봐 두려웠다.

"차진혁이 가지지 못한 여자가 너를 좋아하는 게, 최고의 복수잖아. 그래서 그 특별할 것 없는 여자와 어울려 줬던 거 아니야?"

게다가 자신은 분명 연우를 위해 벌인 일이었다. 세희가 진혁과 파혼한 사이라는 걸 알고서 연우의 의도를 읽었다고 생각했으니까.

"말도 안 되는 헛소리 그만해."

싸늘한 일갈에 유미가 흠칫 몸을 떨었다. 표정이 사라진 연우의 눈빛에 한기마저 느껴졌다. 이토록 냉랭한 대우가 익숙지 않은지, 유미의 눈에 겁이 서렸다.

"만약 내가 복수를 원했더라도, 그 대상은 차진혁이 아니야."

굳이 복수한다면, 모친을 버렸던 남자가 대상이어야 마땅했다.

제 존재도 모르고 모친을 슬프게 했던 차강태 회장. 부친의 얼굴을 떠올리던 연우의 얼굴이 일그러졌다.

"그리고…… 아무리 오해했어도 이딴 일을 벌였다는 게 용납이 안 돼."

"나, 나는……."

"심지어 나랑 차진혁의 관계가 어떤지 알고 있었잖아. 그걸 알면서도 찾아가서, 이딴 부탁을 했어?"

"나도 이렇게까지 하고 싶지 않았어!"

성난 얼굴로 소리치는 유미의 눈가가 벌게졌다. 후드득 떨어진 눈물이 그녀의 발치에 검은 동그라미를 남겼다.

"나라고 이런 짓까지 하고 싶었겠어? 너한테도 피해가 갈 수 있는 일을 꾸미고 싶었겠냐고!"

커다란 눈망울에서 눈물방울이 점점이 흘러내렸다. 멀리서 지켜보던 세희가 멍하니 그 모습을 지켜보았다.

유미가 무슨 소리를 하는지, 금방 알아차릴 수 있었다. 픽시 광고를 표절한 건 역시 유미의 짓이었다.

"이것밖에 방법이 없었어. 한재섭과 다툰 이후로 네가 점점 이상해졌으니까!"

"이상하다니, 뭐가."

"몰라서 묻는 거야? 그동안 너는 여자한테 고백받으면 상대가 누구든 칼같이 쳐 냈잖아. 동료든, 친구든…… 그게 누구든 간에."

유미는 손등으로 눈가를 닦아 내면서 입술을 깨물었다. 그녀의 사나운 표정이 서서히 일그러졌다. 눈물을 참으려고 할 때마다, 더 큰 흐느낌만 새어 나왔다.

"하필 왜 그 여자만 예외야. 대체 왜 문세희만 허락하는 거야, 왜? 그 여자가 차진혁의 전 애인이기 때문이잖아!"

자신이 한 짓을 연우에게 몽땅 들켰다는 사실이 부끄럽고 무서웠다. 이대로 연우가 자신한테 끝을 고할까 봐 두려웠다.

"애초에 문세희만 없었다면…… 너도 나를 선택했을 거야."

그늘 밑에 숨은 세희의 눈동자가 작게 흔들렸다. 가만히 이야기를 듣고 있는 연우의 등을 바라보자니 덜컥 겁이 났다.

유미의 말이 사실일까 봐, 그래서 부정하지 못하는 건가 싶어서. 만약 자신이 진혁의 옛 애인이 아니었다면…… 연우의 관심도 일찍 사라졌을까, 그런 의문이 앞섰다.

"너한테 고백하면, 다시는 이전의 관계로 돌아가지 못할 걸 알아서. 그래서 기다렸던 거야. 다른 여자한테 너를 빼앗기려고 참았던 게 아니라고!"

얼굴을 가린 유미의 손바닥 사이로 긴 흐느낌이 흘러나왔다. 울음을 터트리는 그녀의 모습에 연우가 차분히 눈을 내리깔았다.

유미의 마음을 진작 알아차리고도 거리를 두지 않았던 건, 단순히 동료의 정이 있기 때문이었다. 유미는 루비노 에이전시를 창립할 때부터 함께했던 모델이었으니까.

"네가 나한테 얼마나 소중한 사람인데, 내가 얼마나…… 오래도록 너를 좋아했는데."

"좋아한다고 모두가 이런 일을 벌이지 않아."

연우는 고저 없는 음성으로 반박하면서 그녀를 응시했다.

눈이 마주치자 유미의 얼굴이 다시 하얗게 질렸다. 연우가 어떤 말을 하려는지 본능적으로 느낀 모양이었다.

"너는 그냥 나를 가지고 싶었던 거지. 그건 나를 좋아했다고 말할 수 있는 게 아니야."

"연우야. 내 말 믿어 줘, 응? 정말로 너를 위해서……."

"나를 위해서였다고 말하지 마. 너를 위해서, 네가 직접 벌인 짓이잖아. 그 책임을 나한테 넘겨서 마음이 편해지고 싶은 거겠지."

마지막까지 변명하기 급급한 유미의 태도에 마음이 차게 식었다. 처음부터 자신이 그녀에게 조금 더 냉철하게 선을 그었더라면 어땠을까.

그러나 진혁을 떠올리면, 자신이 어떻게든 유미를 막더라도 끝내 벌어졌을 일이라는 생각이 들었다. 세희에게서 자신을 떨쳐 내려던 게 진혁의 목표였을 테니까.

"내가 너를 더 가증스럽게 느끼도록…… 만들지 마."

연우가 실소 섞인 목소리로 중얼거렸다. 유미를 향한 실망감조차 들지 않았다. 고요한 분노만이 가득했다.

"그만하고 가. 더 할 얘기 없어."

"연우야!"

돌아서는 그의 모습에 유미가 다급하게 소매를 붙들었다. 지금이 마지막이라면, 차라리 고백이라도 하고 싶었다.

제게 연우는 자신을 구원해 준, 하나뿐인 소중한 사람이었노라고. 그래서 자연스럽게 좋아하게 되었던 거라고.

"아······."

하지만 등을 돌린 연우가 세희를 발견한 순간, 유미는 고백의 기회마저 날아갔음을 직감했다.

"세희 씨?"

멀리서 어색하게 입술을 떼는 세희의 모습이 보였다. 놀란 연우가 그녀의 이름을 불렀다. 동시에 세희가 재빠르게 몸을 돌려 달리기 시작했다.

"세희 씨, 기다—!"

"연우야, 제발!"

마지막으로 본 그녀의 표정은 어땠던가.

연우는 본능적인 두려움을 느끼고 걸음을 내디뎠다. 붙잡힌 소매가 강하게 당겨졌지만, 공원을 빠져나가는 세희에게서 시선을 떼지 않았다.

제 쪽을 쳐다보지도 않는 연우의 모습에 유미가 이를 악물었다.

"배유미."

"여, 연우······."

"손 놔."

어떻게든 붙잡으려고 다시 손을 뻗었지만, 싸늘한 음성만이 돌아왔다.

"제발, 연우야, 나 떠나지 마. 나는······."

"오늘이 마지막이야. 우리가 이렇게 마주 보는 건."

툭, 유미는 손을 뿌리친 반동에 떠밀려 가볍게 비틀거렸다.

그녀에 대한 벌은 인연을 끊는 것으로 대신할 터였다. 유미가 알고 있는 연우의 성격상, 그는 지독히도 냉정하게 이 관계를 끝낼 테니까.

"잘 지내."

그 한마디를 마지막으로 연우가 그녀에게서 멀어졌다. 유미는 덜덜 떨리는 손으로 연우가 있던 자리를 더듬으며 주저앉았다.

바닥의 흙먼지로 치마가 더러워졌지만, 그런 건 신경도 쓰이지 않았다.

"안 돼, 안 돼……."

짝사랑의 말로가 고작 이런 거라니.

줄줄 흐르는 눈물이 그녀의 뺨을 흠뻑 적셨다. 후회가 파도처럼 밀려와 그녀의 슬픔을 에워쌌다.

그러나 아무리 후회해 봤자 엎질러진 물을 담을 방법 따위 존재하지 않았다.

"세희 씨!"

한편, 연우는 세희를 쫓아 공원 바깥으로 달려갔다.

침착함을 잃어버린 그의 목소리가 세차게 흔들렸다. 멀지 않은 곳에서 빠르게 달아나던 세희가 입술을 달싹거렸다.

"세희 씨, 멈춰요!"

아무리 열심히 달려도 연우의 속도를 이길 수는 없었다.

결국, 세희는 얼마 지나지 않아 따라잡혔다. 연우에게 붙잡힌 그녀의 얼굴이 새파랗게 질렸다.

"왜…… 도망가는 거예요."

연우가 다급한 숨을 몰아쉬며 그녀를 돌려세웠다. 그렇지만 세희는 차마 연우의 눈을 똑바로 마주할 수 없었다.

불안과 혼란으로 머릿속이 어지러웠고, 자꾸만 의심이 피어올랐다.

"내 얘기 들어 줘요. 언제부터 거기 있었어요? 아니, 어디서부터 들었어요?"

"연우 씨……."

"일단 오해예요, 다 설명할게. 배유미가 말한 건 사실이 아니야."

연우의 목소리를 들어도 놀란 가슴은 쉽게 가라앉지 않았다.

세희는 그에게 붙잡힌 팔을 빼내면서 한 걸음 물러섰다. 다가오려는 그에게 손바닥을 보이는 세희의 안색이 창백했다.

"어디서부터 들었는지, 나도 잘 몰라요. 유미 씨가 울고 있을 때 도착했으니까."

말을 이어 가는 세희의 눈빛이 아슬아슬하게 흔들렸다.

"다만, 복수라는 얘기를…… 들었어요."

치밀어 오르는 감정에 목소리가 낮게 가라앉았다. 세희는 눈가로 몰리는 뜨거움을 견뎌 내면서 겨우 질문을 내뱉었다.

"유미 씨가 한 말이 사실인가요? 차진혁한테 복수하려고, 나한테 접근했던 거예요?"

토해 내듯 내뱉는 목소리가 절박하기 짝이 없었다. 연우는 거세게 고개를 저으면서 그녀의 의문을 부정했다.

"그럴 리가 없잖아. 우리가 처음 만났던 날, 생각해 봐요. 나는 당신이 누군지도 몰랐어."

"하지만…… 그때, 나를 알았던 것처럼 말했잖아요."

세희는 그때 들었던 연우의 말을 떠올리다가 이마를 짚었다. 뜻밖의 이야기에 너무 놀란 탓인지, 두통마저 밀려왔다.

'미안해요. 제가 잠시 헷갈렸네요. 어디서 만난 적이 있는 것 같아서.'

분명했다. 연우는 그때 저를 붙잡고 그렇게 말했다. 떨리는 세희의 목소리에 연우가 다급히 입을 뗐다.

"복수 따위 생각한 적 없어요."

세희의 눈빛에 불신이 어리는 모습을 보니 심장이 날카로운 것에 찔린 것처럼 아팠다.

고작 이딴 일로 서로의 신뢰가 무너지는 건 견딜 수 없었다. 그게 바로 유미가 원했던 결과고, 진혁의 진짜 목적이었을 것이다.

"당신이 듣기에 혼란스러울 것 알아요. 내가 차진혁에게 복수하는 것처럼 보일 수 있다는 점도 알아. 하지만…… 이것만 믿어 줘."

"……."

"나는 진심이 아닌 적, 한 번도 없었어요."

연우는 조심스럽게 손을 내밀었다. 떨지 말고 제 손을 잡으라는 뜻이었다.

"전부 다 진심이었어. 당신에게 했던 말, 모두 진짜였어."

"연우 씨."

세희는 멍하니 그 손을 바라보다가 고개를 떨구었다. 연우는 가슴이 산산이 부서지는 듯한 참담함에 입술을 꾹 깨물었다.

'연우 씨가 진심이었다는 건, 나도 잘 알아.'

진심이 아니고서야 보여 줄 수 없던 눈빛과 태도였다. 연우는 항상 그녀에게 다정하고 상냥했으니까.

만약 그 사이에 진혁의 존재가 없었더라면, 어떤 의심도 들지 않았을 터였다.

문제는 오로지 딱 하나뿐이었다. 그가 진혁의 동생이고, 자신이 한때 진혁의 연인이었다는 점.

"미안해요. 생각할 시간을…… 조금만 줘요."

불편한 정적을 깨트린 건, 세희의 차분한 목소리였다.

"세희 씨……."

연우는 그녀의 제안을 믿을 수 없다는 표정으로 입술을 달싹였다.

"내가 너무 놀라서 그래요. 머릿속이 너무 복잡해서, 괜히 우리 사이에 좋지 않은 대화를 하게 될까 봐 무서워서요."

연우는 자신이 진혁의 애인이었음을 알고 나서도 조건 없는 도움을 베풀었다. 우연인 줄 알았던 첫 만남부터 의문이 생겨 버렸으니, 그간의 행적도 신경 쓰일 수밖에 없었다.

저를 향한 연우의 마음은 믿었지만, 그 동기가 진정 관심뿐이었는지 의문이었다.

"연우 씨를 믿지 못하는 게 아니라, 혼자서 생각을 좀 하고 싶어요."

그러한 의문에도 불구하고 여전히 마음은 연우를 향했다. 그래서 시간이 필요했다.

"……당분간 원래 집에서 지낼게요."

세희는 물기에 젖어 드는 목소리를 힘겹게 정돈했다. 비틀거리며 몸을 돌리는 그녀의 눈가도 붉게 물들었다.

"세희 씨!"

"생각 정리되면, 먼저 연락할게요."

붙잡으려고 뻗은 연우의 손을 외면하며, 세희가 속삭였다.

"오래 걸리지 않을 테니까, 그때까지만…… 기다려 줘요. 부탁할게요."

그 말을 마지막으로 세희는 택시에 올라탔다.

연우는 제자리에 못 박힌 듯 서서 멀어지는 택시를 응시했다.

✿　　✿　　✿

"팀장님, 작성한 개발사양서 메일로 보내 드렸습니다. 오후 회의 자료에도 별도로 첨부할까요?"

"……."

"팀장님? 제 말 듣고 계세요?"

고개를 갸웃거리던 정아가 불쑥 고개를 들이밀었다.

세희는 갑자기 시야를 침범한 그녀의 얼굴에 겨우 제정신을 차렸다.

"아, 미안해요. 잠깐 다른 생각을…… 뭐라고 했죠?"

깜짝 놀란 그녀의 목소리가 저절로 가늘게 떨렸다.

"개발사양서 메일로 보내 드렸어요."

"네, 지금 바로 확인할게요."

세희는 허겁지겁 마우스를 움직였다. 메일을 확인하는 그녀의 손길이 다급했다. 정아가 그런 세희의 옆모습을 유심히 지켜보았다.

"오늘 무척 피곤하신가 봐요. 안색도 안 좋으시고…… 휴게실에서 커피 좀 가져올게요."

"고마워요, 정아 씨."

"뭘요, 조금만 기다리세요."

정아가 다정한 목소리와 함께 자리를 떴다. 그녀가 떠난 후, 마우스를 움직이던 세희의 손도 느려졌다.

꼼꼼히 살펴야 할 개발사양서가 모니터에 나타났건만, 통 집중이 되지 않았다. 출근한 직후부터 쭉 이런 상태였다.

"하아……."

세희가 깊은 한숨을 내쉬면서 고개를 떨구었다. 간밤의 일로 푹 쉬지도 못했고, 원래 지내던 오피스텔에서 잔 탓에 출근 시간도 당겨졌다. 몸은 몸대로 피곤하고 정신도 몽롱할 수밖에 없었다.

'연우 씨한테서 연락도 없으니까, 핸드폰도 조용하네.'

세희는 책상에 올려 둔 핸드폰을 괜히 만지작거렸다. 물론 자신이 먼저 연락하겠다고 말했지만, 막상 연락이 없으니 찝찝하고 불안했다.

게다가 저를 붙잡던 순간, 연우의 표정이 머릿속에서 사라지지 않았다. 마치 그를 버리고 도망가는 사람을 바라보는 것처럼 애틋했으니까.

'나도 알아. 연우 씨가 그럴 리도 없고, 그럴 사람도 아니라는 건. 그래도…….'

한편으로는 그럴 가능성이 있을지도 모른다는 생각에 머리가 아팠다.

처음 만났을 때만 해도, 그는 황남윤과 차진혁을 무척 적대하지 않았던가. 그 두 사람에게 복수심을 품어도 전혀 이상할 게 없었다.

"팀장님, 여기요."

한참 끙끙 앓던 그때, 자리로 돌아온 정아가 커피를 건네주었다.

"고마워요. 잘 마실게요."

세희는 달갑게 커피를 받아 들면서 작게 웃었다. 정아는 괜찮다면서 손사래를 치더니, 슬그머니 몸을 기울였다. 귓속말을 청하는 몸짓에 세희도 귀를 내주었다.

"저…… 바깥에 팀장님을 찾아온 손님이 있더라고요."

"네? 누구요?"

"사무실 문 앞에 있어요. 언제부터 기다렸는지도 모르겠고, 누구냐고 물으니까 팀장님 찾아온 손님이라고만 대답하더라고요. 이상한 사람은 아니겠죠?"

"제가 한번 나가 볼게요. 정아 씨는 여기 있어요."

대체 누굴까. 세희는 고개를 갸웃거리면서 일어났다. 일단 손님이라니, 얼굴 정도는 확인해야 한다는 생각 때문이었다.

하지만 사무실 바깥으로 나가 손님의 정체를 확인한 순

간, 크게 당황한 세희가 얼굴을 굳혔다.

"당신이 여기를 어떻게……."

세희와 눈이 마주친, 까만 정장 차림의 여자가 부리나케 달려와 고개를 숙였다.

"안녕하세요, 문세희 씨."

차진혁의 비서이자 세희도 잘 알고 있는 여자, 이채윤이었다.

"오늘은 차진혁 부사장님의 비서가 아닌, 황남윤 회장님의 부하 직원으로서 찾아왔습니다."

갑자기 튀어나온 옛 시모의 이름에 세희의 미간이 구겨졌다.

그제야 이채윤이 회사에 무슨 수로 들어왔는지 감이 잡혔다. 황남윤 회장의 권력이라면, 뭐든 불가능할 게 없었으니까.

"용건만 말씀하고 가세요."

억지로 돌려보낼 수 없다는 판단에 세희가 짧게 일갈했다. 채윤은 그녀가 원한 대로, 거두절미하고 용건을 꺼냈다.

"황남윤 회장님께서 문세희 씨를 만나고 싶어 하십니다."

그야말로 충격적인 제안이었다. 세희는 귀를 의심하면서 멍하니 물었다.

"회장님이…… 어째서, 저를?"

"부사장님에 대해서 긴히 논의할 문제가 있다고 하셨습니다."

"부사장님은 이제 저랑 관련이 없다고, 일전에 말씀드렸을 텐데요."

정신을 차리고 냉정하게 대답했지만, 채윤도 끈질기게 말꼬리를 붙잡았다.

"꼭 부탁할 일이 있다면서 간곡히 말씀하셨습니다. 제안을 수락해 주세요."

부탁이라는 단어에 세희의 눈이 크게 뜨였다.

'부탁? 부탁이라니…….'

세희가 기억하는 황남윤의 성격상, 타인에게 부탁을 건넨다는 건 말도 안 되는 이야기였다. 차라리 협박이나 일방적인 명령이 더 적합한 단어였다.

"제가 토요일에 댁으로 모시러 가겠습니다. 본가에서 만나자는 회장님의 요청입니다."

당황한 세희의 반응에 채윤이 재차 설명했다.

"자세한 이야기는 직접 가서 들어야 하는 건가요?"

"그렇습니다."

만나지 않으면 무슨 용건인지도 알 수 없다는 뜻이었다.

세희는 일자로 입을 다문 채, 머릿속 생각을 정리했다. 황남윤이 이렇게까지 만남을 요청하는 걸 보면, 뭔가 중요한 일인 게 분명했다.

게다가 다름 아닌, 그 콧대 높던 황남윤의 부탁이었다. 애걸하는 그녀의 모습을 볼 수 있을지도 모른다고 생각하니 이상한 떨림이 일었다.

"좋아요."

아이를 잃었을 때 그녀가 어찌나 차갑고 독하게 굴었던가. 조금이라도 그때의 복수를 할 기회가 주어진다면, 그 또한 신의 선물일 터였다.

"그날, 회장님을 만나겠어요."

세희는 이를 가는 대신, 실소를 머금으며 대답했다.

빈집의 싸늘한 공기가 연우를 맞이했다.

연우는 현관에 우두커니 서서 거실을 응시했다. 분명 혼자서 지낸 날이 더 많았던 집이었다.

그런데도, 고작 며칠 같이 지냈던 세희의 부재가 너무나도 크게 다가왔다. 텅 빈 거실을 보는 것만으로도 가슴이 시릴 만큼.

"하……."

연우는 마른세수와 함께 소파에 털썩 주저앉았다.

세희에게서는 여전히 연락이 없었고, 그 역시 연락을 하지 못했다. 먼저 연락하겠다는 세희의 말이 꼭, 앞으로 연락하지 말라는 말처럼 들렸기 때문이었다.

"기다리고 있는데, 나는……."

갑자기 거리를 두려는 세희의 행동에 불안이 앞섰다.

유미와 어떤 관계도 아니라는 것, 그리고 절대 복수를 위해 접근했던 게 아니라는 것.

두 가지 사실은 세희도 잘 알고 있을 게 분명했다.

'그렇다면 왜?'

심장이 바닥으로 떨어지는 듯한 기분이 들었다.

연우는 두 손으로 머리를 마구 쥐어뜯으며 한숨을 내쉬었다. 그렇지 않아도, 수상한 꿈을 꾼 탓에 마음이 복잡하던 참이었다.

하필 이런 상황에서, 이런 일이 벌어지다니…… 운명의 장난이 아닐 수 없었다.

"그 꿈은……."

대체 뭐였을까. 세희와 진혁의 결혼식이라니.

세희와 함께 잠들 때마다 꿈은 분명 과거를 알려 주었다. 그녀와 스치듯 지나간 날의 기억을. 만약…… 새로운 꿈의 내용이 미래를 알려 주는 것이라면, 어떻게 되는 걸까.

'바보 같은 생각이야. 그딴 게 존재할 리가 없는데.'

예지몽이라니, 말도 안 되는 추측이었다.

연우는 자신의 불안한 마음 탓이라고 생각하면서도 입술을 잘근 씹었다. 아무리 생각을 정리해 봐도 불안감을 완전히 떨칠 수 없었다.

"차진혁……."

차진혁은 무슨 생각으로 유미에게 협력했을까. 세희가 어떤 피해를 입든, 그에게 돌아오기만 한다면 상관이 없는 걸까.

애초에 두 사람은…… 정말로 사랑하지 않아 헤어진 게 맞을까.

"제기랄……."

연우는 엄습하는 불안에 괴로워하며 미간을 구겼다.

어서 빨리 세희에게 연락이 왔으면, 그가 바라는 건 오직 그것뿐이었다.

처음 이 집에 찾아왔던 날, 어땠더라.

세희는 오랜만에 마주한 펜트하우스에서 옛 기억을 반추했다.

'결국, 왔네.'

토요일, 아침부터 세희는 일찍 채윤의 차를 타고 본가에 도착했다.

연우에게는 미리 알리지 못했다. 괜한 오해를 살까 걱정이 되었으니까. 자신이 진혁과 다시 만난다는, 말도 안 되는 오해를.

"안내해 드리겠습니다. 이쪽으로 오세요."

채윤은 긴장한 낯으로 앞장서서 걸어갔다. 세희가 안으로 들어가는 방법을 모를 거라고 판단한 모양이었다.

방법은 이미 알고 있었지만, 세희는 침묵하며 그 뒤를 따랐다. 여기서 괜히 아는 척을 했다간 더 이상하게 보일 테니까.

'여전하네. 변한 게 하나도 없어.'

투명한 엘리베이터에 올라 꼭대기까지 올라가는 동안, 세희는 엘리베이터 창밖으로 펼쳐진 풍경을 멍하니 응시했다.

황남윤이 대체 무슨 말을 하려고 부른 걸까. 지난밤, 아무리 곰곰이 생각해 봐도 그 답을 알아내지 못했다.

"회장님, 도착했습니다."

똑똑, 채윤이 노크하며 크게 소리쳤다. 얼마 지나지 않아

안쪽에서 들어오라는 허락이 떨어졌다.

채윤이 문을 열면서 조심스레 안으로 들어섰다. 그녀를 따라 걷던 세희가 우뚝 멈추었다.

"왔구나."

달칵, 황남윤이 커피 잔을 내려놓으며 고상하게도 웃었다. 까만 머리칼 사이로 눈치도 없이 드러난 새치가 보였다. 그녀는 새치를 가리듯 우아하게 머리카락을 넘기며 말했다.

"여기까지 와 줘서 고맙구나. 그날, 그렇게 헤어지고 본 적도 없는 늙은이 부탁을 다 들어주고."

황남윤이 말하는 그날이란, 연우와 함께 만났던 그 자리를 일컫는 것이었다.

세희는 무미건조하게 고개를 끄덕이며 가까이 다가갔다. 황남윤이 권하는 대로 맞은편에 앉자 익숙한 감각이 온몸에 번졌다.

그래, 이 자리. 세희는 이 자리를 알고 있었다. 아이를 잃고 소리 죽여 울다가 시모에게 타박을 들었던 자리였다.

"그새 직장을 옮겼다지."

"알고 계셨군요."

"당연하지. 진혁이, 그놈이 계속 너만 쫓아다녔으니까. 너에 대해서 정보를 얻어야 하지 않겠니."

예상대로 진혁의 이름이 튀어나왔다. 무릎에 올려 둔 손에 자연히 힘이 들어갔다.

세희는 가정부가 눈앞에 놓아 준 커피 잔을 멍하니 바라보았다.

"애써 돌려 말하는 건 피차 시간 낭비일 테니, 간단하게 말하마."

황남윤은 그렇게 말하고도 쉽사리 입을 열지 못했다. 커피 잔을 매만지는 그녀의 손끝이 불안하게 떨렸다. 조금 수척해진 듯한 그녀의 안색이 파리했다.

"우리 진혁이, 정신 좀 차리도록 도와다오."

뜻 모를 제안에 말문이 턱 막혔다.

"대충 짐작했겠지만…… 그놈이 너랑 헤어진 날부터 제정신이 아니야."

황남윤이 커피 잔을 도로 내려놓더니 손으로 얼굴을 쓸어내렸다. 수척하게 보였던 건, 아무래도 착각이 아닌 모양이었다.

"내 연락을 죄 무시하지 않나. 회장님께는 쓸데없는 말이나 했지. 맞선 제안은 그 사생아한테나 실컷 하라고 말이다."

사생아. 연우를 칭하는 단어에 가시가 단단히 박혀 있었다. 가만히 듣던 세희의 손끝이 차갑게 식었다.

"그 천금 같은 기회를 그따위 말로 날려 버렸어, 그놈이."

"어려운 부탁 하실 생각이라면, 이만 돌아가겠습니다."

세희는 실소를 내뱉는 대신, 조용히 그녀의 부탁을 거절했다. 황남윤의 대답 또한 완고하기 짝이 없었다.

"빈말이 아니다."

"저도 빈말 아닙니다. 제가 부사장님과 이미 끝난 사이라는 건 회장님께서 더 잘 아실 텐데요. 제 뒷조사를 다 하셨다면요."

"네가 일방적으로 끝낸 모양이던데. 진혁이가 정신을 못 차리는 거 보면."

황남윤은 진혁의 변화를 이해할 수 없다는 듯 허탈하게 중얼거렸다. 세희는 문득, 자신이 그녀와 이런 얘기나 나눈다는 게 무척 우습게 느껴졌다.

대체 무슨 수로 귀한 아들을 꼬셨냐면서 다그치던 옛날의 그녀를 떠올리니 더욱 우스웠다. 갑을 관계가 뒤바뀌기라도 한 것처럼 이상한 기분에 휩싸였기 때문에.

그렇다고 그 기분이 썩 유쾌하지는 않았다. 그저 기가 찰 뿐이었다.

"그 애가 원래대로 돌아오기만 하면 된다."

그 귀하디귀한 아들 하나 원래대로 돌려 달라고.

황남윤은 절박한 부탁을 그럴싸하게 포장해서 내놓았다. 세희는 무거운 한숨을 삼키다가 담담히 대꾸했다.

"그러니까, 그걸 왜 저한테 부탁하시는지 모르겠습니다. 세상의 모든 연인이 헤어진 다음 정신을 못 차리는 것도 아닌데요."

"이걸 봐라."

별안간 황남윤이 품을 뒤적여 무언가를 테이블에 던졌다. 세희는 가늘게 눈을 뜨고서 그 물건을 바라보았다. 새하얀 약 봉투였다.

"진혁이 사무실에서 발견했다더구나."

여태 평온하던 황남윤의 목소리가 살짝 흔들렸다. 세희는 생전 처음 보는 물건을 마주한 것처럼 굳어졌다.

"진료 기록을 뒤져 보니 수면제, 진정제, 그밖에 효과도 모르는 약이 수두룩했어. 그걸 벌써 몇 달째 받아먹었다고."

"……."

"차강 그룹 후계자가 이딴 약이나 타 먹는 중이라고 누가 짐작이나 하겠니? 우울증, 거식증, 수면 장애, 불안 장애…… 병명도 가지가지더구나."

황남윤은 세상 끔찍한 물건을 대하듯 손끝으로 봉투를 가리켰다. 안에서 굴러 나온 약통 하나가 모습을 드러냈다.

그중에서는 세희도 잘 알고 있는 수면제도 있었다. 유산했을 당시, 충격으로 도통 잠을 이루지 못해 먹었던 약이었다.

"그제야 알았지. 그 애가 이 지경이 되어 버린 건, 너랑 관련이 있을 거라고."

"어째서……."

"너랑 헤어진 다음부터 병원을 제집처럼 드나들었다고 했으니까."

숨이 턱 막혔다. 커다란 돌덩이가 가슴을 짓누른 듯이 괴로웠다. 지긋지긋했다. 그런데도 저 약 더미에서 눈을 뗄 수 없었다.

약에 의존하면서도 저를 돌려받으려는 그 집착을 도무지 이해할 수 없었다.

'차진혁, 대체 왜…… 이렇게까지 괴로워하는 거야?'

그는 결혼식 이후로도 제게 무심했으며 일만 챙기던 남자였다. 이토록 절절하게 후회할 만큼, 저를 사랑했던 기억이 없었다. 꼭 차진혁이 아니라 다른 남자의 이야기를 듣는 기분이었다.

'나를 그 정도로 깊이 사랑했던 것도 아니면서……'

이유를 모르니 난처할 수밖에 없었다. 세희는 혼란스러운 기분을 떨치려고 애를 썼다.

"제발…… 이렇게 부탁하마."

하지만 생각을 정리하기도 전, 갑작스럽게 황남윤이 의자에서 내려왔다. 세희는 두 눈을 크게 뜬 채 얼어붙었다.

"회, 회장님!"

가까이서 조용히 지켜보던 채윤이 비명처럼 소리쳤다. 황남윤이 갑작스럽게 세희의 앞에서 무릎을 꿇은 탓이었다.

"내 아들, 이러다가 죽는다. 정말로 죽을 것 같아."

급히 다가간 채윤이 부축하려고 했지만, 황남윤은 거절하며 세희의 치맛자락을 붙들었다. 팽팽하게 당겨진 치맛자락을 내려다보며 세희가 입술을 달싹였다.

하나뿐인 차강 그룹의 후계자를 좀 살려 달라며 애원하는 황남윤의 모습이 낯설었다. 정말로 제 앞에서 무릎까지 꿇을 정도로 절박할 줄은 몰랐기에.

'자기 자식을 이렇게 끔찍이 여기는 사람이, 그때는 나한테 왜……'

동시에 오래전 일을 회상하니 분노가 밀려왔다.

차다찬 겨울날 잃어버렸던 제 아이도, 결코 모자람이 없을 만큼 귀한 자식이었다. 아직 차진혁을 사랑하던, 그날의 멍청한 문세희에게는 그랬다.

"아뇨, 부사장님께서는 이런 일로 죽지 않으실 거예요."

"뭐, 뭐라고?"

"저보다 더 잘 아실 텐데요. 그분이 차강 그룹 후계자 자리 포기할 리가 없다는 거."

채윤은 비정하고 차가운 세희의 목소리에 깜짝 놀라 고개를 돌렸다.

황남윤이 제 앞에서 무릎까지 꿇고 있음에도, 세희는 한없이 냉정했다. 순간 그녀에게서 진혁의 모습이 겹쳐 보일 정도로.

"부사장님이 죽으면, 연우 씨가 후계자 자리에 오를 텐데. 제가 아는 부사장님은 그 꼴 보기 싫어서라도 살아갈 사람이라서요."

세희는 황남윤의 손아귀에 붙들린 치맛자락을 강하게 빼냈다. 더 들을 이유가 없었다. 이딴 부탁이나 할 거였다면, 절대로 오지 않았을 자리였다.

"회장님!"

떠나려는 세희를 막아선 건, 이채윤도 황남윤도 아니었다.

"부, 부사장님께서 오셨습니다."

경호원처럼 보이는 남자가 다급하게 들이닥쳤다.

세희는 깜짝 놀라서 돌아섰고, 황남윤도 부리나케 일어났다.

"잠시 저 방에 들어가 있거라."

황남윤은 다짜고짜 세희의 팔을 붙잡고 오른쪽으로 이끌었다.

"하지만……."

"어서! 진혁이 떠나면, 바로 보내 줄 테니까."

황남윤이 세차게 세희의 등을 떠밀었다.

세희는 비틀거리며 어쩔 수 없이 자그만 방으로 들어가 문을 닫았다. 창고로 쓰이는 방인지, 어두컴컴하고 바깥소리가 잘 들리는 공간이었다.

"어머니."

쾅, 거칠게 문이 열리는 소리와 함께 진혁의 음성이 들렸다. 세희는 반사적으로 입을 틀어막았다.

안으로 들이닥친 진혁의 모습에 황남윤이 미간을 찌푸렸다. 그새 더 야윈 듯한 꼴을 보자 화가 치민 탓이었다.

분노 어린 모친의 모습에도 진혁은 담담히 거실로 들어왔다. 어딘지 부자연스럽게 놓인 테이블 위 약 봉투가 가장 먼저 시야에 잡혔다.

진혁은 무미건조한 얼굴로 시선을 떼고서 물었다.

"이 비서가 언제부터 어머니 사람이었습니까?"

근처에 어정쩡하게 서 있던 채윤이 그 말에 흠칫 몸을 떨었다. 태연한 말투였으나 그 안에 질책이 담겨 있음을 알았기 때문이었다.

"듣기로는, 내게 보고도 올리지 않고 따로 뷰티 샛별 본사까지 찾아갔다던데."

"부, 부사장님……."

"괜히 쓸데없는 일 벌이지 말라고, 내가 누누이 경고했을 텐데."

진혁의 어조가 더욱 신경질적으로 가라앉았다.

"지난번, 쥐새끼처럼 배유미와 사무실을 뒤진 건 저걸 가져가기 위함이었나 보죠?"

"진혁아. 그만해라."

새파래진 채윤의 낯을 살피던 황남윤이 황급히 끼어들었다. 진혁의 싸늘한 눈빛이 그녀를 향해 이동했다.

"다 내가 시킨 일이다. 그만해."

"이 비서는 제 부하 직원입니다. 독단으로 어머니의 명령에 따른 거라면, 저로서는 당연히 질책할 자격이 있습니다."

"질책하려거든 나한테 해라!"

고함치는 황남윤의 목에 핏대가 섰다. 연락도 없이 찾아와 제 잘못부터 따지려는 아들의 태도가 불만이었다.

그게 고작 저 창고에 들어간 여자 한 명 때문에 벌어진 일이라는 점도.

"바로잡을 일이 있으니 따로 불러 부탁한 것을, 이렇게 다짜고짜 나타나서 시시비비를 가릴 필요가 있어!"

"제가 저번에 단단히 말씀드렸던 거로 압니다."

진혁은 표정 변화조차 없이 성을 내는 모친의 얼굴을 마주했다.

"세희에게 불필요한 연락 하지 마시라고, 제가 다 알아서 하겠다고요."

"그냥 지켜볼 수가 있어야지! 아들이 이따위 약이나 먹으면서 지낸다는데, 세상 어떤 어미가 가만히 있어! 그게 네 어미 앞에서 할 소리야?"

답답했는지, 황남윤이 주먹으로 제 가슴을 마구 두드렸다. 이번 기회에 모든 불만을 전부 털어 버려야지 싶은 생각이었다.

"네가 이러고 지낸다는 얘기가 회장님 귀에라도 들어가면, 그때는 대체 어떡할 셈이야!"

자신이 얼마나 조마조마해하며 이 자리를 지켜 냈는지, 그게 다 누구 때문이었는지.

여태 쌓은 공로를 제 손으로 무너트리려는 아들을 보고 있으니 속이 편할 리 없었다.

"왜 회장님 눈 밖에 날 일을 꾸미냔 말이야!"

차강태 회장의 관심사가 무엇인지, 그녀는 너무나도 잘 알았다.

차 회장이 이전부터 연우의 생모인 서현정을 얼마나 찾아 헤맸던가. 그녀가 완벽하게 숨어 버리지만 않았더라면, 진작에 두 사람은 재회하고도 남았을 터였다.

그 모습을 불안하게 지켜보던 기억이 떠오르자 아주 이가 갈렸다.

"괜히 밉보여서 그깟 사생아한테 죄다 빼앗기기라도 하면, 너는!"

그때, 진혁이 날씨나 물어보듯 무심하게 되물었다.

"진짜 사생아가 누군지, 어머니께서 더 잘 알고 계시지 않습니까."

분노에 못 이겨 헐떡이던 황남윤의 표정이 단번에 굳어졌다.

"……뭐?"

그녀는 숨도 제대로 쉬지 못하다가 힘겹게 입술을 뗐다. 얼어붙은 공기 속에서 채윤이 덜덜 떨면서 입을 틀어막았다.

창고에 숨었던 세희도 손바닥으로 헉 소리를 겨우 막아 냈다. 숨소리 하나 들리지 않는 정적 속에서 진혁만이 침착하고 평온했다.

"후계를 물려받을 자격이 제게 없다는 사실, 이미 아실 텐데요."

"너 그게 무슨……."

그 순간 세희는 직감적으로 알았다. 자신이 듣지 말아야 할 사실을 들어 버렸다는 걸.

"제가 언제까지 모른 척해 드려야 하는지 모르겠습니다."

진혁은 이제 채윤의 존재조차 잊어버린 것처럼 담담히 대답했다.

"제가 차강태 회장의 친아들이 아니라는 사실을."

친아들이 아니라니, 대체 누가.

세희는 가늘게 떨리는 손으로 힘주어 입술을 눌렀다. 조금이라도 힘을 풀면, 가느다란 비명이라도 새어 나갈 듯했다.

침묵으로 가득 찬 거실 탓에 진혁의 음성이 또박또박 선명히 들렸다.

"어머니께서 매번 들먹였던 더럽고 천박한 사생아 꼬리표는, 제게 붙어야 맞는 말 아닙니까?"

진혁의 목소리에는 확신이 담겨 있었다. 세희는 제 귀가 이상하지 않은지 재차 확인한 다음, 천천히 손을 내렸다.

지나치게 숨을 참은 탓인지 머릿속이 어지러웠다. 아니, 비단 그 탓만은 아닌 듯했다. 손까지 덩달아 차가워지는 걸 보면.

"차진혁!"

"차진혁이 아니라, 우진혁이겠죠."

분노한 황남윤의 외침에도 진혁은 냉정했다. 아들의 차가운 태도 앞에서 황남윤의 동공이 마구 흔들렸다.

"저는 어머니와 우재헌 사이에서 태어난 자식이 아닙니까."

진혁이 차분하기 그지없는 목소리로 뇌까렸다.

"다짜고짜 무슨 소리야! 너는 회장님과 내 아들이야. 대체 어디서 이상한 말을 듣고⋯⋯."

"친자 검사 통해서 확인했습니다, 이미."

테이블 위로 진혁이 던진 서류 봉투가 툭 떨어졌다. 그는 넥타이를 느릿하게 풀어 헤치며 어서 확인하라는 듯 눈짓했다.

황남윤은 아랫입술을 꽉 깨물고서는, 덜덜 떨리는 손으로 봉투를 집어 들었다.

"제가 네 살이었을 때니, 아마 다 잊으셨다고 생각하신 모양이지만⋯⋯ 은연중에 느껴졌습니다."

봉투를 뜯어내자 친자 검사 결과지가 튀어나왔다. 차강태와 차진혁, 그리고 우재헌과 차진혁의 유전자를 비교한 검사지였다.

황남윤은 다리에 힘이 풀렸는지 가볍게 비틀거렸다. 가까스로 소파를 붙잡고 선 그녀의 손이 바들바들 떨렸다.

"너무 늦었지만, 확인해 보고서 알았습니다. 회장님께서 제 친부가 아니라는 걸. 제 추측이 맞았더군요."

이 서류를 가져오면서 비서실장은 과연 무슨 생각을 했을까. 결과를 확인하니, 우습기 짝이 없는 일이었다.

진혁은 자조 섞인 미소를 머금고서 사색이 된 모친을 내려다보았다.

"회장님께서 저를 바라볼 때마다 못마땅한 표정을 지으신 것도 다 이해가 갔습니다. 완전히 남남인 걸 자식이라고 세간에 밝히고 지내셨으니, 그간 얼마나 속이 쓰리셨겠습니까."

"지, 진혁아."

"맘에 드는 구석이 단 하나도 없으셨겠죠. 친아들도 버젓이 살아 있는데, 남의 아들을 후계자 자리에 앉혀 놓으니 못마땅할 수밖에."

친아들이라는 말에 곧장 연우의 얼굴이 떠올랐다.

세희는 진혁이 자조적으로 내뱉은 말을 곱씹으며 손바닥에 얼굴을 묻었다. 과거에도 몰랐던, 지금에서야 알게 된 진혁의 비밀이 너무나 잔혹했다.

진혁에게 차강 그룹 후계자 자리가 어떤 의미인지 누구보다 잘 알았으므로.

"제가 어릴 적부터 왜 그렇게 그 아이를 이기라고, 절대 지지 말라고 다그치신 이유를 드디어 알겠더군요."

생각해 보면 그랬다. 진혁이 열네 살이 되었을 무렵, 연우가 본가로 들어오면서부터 모친의 예민함은 극으로 치닫기 시작했다.

학교에서 월등한 성적을 거둬도 만족하지 못했고, 언제나 그 이상을 원했다.

반면, 부친은 진혁에게 그 어떤 것도 바라지 않았다. 학교에서의 좋은 성적, 훌륭한 평판, 모든 건 당연히 가져야 할 덕목처럼 취급했다.

"차연우가 회장님의 친아들이기 때문이죠. 아닙니까?"

작고 야윈 남자아이를 지나칠 정도로 경계하고 경멸했던 모친. 자신은 그 모친의 곁에서, 그 아이를 저주하는 말을 매일같이 들으며 자라났다.

모친의 미움과 질투는 자연스럽게 어린 진혁의 가슴에도 스며들었다. 원치 않아도 얻게 된 열등감과 질투는 진혁의 마음을 오래도록 괴롭혔다.

마치 형체가 없는 목적을 위해 끊임없이 달리는 기분이었다.

"어릴 적부터 회장님 눈에서 벗어나지 말아야 한다고 가르치시던 어머니 마음도 이해가 가더군요."

"진혁아, 제발…… 그런 게 아니다. 그게 아니야."

황남윤의 눈가가 어느새 발갛게 물들어 있었다. 모친의 눈가에 눈물이 맺힐수록, 진혁의 가슴은 더욱 어둡게 물들었다.

"못난 아들, 혹여나 그 후계자 자리마저 빼앗길까 봐…… 뒤늦게 본가로 들어온 그 아이를 눈엣가시처럼 여기시면서."

만약 그녀가 처음부터 진실을 말해 주었더라면 어땠을까. 그랬다면, 적어도 세희를 그런 식으로 잃지는 않았을 터였다. 처음부터 제 것이 아닌 자리를 쫓다가 그녀와 아이마저 잃어버렸으니까.

"우습네요. 사실 굴러 들어온 돌은…… 염치도 모르고 남의 것을 탐낸 건 제 쪽이었는데."

진실을 알고 나니, 그의 손에 남은 건 공허함뿐이었다.

"아니다, 진혁아!"

황남윤이 발악하듯 소리쳤다. 그녀가 고개를 저을 때마다 구겨진 얼굴에 눈물이 뚝뚝 흘러내렸다.

어떻게든 진혁을 달래려는 황남윤의 눈빛이 초조함으로 세차게 흔들렸다.

"회장님께서도 다 동의하셨던 일이야. 내가 너를 데리고 와서, 호적에 올리고…… 모두 다 알고 계셨어. 모르고 벌인 일이 아니라!"

세희는 멍하니 눈을 깜빡거리며 이야기를 엿들었다.

아까부터 들리는 말이 모조리 다 거짓말 같았다. 짜고 치는 판 같았다. 그러지 않고서야 이토록 현실감 없게 다가올 수 있을까.

'말도 안 돼. 연우 씨가 아니라, 차진혁이 사생아…….'

자꾸만 다리에 힘이 풀려서, 이제는 똑바로 서 있는 것조차 고역이었다.

진실을 알게 된 순간, 진혁의 마음에 어떤 파란이 일었는지 짐작조차 가지 않았다.

"애초에 그런 조건으로 맺어진 결혼이었어. 네 외조부, 외조모께서도 받아들이신 일이었다. 차강 그룹을 더 단단히 키워야 했으니까……!"

"그래서, 이게 어머니께서 원하던 결과입니까?"

거침없이 설명을 이어 가던 황남윤이 굳게 입을 다물었다. 아들의 차분한 물음 앞에서 그녀는 한마디도 꺼낼 수 없었다.

"그분은 여전히 저를 아들로 대하지 않으시고, 시도 때도 없이 그 아이의 소식을 알아내라 요구하시고."

분노로 일그러지는 아들의 표정 때문이 아니었다. 이런 일에 상처조차 받지 않는, 거멓게 죽은 눈동자 때문이었다.

"저는 이 나이가 되어서도 후계자 자리를 빼앗길까 봐 매사 전전긍긍하고…… 이딴 인생이?"

공교롭게도, 진혁은 이미 잘 알고 있었다. 기껏 살아 보니 시시하고 볼품없는 인생이었다는 걸.

그는 나직이 헛웃음을 흘리며 되물었다.

"그럼, 참 보잘것없는 인생이 아닙니까?"

이딴 것도 삶이라고 지켜 보고자 아득바득 애를 썼다. 그러나 죄다 쓸모없는 노력이었다.

노력으로 얻었다고 여긴 자리는 처음부터 그의 것이 아니었으며, 사랑해서 데려왔다고 생각했던 여자는 그에게 질려 죽음을 택했다.

"사랑하는 여자 하나 지키지도 못하고, 후계자 자리에 앉아 보니 전부 별것 아니더군요."

그러니 진혁은 앞으로 더 망설일 여지가 없었다. 지금 이 순간, 이 시간, 이 자리가 그의 낭떠러지였으므로.

혼잣말처럼 덧붙인 목소리에 황남윤이 눈썹을 찡그렸다. 아들이 중얼거린 말이 뭘 뜻하는지 알아차리지 못한 탓이었다.

"진혁아, 너 그게 무슨……."

"굳이 이 비서에게 사무실을 뒤져 보라고 명령하실 필요 없었습니다."

진혁은 그녀가 바닥에 떨어트린 서류를 지그시 내려다보았다. 그가 힘껏 구겼던 자국이 아직도 서류의 끄트머리에 남아 있었다. 검사 결과를 두 눈으로 확인했을 때 느꼈던 허탈함도 마찬가지였다.

"구태여 그러지 않으셔도, 제가 직접 보여 드릴 생각이었으니까요. 지금처럼."

그는 가슴속에 남은 패배감, 열등감을 가늠하며 일갈했다.

"아니, 수고를 덜었으니 감사하다고 말해야 할까요."

무감한 아들의 말투에 황남윤의 얼굴이 일그러졌다. 어떻게든 그를 위로하고 싶었지만, 머릿속이 텅 비워졌다.

진실을 말하기엔 너무 늦어 버렸다는 걸 본인도 느낀 탓이었다. 차라리 어렸을 적 고백했더라면, 하는 의미 없는 생각만이 떠올랐다.

"진혁아, 일단 앉아서 얘기하자. 길게 얘기해도 늦지 않잖니. 너 지금 너무 흥분했어."

"저는 하나도 흥분하지 않았습니다."

진혁은 피곤한 표정을 지으며 손목시계를 매만졌다. 세희는 그 부산스럽고 귀에 거슬리는 소음을 엿들었다.

오래전부터, 진혁은 본론을 꺼내기에 앞서 무언가 만지는 버릇이 있었다. 때때로 그건 넥타이가 되었고, 시계가 될 때도 있었으며, 테이블이 될 때도 있었다.

아직 이야기가 나오지도 않았는데 벌써 테이블을 톡톡 두드리는 소리가 들리는 듯했다.

"오늘 어머니를 뵈러 온 건, 따로 경고할 이야기가 있어서 왔습니다."

"경고?"

"이 비서."

경고의 상대가 자신임을 알아차렸는지, 채윤의 낯이 파리해졌다. 진혁은 희게 질려 덜덜 떨고 있는 그녀를 향해 태연히 물었다.

"뷰티 샛별 본사까지 찾아가서 무슨 짓을 했습니까?"

"부, 부사장님, 저는……."

"제가 맞혀 볼까요?"

아마도 황남윤이 그녀에게 시켰을 명령. 그걸 추리하는 덴 그리 오랜 시간이 필요치 않았다.

반쪽짜리 상견례가 엉망으로 끝난 날부터, 진혁은 어머니가 세희를 뒷조사할 거라고 예상했다.

"어머니가 아마 세희 씨를 찾아가라고 지시했을 겁니다. 그리고 이상한 제안이나 건넸겠죠. 나를 만나서 직접 설득하라는 식의…… 헛소리를."

황남윤과 채윤은 입도 벙긋하지 못하고 굳어졌다. 정곡을 찔린 탓이었다.

제 추리가 한 치의 오차도 없음을 확인하니 더욱 어이가 없었다. 진혁이 서늘한 눈매로 두 사람을 바라보았다.

"한 번만 더 세희에게 접근하시면, 우재헌 씨를 직접 어머니 앞에 앉혀 놓고 이야기하겠습니다."

"너! 설마 그 사람을 직접 만난 건……."

"거주지와 근무처까지는 파악했습니다만, 직접 만나지는 않았습니다. 어머니를 향한 배려였죠."

그동안 잊고 살았던 남자의 이야기에 황남윤이 입술을 잘근거렸다. 아들 앞에서 치부가 발가벗겨진 느낌에 적잖이 부끄러웠다.

"현재는 외삼촌의 경호실장을 맡으셨더군요. 놀랐습니다. 어릴 적부터 어머니를 경호하셨던 분일 줄은."

우재헌은 그녀가 스물을 넘겼을 때부터 경호실장을 맡았던 남자였다.

황남윤은 집안의 명령에 따라 정략결혼을 해야만 했던 처지였고, 근처에 유일한 남자라고는 우재헌뿐이었다.

제게 조건 없는 충성을 바치며 다정했던 남자였으니, 끌리지 않는 게 더욱 이상한 일이었다.

"양육권을 전부 어머니께 넘기는 대가로 자기 자리를 지켜 낸 모양이죠?"

"너는 몰라도 되는 이야기다. 그런 건, 구태여 알 필요가……."

"네, 저도 그렇게 생각합니다. 어머니의 사정 같은 건 궁금하지 않거든요. 중요한 건, 어머니 또한 제 인생에 간섭할 자격이 없으시다는 겁니다."

선을 긋는 아들의 태도에 황남윤의 얼굴이 또다시 창백해졌다. 핏기가 사라진 모친의 얼굴을 곁눈질하고도 진혁은 덤덤했다.

"다시는 어떤 식으로든 그 여자, 따로 찾지 마세요."

"⋯⋯"

"세희의 마음을 돌리는 건, 제가 직접 할 일입니다. 어머니도, 그 누구의 도움도 필요 없어요."

자신의 이름이 문 너머에서 들릴 때마다, 세희는 다시금 힘주어 입술을 눌러야 했다.

당장 뛰어나가서 외치고도 싶었다. 그딴 가식적인 말, 지금 밝혀 봤자 아무 소용 없노라고. 나는 벌써 당신을 다 잊었다고. 이제 다른 남자를 마음에 담기 시작했다고.

'운명의 장난이 아니고서야⋯⋯ 왜 지금, 저걸 알게 된 거야.'

왜 하필이면 지금, 차진혁의 치부를 알아 버리고 말았을까. 한때 깊이 사랑했던 저 남자의 인생이 누군가의 기만으로 처음부터 엉망이었다는 걸.

어째서 지금 알아야만 했을까. 아무라도 좋으니 원망하고 싶었다. 그리하여 마음의 짐을 덜어 낼 수만 있다면.

"진혁아, 설마 그 여자랑⋯⋯ 정말 결혼할 생각이 있는 거니?"

겨우 제대로 일어난 황남윤이 비틀비틀 다가갔다. 진혁은 냉기 가득한 눈빛으로 그녀를 마주했다.

"그 여자는 안 돼. 우리랑 사는 세계가 다르다고."

세희가 마른침을 삼켰다. 이건 황남윤의 말이 옳았다. 아무리 진혁이 친아들이 아니어도, 어쨌든 그는 차강 그룹 일원이었다.

저와 사는 세계가 다르다는 점은 여전히 변하지 않았다. 그가 차강 그룹 후계자 자리에 앉아 있는 이상⋯⋯.

"상관없습니다. 제 세계를 바꾸면 그만이니까."

그걸 잘 알았으니, 진혁의 갑작스러운 선언은 세희에게도 무척 낯선 발언이었다. 사실상 차강 그룹 후계자 자리에서 내려올 수 있다는 뜻이었으니까.

"뭐야? 너 지금, 네가 무슨 말을 하는지 알고서, 그런 말을……."

그 말을 해석한 황남윤의 목소리도 당연히 높아졌다.

"잘 알고 있습니다."

세희는 진혁의 말을 곱씹다가 미간을 모았다. 아등바등 지키고자 했던 자리까지 내놓겠다니 듣고도 믿을 수 없었다.

과연 문 너머의 차진혁이, 자신이 알고 있던 그 남자가 맞을까. 이제는 별것이 다 의심스러울 지경이었다.

"이만 가 보겠습니다."

"진혁아, 거기 서라! 차진혁!"

진혁이 떠나려 하자 황남윤이 황급히 쫓아갔다.

"이대로 못 간다. 마저 얘기하고 가야지!"

고작 여자 하나 되찾겠다고, 그토록 매달리던 자리마저 버리겠다니. 황남윤은 아들이 미친 게 아닌가 의심까지 하면서 그를 붙잡았다.

"저는 더 드릴 말씀이 없습니다."

가까이 들리는 발소리에 세희가 낮게 숨죽였다. 도대체 왜 차진혁은 이런 행동을 하는 걸까.

안타까움과 동정심이 잠깐 지나간 자리에 의문이 쌓였다. 세희는 여전히 그의 행동을 이해할 수 없었다.

"진혁아!"

황남윤의 고함에도 그는 끝내 자리를 떠났다. 진혁이 떠난 자리에는 끔찍한 침묵만이 남아 있었다.

세희는 그대로 눈을 감고서 가슴팍을 움켜쥐었다.

끔찍한 악몽을 헤매는 기분이었다.

12. 밝혀지는 진실

## 12. 밝혀지는 진실

황남윤은 제대로 인사를 나눌 기운조차 없는 듯했다.

결국, 세희는 채윤이 운전하는 차를 타고서 오피스텔로 돌아왔다. 불 꺼진 거실에 발을 내디디는 순간부터 복잡한 상념에 두통이 일었다.

연우에 관한 일을 생각할 시간도 부족한데, 원치 않게 진혁의 일까지 고민하게 되었다. 여러모로 곤란한 일투성이였다. 부담스럽고 버거운 골칫거리.

'내가 신경 쓸 일은 아니야.'

세희는 허공을 올려다보다가 가만히 헛웃음을 흘렸다. 모든 사건이 한바탕 휘몰아치고 나니 더욱 어이가 없어졌다.

목숨까지 버려 가면서 돌아온 과거에서 너무나 뜻밖의 진실을 마주하고 말았으니까.

'이제 남이잖아, 차진혁은. 앞으로 얽힐 일이 없는 사람이

라고.'

세희가 침대에 걸터앉아 머리칼을 쓸어 넘겼다. 자꾸만 목이 탔다. 갈증 탓은 아니었다.

그녀는 비틀비틀 싱크대 앞으로 걸어가 물을 틀었다. 그러는 사이, 황남윤이 건넸던 나머지 말도 조금씩 떠올랐다.

'듣자마자 알았지. 그 애가 돌아 버린 건, 너랑 관련이 있을 거라고.'

'어째서…….'

'너랑 헤어진 다음부터 병원을 제집처럼 드나들었다고 했으니까.'

왜 갑자기 진혁의 마음이 변했을까. 제 마음이 변했던 것처럼, 그에게도 어떤 계기가 있었을까? 있었다면, 대체 무슨 계기가 있던 걸까?

"하……."

더는 전처럼 돌아가지 못한다는 걸, 그에게 충분히 설명해 준 것 같은데.

차라리 오늘 진혁의 비밀을 듣지 못했더라면 이렇게 마음이 복잡하진 않았을 것이다. 적어도 그를 향한 일말의 동정심조차 남지 않았을 테니.

컵을 손에 쥔 채, 쏟아지는 물줄기를 바라보는 세희의 낯이 창백했다.

"알아, 분명히 아는데……."

기분이 이상했다. 치가 떨리게 미웠던 진혁의 치부를 엿들은 탓일까?

아무리 생각해 봐도 그런 게 아니었다. 일단 통쾌하지 않았으니까. 오히려 찜찜하고 기분이 나빴다.

차진혁이 그토록 일에만 매달렸던 동기를 알아 버려서. 자신과 아이를 외면할 수밖에 없던 이유라도 들은 듯해서…….

"……아, 그렇구나."

그제야 세희는 기분이 울적했던 이유를 깨달았다. 자신도 모르게 진혁에게 면죄부를 줄 뻔한 것이다.

그 사실을 알아차리자 온몸에 소름이 돋았다. 그에게 면죄부를 줄 자격이 있는 건, 저 혼자만이 아니었는데.

'정신 차려, 문세희. 차진혁을 동정하는 건…….'

얼굴도 보지 못하고 헤어졌던 그 아이를 두 번 죽이는 짓이었다.

진혁을 향한 증오가 언제부터 옅어졌고, 어느새 이토록 약해졌던가. 한참 고민한 후에야 그 이유 또한 알아냈다.

'연우 씨 덕분이구나.'

연우를 마음에 담기 시작하면서. 그 사랑과 설렘이 증오가 들어설 자리마저 빼앗아 버린 탓이었다.

떨리는 손끝에서 컵이 떨어졌다. 물줄기가 컵을 때리며 사방으로 퍼졌다. 튀기는 물방울에 소매가 젖어 들기 시작했는데도 세희는 움직이지 않았다.

"연우 씨……."

이 사실을 알게 된다면, 연우는 어떻게 반응할까.

세희는 복잡한 머릿속 기억을 더듬어 가며 알게 된 사실을 복기했다.

차진혁은 사실 차 회장의 친아들이 아니었다. 친아들은 연우뿐이고, 차강태 회장도 그가 후계자가 되기를 희망했다.

'하지만, 연우 씨는 그걸 원치 않는다고 했잖아.'

세희는 오래전, 피오레코르테 세미나 파티에서 마주쳤던 차강태 회장을 떠올렸다. 정확히는 그와 연우가 나누었던 대화를.

'어차피 전부 차 회장님의 목표를 이루기 위한 발판이지 않습니까. 저는 그렇게 살고 싶지 않습니다.'

'연우야, 그게 아니다. 나는 모두 너를 위해서…….'

'회장님의 후계자는 제가 아니라 형님입니다.'

정략결혼이었다지만, 대화를 되짚어 보니 황남윤과 차강태는 서로 닮은 구석이 있었다. 자식을 위한다는 명목으로, 자식이 원치도 않은 일을 저지른다는 점에서.

그 두 사람 사이에서 자라나며 진혁과 연우가 받았을 상처가 얼마나 많았을까.

"그러니까, 나랑 상관없는 일이라니까…… 차진혁의 일은."

세희는 은근슬쩍 끼어드는 진혁에 대한 생각을 지우려고 고개를 흔들었다. 지금은 그에 대해서 조금도 생각하고 싶지 않았다.

그렇지 않으면 스스로 이 충격을 견딜 자신이 없었으니까.

월요일 아침부터 사무실에 일이 끊이질 않았다.

주말 동안 일에 집중하지 못하면 어쩌나, 싶었던 걱정이 무색할 정도였다. 세희는 막대한 업무량에 짓눌려 이마를 짚었다.

그나마 바쁜 오전이 지나고 점심시간이 찾아오자, 한숨 돌릴 틈이 생겼다. 지친 얼굴로 샌드위치를 한 입 깨무는 세희의 낯이 파리했다.

'힘들어…….'

아무도 없는 휴게실에서 홀로 샌드위치나 먹으니 꽤 적적했다. 그녀는 멍하니 핸드폰을 들었다가 내려놓기만 반복했다.

마음이 정리되면, 편하게 연우한테 연락해서 대화를 나눌 생각이었는데. 원치 않게 연우와 진혁의 비밀을 알아 버린 이상, 표정 관리를 할 수 없을 게 뻔했다.

"하아……."

세희가 땅이 꺼지도록 한숨을 내쉰 찰나, 휴게실로 커피를 가지고 들어오던 정아와 가은이 그녀를 발견했다.

"팀장님, 여기 계셨어요?"

마지막 샌드위치 조각을 삼키던 세희가 깜짝 놀라 고개를 돌렸다.

가은이 발랄하게 웃으며 다가와 그녀의 맞은편에 앉았다. 정아는 바로 옆자리에 앉으며 커피를 내려놓았다.

"저희랑 같이 드시지! 회사 앞에 생긴 파스타 가게, 엄청 맛있더라고요."

"아…… 소화가 잘 안 돼서요. 그냥 간단하게 먹었어요."

세희는 어색하게 웃으며 샌드위치 껍질을 치웠다.

"커피 드실래요? 팀장님 것도 사 왔어요."

정아가 씩 웃으면서 커피를 내밀었다. 세희가 고맙다면서 커피를 받은 순간, 미끼를 물었다는 듯 정아의 눈빛이 돌변했다.

"팀장님, 그런데……."

"네?"

"제가 이쪽으로는 귀신이거든요. 무슨 일 있으신 거죠?"

세희는 소스라치게 놀라며 두 눈을 깜빡거렸다.

"어, 어떻게 알았어요?"

"이럴 줄 알았다니까. 제가 직감이 좋아요."

그 표정에 정아는 역시 예상대로라는 듯 입꼬리를 올렸다. 그녀가 아침부터 유심히 살펴본 결과, 세희는 평소보다 표정이 어두웠다.

"정말로 무슨 일 있으신 거예요, 팀장님?"

지켜보던 가은이 걱정 어린 목소리로 끼어들었다. 정아는 슬그머니 어깨를 붙이며 은근한 미소를 지었다.

"딱 보면 모르겠어요, 가은 씨?"

"모르겠는데……."

"팀장님, 남자 문제인 거죠?"

직감이 좋다는 건 사실이었을까.

세희는 정곡이 찔려 대답도 못 하고 굳어 버렸다. 정아는 예리하게 주시했고, 가은은 정말이냐며 호들갑을 떨었다.

"그게…… 제 문제는 아니고요."

"네, 네."

자기 얘기가 아니라며 변명하는 세희의 모습에 정아가 씩 웃었다. 보통 자기 얘기를 꺼낼 때면, 일단 자기 얘기가 아니라는 말로 시작하는 법이었다.

"제가 상담해 드릴게요. 저 이야기 들어 주는 거 자신 있어요."

생글생글 웃는 정아의 표정이 인자하기 짝이 없었다.

그간 행동한 걸 보면, 정아는 확실히 믿을 만한 사람이었다. 한재섭과 오선영의 일이 있었을 때도 그랬다.

분명 많은 일을 알게 되었지만, 정아는 조금도 말을 옮기지 않았으니까.

"정아 씨, 있잖아요."

결국, 세희는 주저하던 걸 멈추고 용기 내어 입을 뗐다. 겨우 한마디만 던졌을 뿐인데, 정아는 들뜬 목소리로 대답했다.

"네, 뭐든지 물어보세요!"

"아까도 말했지만, 제 얘기가 아니라 친구 얘기인데……."

"어휴, 제가 또 지인 상담 경험만 수십 번인데! 마침 좋은 기회니까, 편하게 말씀하세요. 편하게."

이렇게까지 저를 도와주고 싶다는데 마다할 이유도 없었다. 세희는 머리카락을 귀 뒤로 넘기면서 조심히 이야기를 시작했다.

"친구가 원래 사귀던 남자가 있었는데…… 끝이 안 좋게 헤어졌어요. 그리고 새로운 남자를 만났고요."

진지하게 들어 주는 두 사람의 눈빛이 반짝반짝 빛났다.

"그런데 그 새로운 남자가…… 전 애인의 동생이에요."

조심스럽게 꺼낸 이야기에 즉각적인 반응이 돌아왔다.

"친동생이요? 사촌도 아니고?"

가은이 화들짝 놀라며 소곤소곤 물었다. 첫 질문부터 참 대답하기 어려웠다. 세희는 미간을 모으며 진지하게 대답을 고민했다.

'친동생은 아니지만, 여기서 아니라고 대답하면 더 이상해지겠지.'

짧은 판단을 마친 그녀가 고개를 끄덕였다. 가은이 세상에 별 우연도 다 있다면서 혀를 찼다. 무언가 곰곰이 생각하던 정아가 날카로운 질문을 던졌다.

"친구분은 그 둘이 형제라는 걸 알고도 만난 건가요?"

"아뇨, 당연히 모르고 만났는데…… 문제는 전 애인도, 지금 만나는 사람도 그 사실을 알게 됐어요."

"흠……."

"그런데 형제 사이가 가깝지는 않아요. 남보다 못한 사이나 마찬가지라고 하더라고요."

이어지는 설명에 가은의 표정이 더욱 복잡해졌다.

"아니, 어쩌다가…… 세상에서 가족이 제일 가깝고 중요한 사이인데. 다투기라도 했대요?"

"음, 비슷해요."

"그런데 지금은 화해해도 문제, 화해하지 않아도 문제네요. 어휴, 복잡해라."

가은이 열심히 맞장구치면서 고개를 주억거렸다. 그녀의

말대로 정말 심각한 문제이기는 했다. 세희는 제 몫의 커피를 한 모금 삼키다가 한숨을 폭 내쉬었다.

"맞아요, 좀 복잡해요. 친구도 계속 그 일로 머리가 아픈 모양이고요."

"아예 다른 사람을 만나는 건 힘들겠죠? 친구분도 그 남자가 좋은 거니까."

"네, 이미 많이 좋아하게 되었다고……."

대답을 건네는 세희의 귓불이 조금 붉어졌지만, 다행히 아무도 알아채지 못했다.

가은은 어쩌면 좋을지 모르겠다면서 절레절레 고개를 저었다. 반면, 정아는 주말 연속극을 시청하는 것처럼 흥미진진한 눈빛으로 물었다.

"친구분이 정확히 뭘 걱정하시는 거예요? 동생인 분을 계속 만나도 될지, 그게 걱정인 건가요?"

마치 세희의 마음을 그대로 들여다본 것처럼, 상당히 날카로운 지적이었다. 세희는 정아의 눈을 마주 보면서 신중하게 대답을 골랐다.

"맞아요. 만약 마음이 발전해서, 결혼이라도 하게 되면…… 어쨌든 형과도 계속 부딪칠 수밖에 없으니까요."

지켜보던 가은이 어휴, 소리를 내면서 머리칼을 쥐어뜯는 시늉을 했다. 마치 자신이 그 상황 속 여자가 된 것처럼 괴로워하는 표정이었다.

"맞아, 나중에 시부모도 만나야 하잖아요. 형과 만났던 사이라는 건 모르시나요? 그것도 중요한데."

가은의 질문에 세희가 힘없이 입술을 달싹였다. 다른 문제에 가려져 잊고 있었지만, 생각해 보니 그 문제도 있었다.

황남윤은 자신이 진혁과 만났었다는 걸 알았고, 차강태는 연우와 현재 만난다는 사실을 알고 있었다.

이건 또 어떻게 대답해야 하나 싶어 끙끙 앓는 와중에, 정아가 손을 저었다.

"에이, 그런 걱정은 나중에 해도 괜찮지 않을까요?"

"네?"

"벌써 거기까지 생각하는 건, 너무 앞서가는 게 아닌가 해서요."

의외인 대답이었다. 지금부터 고민하는 게 마땅하다고 할 줄 알았기 때문이다.

집중해서 듣는 세희를 보면서 정아가 적극적으로 설명을 이어 갔다.

"연인이라는 게 언제든 붙었다가 떨어질 수 있는 사이고…… 부모님이 거기까지 참견하는 건 이상하죠. 형 쪽도 그렇게 생각하지 않을까요? 동생 쪽도 마찬가지고."

세희는 또다시 놀란 얼굴로 고개를 끄덕여 동의했다. 정아의 판단이 정확했다. 진혁도, 연우도 부모의 간섭을 원치 않는 눈치였다.

세희의 긍정적인 반응에 정아가 커피를 쭉 들이켜며 웃었다.

"아주 복잡한 문제처럼 보이지만, 실은 간단해요."

"간단하다고요?"

"네. 친구분만 마음을 정하면 될 문제니까요."

내 마음만 정하면 될 문제라니. 생각보다 너무나도 간단한 해답이었다. 세희가 당황한 표정으로 입술을 달싹이자, 정아가 근거를 보탰다.

"연애하는 동안, 형을 마주칠 일은 없잖아요. 그리고 결혼해도 매일 볼 일은 없고. 시부모를 모시고 다 같이 살지 않는 이상, 그럴 일은 없죠."

"으음…… 그건 그래요."

"중요한 건 친구분 선택이라고 생각해요. 어차피 세상 살면서 누구를 만나든, 비슷한 고민은 생길 테니까요. 아무 문제도 없이 만나는 연인이 있을까요? 다 각자의 사정이 있고, 각자의 문제가 있는 법인데."

세희와 가은이 열변하는 정아의 모습을 멍하니 지켜보았다. 듣다 보니 점점 그녀의 얘기에 빠져 들어가는 기분이 들었다.

"그럼, 친구한테 뭐라고 말해 주면 좋을까요?"

세희는 설득력이 있다는 생각에 마지막 질문을 던졌다. 정아가 테이블을 탁탁 두드리면서 단호하게 주장했다.

"딱 두 마디면 돼요. 전혀 어렵게 생각할 필요가 없는 문제니까. 정말로 마음에 드는 사람이라면, 반드시 붙잡으라고."

"……."

"그렇지 않으면, 평생 후회하게 될 거라고."

후회할지도 모른다는 그 말이 세희의 머리를 강하게 때렸다.

후회로 점철된 진창을 뒹굴다가 겨우 돌아오게 된 삶이었다. 세희는 과거로 돌아온 직후, 가장 먼저 생각했던 목표를 다시 상기했다.

'맞아, 나는…… 이번에야말로 행복한 미래를 내 손으로 쟁취하자고 생각했었잖아.'

하늘이 준 기회로 얻게 된 두 번째 삶마저 후회로 물들이고 싶지 않았다. 복잡한 문제에 대한 걱정을 덜어 내자 마음이 한결 가벼워졌다.

"덕분에…… 고민이 해결된 것 같아요."

세희는 만족스러운 미소를 입가에 머금고서 커피를 들고 일어섰다. 정아와 가은의 시선도 따라서 위로 올라갔다.

"나 먼저 갈게요. 두 사람은 조금 더 쉬다가 와요."

엉거주춤 일어서려는 두 사람을 향해, 세희가 웃으며 손을 내저었다. 정아에게는 소곤소곤 감사의 말도 덧붙였다.

"정아 씨, 상담 고마워요. 나중에 제가 밥이라도 살게요."

"네, 팀장님!"

살갑게 웃으며 떠난 세희를 바라보면서 가은이 슬쩍 고개를 기울였다.

"저거…… 팀장님 이야기는 아니겠죠?"

내내 이야기를 들으면서 속으로 의심하던 부분이었다. 세희의 모습이 완전히 사라진 후, 정아가 어깨를 으쓱하며 답했다.

"연우 씨한테 형제가 있었나요? 인터넷 프로필에는 가족 설명이 없어서 모르겠는데."

"저번에 한 실장님께 듣기로는 없다고 했던 것 같아요."

"그럼 팀장님 얘기는 아니겠죠."

그렇구나, 가은은 팔짱을 끼고서 나직이 한숨을 내쉬었다. 듣기만 해도 파란만장해서 도무지 귀를 뗄 수 없던 이야기였다.

"그나저나 형제 사이에 낀 여자라니, 무슨 드라마에나 나올 법하네요."

가은의 중얼거림에 정아가 풋 하고 웃음을 터트렸다.

"요즘 드라마에 쓰기에도 너무 막장인 내용 아니에요?"

"팀장님 친구도 참 특이한 상황을 맞이했네요. 얼마나 머리가 아플지……."

"그러게요, 그런데 그만큼 매력적이라는 증거가 아닐까요? 얼마나 매력이 넘치면 형제가 다 반하겠어요."

정아와 가은은 나머지 커피를 마시면서 작게 웃었다.

이 짧은 상담이 세희에게 얼마나 큰 도움을 주었는지 꿈에도 모른 채.

스튜디오의 분위기가 어수선했다.

촬영이 막바지에 접어들 즈음, 열심히 카메라를 들고 움직이던 남자가 근처로 다가왔다. 그의 등장에 머리를 정돈해 주던 코디네이터가 한 걸음 뒤로 물러났다.

"연우야, 너 괜찮니?"

사진작가의 질문에 가만히 허공을 보던 연우가 고개를 돌렸다. 며칠 세희에 관한 걱정으로 잠을 설친 탓에 눈가가 어두웠다.

"형, 죄송한데 잠깐 끊어 가도 될까요? 머리가 너무 아파서."

연우는 이마를 짚다가 슬그머니 몸을 일으켰다.

"그래, 어차피 거의 다 찍었어. 십 분만 끊어 가자. 안 그래도 너 피곤해 보여서 물어본 거야."

"고맙습니다."

조명과 카메라가 물러나고, 사진작가도 잠시 화장실로 떠났다.

연우는 핸드폰을 챙겨서 대기실로 빠르게 걸어갔다. 어수선한 촬영장과 멀어져 대기실로 들어가자 두통이 조금 잦아들었다.

고요한 정적 속에서 연우가 의자에 털썩 주저앉았다. 가만히 눈을 감으니 피로가 잔물결처럼 온몸을 때렸다.

"하……."

세희의 부재가 이토록 큰 상실감을 일으킬 줄이야. 스스로도 놀랄 정도로, 그녀를 향한 애정이 깊어졌음을 알 수 있었다.

'뭐 하고 있을까, 지금쯤.'

연우는 잠잠한 핸드폰을 꺼내 마지막 문자를 확인했다. 어젯밤, 기다림 끝에 세희에게서 문자가 왔다.

[이번 주말에 연우 씨 집으로 갈게요. 만나서 할 얘기가 있어요.]

주말에 얼굴을 보러 갈 테니, 기다려 달라는 내용이었다. 드디어 마음 정리가 끝난 모양이었다. 생각 같아서야 당장 만나면 안 되는 이유가 뭔지 묻고 싶었다.

하지만 연우는 그러지 않았다. 괜한 재촉으로 부담을 주기는 싫었다. 어쩌면 회사 일정이 바빠서 주말을 택했을지도 모르니까.

'그래, 연락이 온 것만 해도 다행이지. 더 길어졌다면……
못 참고 찾아갔을 테니까.'

연우는 애써 불안을 가라앉히며 주말을 기다리기로 했다.
세희를 다시 만나면, 그 역시 하고픈 말이 눈덩이처럼 쌓여
있었다.

연우는 핸드폰을 내려놓고 거울을 멍하니 들여다보았다.
거울에 비친, 자신의 서늘하고 차가운 표정이 낯설었다.

"아……."

그제야 연우는 오늘 자신이 단 한 번도 웃지 않았다는 사
실을 깨달았다.

그저 세희와 연락하지 못했다는 이유 하나만으로.

　　　※　　　※　　　※

주말에 보자고 약속을 잡은 이후.

기획 팀은 갑작스러운 업무 폭탄에 휘말렸다. 지난번 출
시했던 색조 제품의 반응이 너무 좋은 탓이었다.

직원들은 서둘러 후속 상품을 개발해야 할 처지에 놓이고
말았고, 매일같이 회의실에 모여 열띤 토론을 펼쳐야 했다.

"후……."

오전 회의가 끝난 후, 세희는 끙끙 앓으며 모니터 속 달력을 응시했다.

어젯밤 용기 내서 연우에게 문자를 보낸 덕에 마음은 한결 가벼웠다.

문제는, 이제 새로운 고민이 시작되었다는 점이었다. 과연 이 막대한 업무를 주말까지 끝낼 수 있나 싶은 생각이 들었다.

"팀장님, 어디 불편하세요?"

발주 기안서를 들고 지나가던 가은이 작게 소곤거렸다. 오늘 더 어두워진 세희의 표정에 내심 신경이 쓰였던 모양이었다.

세희는 서둘러 표정을 관리하고서 머쓱하게 미소 지었다.

"잠을 좀 설쳐서요. 피곤한데, 특별히 아픈 건 아니에요. 괜찮아요."

'아, 그 친구 때문이시구나.'

잠깐 들었던 자신도 머리가 어지러울 정도였는데, 친구인 세희의 마음은 오죽 복잡할까. 가은이 속으로 생각하면서 세희를 걱정스레 살폈다.

"안색이 너무 안 좋으신데…… 오늘 퇴근하고, 병원이라도 가 보는 게 어떠세요?"

"그 정도는 아닌데……."

"혹시 모르잖아요. 어제 야근도 하셨고. 저희 지금 체력이 제일 중요한 시기잖아요. 꼭 가 보세요."

"네, 걱정해 줘서 고마워요."

몇 번 당부한 후에야 그녀가 자리를 떠났다. 세희는 손거울을 꺼내 제 얼굴을 가만히 살펴보았다.

그동안 신경 쓰지 못했는데, 주변에서 이렇게 걱정할 정도면 안색이 나쁘긴 한 모양이었다.

'하긴, 잠을 꽤 오래 설쳤으니까.'

그새 푸석푸석해진 듯한 피부가 살짝 거슬렸다. 어떻게든 연우를 만나기 전까지는 회복해야 할 텐데.

세희는 진지하게 고민하다가 이전에 연우와 나눈 대화를 떠올렸다.

'더 먹지. 그게 끝이에요?'

기껏 차려 준 식사를 반밖에 못 비울 때면, 연우는 꼭 한 번 더 권유하곤 했다. 그럴 때마다 포크로 접시를 두드리며 농담 섞인 반항을 했다.

'배불러요. 충분히 먹었는데…… 연우 씨가 훨씬 덜 먹었잖아요.'

'나는 모델이잖아요. 세희 씨는 더 먹어야 돼. 너무 말랐어.'

'마른 게 아니라 평균이에요. 평균.'

'아냐, 마른 편이라니까.'

크게 영양가 없는 대화여도 즐겁고 행복했다. 누군가 자신의 몸 상태를 염려해서 식사를 챙겨 준 게 그저 기뻤으니까.

할머니가 돌아가신 이후, 그녀를 그토록 상냥하게 챙겨 준 사람은 연우가 처음이었다. 진혁과 결혼 생활 중에도 입이 짧다는 소리를 듣긴 했지만, 그가 직접 식사를 차려 준 적은 없었다.

"……."

무의식중에 또 진혁을 생각했고, 연우와 비교하고 말았다. 세희는 제 무의식을 마구 탓하면서 입술을 깨물었다.

연우를 만나 대화를 나누면, 진혁을 향한 동정심도 깨끗하게 사라질까. 애초에 연우에게 자신이 알게 된 사실을 말해 줘야 하나 고민되었다.

'그 얘기는…… 아마 차진혁에겐 가장 밝혀서는 안 될 비밀일 텐데.'

진혁이 차강태의 친아들이 아님이 세간에 알려진다면, 하루아침에 후계자 자격을 잃어버릴 터였다. 과연 연우도 그 결과를 바라는지는 미지수였다.

만약 진혁이 후계자 자격을 잃어버리면, 차 회장은 무슨 수를 써서라도 연우를 후계자 자리에 앉힐 게 분명했다.

세희는 가만히 실소했다. 제 손에 마치 중대한 열쇠라도 쥐여진 듯한 기분이었다.

'그만 생각하자.'

마침 도착한 메일이 컴퓨터 화면을 가득 채웠다.

세희는 부랴부랴 키보드를 두드리면서 문서 작업을 이어 나갔다. 지금은 어서 일을 정리하고, 후련하게 주말을 맞이하는 게 우선이었다.

'……연우 씨가 보고 싶어.'

괜스레 과거를 떠올린 탓에 그리움이 가슴속 깊이 스며들었다.

'좋아한다고…… 말해 주고 싶어.'

잠들기 전까지 팔베개를 해 주던 연우의 얼굴. 아침에 눈 뜨자마자 이마에 닿던 연우의 입술. 그의 품에 안겨서 영화를 볼 때면, 코끝을 간질이던 연우의 향기.

모든 순간의 추억들이 하나둘 머릿속을 점령했다. 두 눈을 감아도 연우의 얼굴이 선명하게 떠오를 정도였다.

"하아……."

세희는 또다시 깊은 한숨을 내쉬면서 모니터를 응시했다. 그녀의 시선은 자꾸만 모니터 구석에 있는 달력으로 향했다.

주말까지 남은 날짜를 셈하는, 의미 없는 일을 반복하면서.

다행히 퇴근은 어제보다 늦어지지 않았다.

세희는 뻐근한 어깨를 두드리면서 회사 밖으로 나왔다. 뉘엿뉘엿 지는 해가 거리에 붉은 그림자를 드리웠다. 피곤함은 낮보다 심해졌지만, 머릿속은 맑아졌다.

'연우 씨한테 그냥, 오늘 보자고 해 볼까.'

오랜만에 일찍 퇴근했으니, 만날 시간도 충분했다. 온종일 연우 생각만 한 터라 그리움이 더욱 강해진 탓도 있었다.

세희는 핸드폰을 꺼내 들고 머뭇거리며 멈춰 섰다.

'아니면, 전화라도 걸어 볼까. 잠깐이라도 좋으니까…… 연우 씨 목소리가 듣고 싶어.'

그리움을 견디지 못하고 전화를 걸려던 그때, 세희는 누군가 자신을 주시하는 느낌에 휙 고개를 돌렸다.

갑자기 팔에 오스스 소름이 돋았다. 착각인가 싶었지만, 곧 그게 아님을 깨달았다.

'뭐지?'

회사 앞에서 멀지 않은 거리에, 못 보던 고급 차 몇 대가 보였다. 연우의 것도, 진혁의 것도 아니었다. 완전히 처음 보는 차였다.

"문세희 씨, 맞습니까?"

그 사이로 정장을 입은 남자 한 명이 뚜벅뚜벅 다가왔다. 다짜고짜 던지는 질문에 세희가 팍 미간을 구겼다.

경계하는 그녀의 모습에 남자가 안심하라는 듯 가슴의 명찰을 보여 주었다. 명찰 왼쪽에 차강 그룹이 영문으로 적혀 있었다.

"차강태 회장님께서 문세희 씨와 대화를 나누고 싶어 하십니다."

갑자기 튀어나온 이름에 세희가 멈칫 굳어졌다. 수상쩍게 보이던 남자들은 아무래도 경호원인 모양이었다.

"차강태…… 회장님이요?"

"네, 그래서 함께 가 주셨으면 합니다."

남자가 제 말이 사실임을 증명하듯 맨 앞의 차를 가리켰다. 그러자 뒷좌석 창문이 반쯤 내려가더니 안에 탄 사람의 얼굴이 드러났다.

피오레코르테 세미나 파티에서 마주쳤던 차 회장의 얼굴이었다.

'정말이잖아?'

오랜만에 마주하는 그의 모습에 세희의 눈빛이 세차게 흔들렸다. 차 회장이 자신을 따로 찾을 만한 이유가 대체 뭔지 알 수가 없었다.

　하지만 진혁과 연우 중 한 명을 위해 찾아왔다는 것쯤은 짐작하기 어렵지 않았다.

　"회장님이 무슨 일로 저를 보자고 하시는 건가요."

　"그건 만나면 알게 되실 겁니다. 동행을 부탁드리겠습니다."

　단도직입적인 물음에도 남자는 온화하게 답했다. 다만 순순히 따라가지 않으면, 힘을 써서라도 데려갈 기세였다.

　세희는 뒤편을 힐끗거리며 짧게 고민했다. 괜히 회사 앞에서 난동을 피워도 문제였고, 남자와 힘 싸움에서 이길 자신도 없었다.

　"좋아요."

　잠깐의 고민 끝에 세희가 고개를 끄덕였다. 대낮에 회사 앞으로 찾아온 걸 보면, 위협을 가하려는 게 아님은 분명했다.

　"감사합니다. 이쪽으로 오시죠."

　남자는 작게 안도하면서 왼쪽으로 손을 뻗었다. 우르르 모여 있던 경호원들이 두 갈래로 갈라졌다. 세희는 그 사이로 걸어가면서 묘한 기분에 휩싸였다.

　'저번에는 황남윤이더니, 이번에는 차강태구나.'

　지난 삶에서는 얼굴도 자주 보기 힘든 사람들이었다.

　특히 차강태는, 자신이 유산했다는 소식을 들었을 때조차 연락 한 번 없었다. 그런 점에서는 차진혁과 비슷하다고 생각했던 적이 많았다.

물론 지금은 그가 진혁의 친부가 아님을 알고 있었지만.

'어떤 얼굴로 앉아 있어야 할지 모르겠네.'

세희는 복잡한 심경 속에서 천천히 차에 올랐다. 다행히 차강태 회장과 다른 차였다. 덕분에 가는 동안 마음의 정리를 좀 더 유연하게 할 수 있을 듯했다.

"……."

멀리서 이 모습을 지켜보던 경호원 중 한 명이 뒤쪽으로 물러났다. 그는 조심스럽게 핸드폰을 꺼내 들고서 문자를 보내기 시작했다.

차강태 회장의 후계자, 차진혁 부사장에게 보내는 문자였다.

[곧 이동할 예정입니다. 도착 후, 다시 위치 전달하겠습니다.]

그는 이전에 진혁의 밑에서 경호원으로 근무하던 남자였다. 은밀히 문자를 보낸 후, 그는 다시 차 회장의 차를 뒤따랐다.

차강태 회장의 차는 근처의 찻집으로 향하고 있었다.

아무도 모르게 세희와 단둘이 이야기를 나눌 찻집에.

찻집은 무척 고급스러운 분위기였고 은은한 향기가 가득했다.

어디선가 들려오는 클래식 음악에 차강태 회장이 가만히 눈을 감았다. 음악을 음미하는 듯한 그의 앞에 곧 찻잔 하나가 놓였다. 김이 모락모락 올라오는 엽차에서 좋은 향기가 풍겼다.

참 특이한 찻집이었다. 한옥 인테리어에 클래식 음악이라니.

"아무도 없으니 조용하구나."

차를 한 모금 삼킨 차강태 회장은 담담하게 말을 건넸다. 나이가 지긋함에도 정정하고 다부진 체격이 위압감을 주었다.

세희는 주눅 들지 않으려고 노력하면서 찻잔에 손을 뻗었다. 그녀가 조용히 차를 마시는 동안, 차 회장은 창밖의 노을을 관조했다.

"그날은 너무 시끄러워서 얼굴을 제대로 못 보았는데."

단둘이 안내받은 독방이 너무나 조용했다. 차 회장의 중얼거림이 지나치게 선명히 들릴 정도로.

"이렇게 다시 보니, 제법 고운 얼굴이구나. 연우의 마음에 들 만도 해."

그는 맞은편에 앉은 세희의 외모를 찬찬히 뜯어 살폈다. 피오레코르테 세미나 애프터 파티에서는 연우의 맞선만 생각하느라 미처 살피지 못한 얼굴이었다.

인제 보니 얼굴은 제법 괜찮았다. 조사한 바에 따르면, 자라 온 집안이야 가당치도 않았지만.

"연우가 맞선 얘기라면 질색을 해서, 그 뒤로 연락 한 번 못했지."

"……."

"그 대신 너를 만나기로 했단다."

세희는 차분하게 이야기를 들으며 침묵했다. 그 고요한 반응이 마음에 들었는지, 차 회장은 형형히 눈을 빛냈다. 대체 어디서 그런 기백이 나오는지 모를 일이었다.

"단도직입적으로 말하마."

차 회장이 찻잔을 내려놓고 입을 뗐다.

"너를 며느리로 받아 줄 테니, 연우를 설득해다오."

처음부터 말문이 턱 막히게 하는 제안이었다. 며느리, 설득. 어느 부분부터 짚으면 좋을지 혼란스러웠다.

"설득이라면, 어떤……."

세희는 후자를 택하고 조심스레 대답을 흘렸다.

"연우가 내 뒤를 이었으면 한다."

간단히 말해서, 진혁이 아닌 연우를 후계자 자리에 앉히고 싶다는 뜻이었다.

그가 진정 아버지로서 연우에 대해 아는 게 없다는 사실이 실감 났다. 연우가 원한 건 대기업의 후계자 따위가 아니었으니까.

"지금부터 후계자 교육을 받아도 늦지 않으니 걱정할 필요도 없고. 연우가 마음만 단단히 먹는다면, 나도 전폭적으로 지원할 생각이거든."

부탁하는 어조가 아닌, 상당히 고압적인 명령에 가까웠다. 세희는 표정 변화 없이 들고 있던 찻잔을 내려놓았다.

"나보다 얼굴 보기 쉬울 테니, 네가 설득한다면 듣는 척이라도 하겠지."

차 회장은 이미 조사를 통해 그녀와 연우의 관계를 유추한 모양이었다. 두 사람이 동거 중이라는 사실도 알고 있는 눈치였다.

"연우 씨가 결정할 문제라고 생각합니다. 제 의견은 중요치 않고요."

세희는 변명이나 설명을 하는 대신, 고개를 저었다.

"물론 결정은 연우가 해야겠지만, 네 형편도 생각해야지."

차 회장이 물건을 품평하듯 깐깐한 눈초리로 세희를 훑어보았다.

"변변찮은 집안에서 태어나 조실부모하고, 어렵게 살아가는…… 보통 가정에서도 받아 주기 힘든 조건이야. 잘 생각하지 않으면, 반드시 후회할 거다."

세희는 그의 앞에서 시선으로 난도질당하는 느낌을 받으며 이를 악물었다. 진혁과 결혼했을 때조차 직접 받지 않았던 멸시였다. 그걸 연우와 가까워지고 나서야 받게 되다니, 참 우습기 짝이 없었다.

"차 회장님."

세희는 더 참지 못하고, 가장 의아했던 점을 짚어 보기로 했다.

"그래."

"제가 차진혁 부사장님과 결혼을 약속했던 사이였다는 건, 알고 계시나요?"

예민한 주제를 건드린 탓일까. 차 회장의 날카로운 눈빛이 살갗에 차갑게 닿았다. 세희는 조금이나마 온화하던 분위기가 빠르게 변하는 걸 느꼈다.

"알아도, 몰라도 그만인 이야기를 굳이 알릴 필요는 없다."

차 회장은 삐뚜름한 입매로 소리 없이 웃었다. 그에게 세희의 생각은 중요하지 않았다. 세희와 진혁의 옛 관계 또한 상관없었다.

그저 연우가 제 뒤를 이을 수만 있다면, 모든 수를 쓸 계획이었다.

'내가 부족한 며느리라서 무신경했던 게 아니구나. 차진혁의 부인이라서…… 아예 궁금하지 않았던 거야.'

그 정도의 애정조차 없던 자식이었으니까.

세희는 묘한 마음에 휩싸여 찻잔을 빤히 노려보았다. 차 회장이 어째서 유산 소식을 듣고도 저를 보러 오지 않았는지 깨달았다.

처음부터 그에게 진혁의 자식 따위는 알 바 아니었다. 어차피 그의 진짜 핏줄도 아니었기에.

"차진혁, 그놈이 최근에 병원을 드나들었던데."

무릎에 올려 둔 세희의 손끝이 움찔 반응했다. 그의 목소리에서 빈정거리는 기색을 읽은 탓이었다. 아들이 병원을 갔다는데 설마 비웃는다는 게 말이 될까.

"벌써 문제가 많은 걸, 후계자라고 올려 둘 수는 없지. 진작 이랬어야 했어."

하지만 차 회장의 얼굴을 보았을 때, 제 생각이 착각이 아님을 알았다. 그는 멀끔한 얼굴로 티가 나지 않게 빈정거리고 있었다. 진혁에게 생긴 마음의 병을, 후계자에 어울리지 않은 오점 취급을 하면서.

"나중에 괜히 언론에 알려지기라도 하면 온갖 추문이 나돌 게 뻔하지. 큰일 앞두기 전에 바로잡는 게 맞는 거다."

병들기 시작한 아들의 모습을 골칫거리 취급하는 태도가 사뭇 역겨웠다. 진혁이 그의 친아들이 아니었으니, 그동안 이런 식으로 대했던 걸까.

"어째서 그렇게 연우 씨한테 집착하시는 거죠?"

세희는 거칠어지려는 호흡을 애써 가다듬으며 물었다. 꽤 괜찮은 대화 상대라도 만났다는 것처럼 차 회장이 입꼬리를 올렸다.

"아들의 성공을 바라는 게 집착인가?"

"아들이 원하지 않는데도 바라시는 건 집착이라고 생각합니다."

세희는 전혀 즐겁지 않았다. 이런 대화라면, 나누지 않는 게 오히려 나았다.

"지난번, 본가에 방문했더구나."

도대체 어디까지 알고 있는지, 들으면 들을수록 아연했다. 황남윤의 근처에도 몰래 사람을 붙여 둔 걸까. 아니면, 저한테 붙여 둔 걸까. 어느 쪽이든 똑같이 소름이 끼쳤다.

"꽤 충격적인 이야기를 들은 모양이던데. 그 집에서 나올 때 표정을 보니까."

세희는 자꾸만 힘이 들어가는 주먹을 가만히 그러쥐었다. 복잡한 그녀의 마음을 읽은 것처럼, 차 회장은 멋대로 다른 이야기를 시작했다.

"연우의 생모…… 그러니까, 살아 있을 때 이야기인데. 나는 정략결혼 얘기가 나오기 전까지 진심으로 그 여자를 사랑했다."

차 회장의 주름진 눈매에 깊은 회한이 묻어났다. 세희에게는 약간의 가식처럼 느껴지는 모습이기도 했다.

　"정말로 사랑했던 건 그 여자뿐이었다고. 지금도 당당하게 얘기할 수 있지. 그 여자도 마찬가지였어. 그렇게 좋아하던 발레를, 나를 위해서 포기할 정도였으니까."

　처음 듣는 이야기였다. 그간 연우가 모친과 나눈 추억을 들려준 적은 있었다. 그렇지만, 정확한 이름이나 직업을 밝힌 적은 없었다.

　모친의 직업을 듣고 나니 연우의 신체가 어째서 그리 월등했는지 이해도 갔다.

　"발레……."

　"연우에게서 못 들었나?"

　차 회장이 조금 우쭐한 태도로 되물었다. 연우와 마음이 통한 사이면서, 그런 정보조차 모르냐는 눈빛이었다.

　"네, 듣지 못했습니다."

　세희는 크게 반응하지 않고서 고개를 끄덕였다. 가끔 아무리 사랑해도 다 밝힐 수 없는 사실이 있기 마련이었다. 자신이 연우에게 과거로 돌아왔던 일을 밝히지 않았듯이.

　"서현정. 샛별처럼 막 떠오르던 발레리나 중 한 명이었지. 아주 아름다운 여자였고."

　차 회장은 먼 곳을 응시하면서 나직이 중얼거렸다.

　"품행도 좋았고, 매사 단정하고 온화했어. 차강 그룹의 안주인이 될 자격이 충분한 여자였지. 초라한 집안만 제외한다면 말이다. 딱 너처럼."

차 회장은 구태여 눈앞의 세희를 지목하며 무심히 평가했다. 세희는 그 지독하게 냉정한 평가 앞에서 가만히 눈을 내리깔았다.

연우의 모친은 이 집안에서 자신과 비슷한 취급을 받을까봐 두려워서 도망친 걸까. 이어지는 차 회장의 말에 궁금증이 해결되었다.

"정략결혼을 맺기 전, 그녀에게 말했다. 나와 헤어질 필요가 전혀 없다고."

"어째서……."

"내가 정부 하나쯤 곁에 두어도 감히 뭐라 할 사람은 없었으니까."

차 회장의 말은 사실이었다. 정략결혼은 어디까지나 서로의 이익을 위해 하는 거래나 마찬가지였다.

각자 정부를 두어도 바깥에 들키지 않는다면 상관이 없는 거래. 황남윤도 그런 거래에 동의하는 조건으로 진혁을 데려왔다.

"하지만 그 여자는 거절했어. 내 행복을 위해서 떠나는 게 옳다는…… 실없는 소리나 남기면서."

서현정을 추억하는 차 회장의 눈빛이 조금 아련해졌다. 세희는 그게 기만 같다고 생각했다. 추악한 이기심을 사랑이라는 말로 포장하는 기만.

"아내가 그 사람을 찾지 못하도록 도움을 준 모양이었지. 하루아침에 감쪽같이 사라진 거야. 아무리 사람을 풀어도 찾아내지 못했어. 꼭꼭 숨어서……."

차 회장은 손끝으로 찻잔을 톡톡 두드렸다. 연우에게도 있던 버릇이었다.

어떻게 저런 사람에게서 차연우처럼 순수하고 다정한 사람이 태어났는지 의문이었다. 아마 연우의 모친, 서현정이 그만큼 훌륭하게 키운 덕분이리라.

"당연히 아이가 생긴 줄도 몰랐다. 한 번도 그런 티를 내지 않았으니까. 그때가 마지막이었지. 세상을 떠나기 전, 딱 한 번 얼굴을 본 게."

차 회장에게도 아직 생생하게 남은 기억이었다.

"그날 연우의 존재를 알았다."

어떻게 연락을 취했는지, 홀로 본가로 찾아왔던 서현정. 그녀는 꽤 시간이 흘렀는데도 여전히 우아하고 아름다웠고, 또 냉정했다. 붙잡으려는 차 회장에게 달랑 아이의 사진만 건네고 떠났을 만큼.

"아이가 있다면서 사진을 보여 줬어. 여태까지는 혼자서 잘 키웠지만, 앞으로 자신이 없으니 호적에 올려 줄 수 없겠냐면서."

차 회장이 품을 뒤적여 지갑을 꺼냈다. 까만 가죽 지갑 사이로 곧 낡은 사진 한 장이 튀어나왔다.

세희의 시선이 테이블에 내려놓은 사진을 따라 움직였다. 연우와 그의 모친, 서현정이 함께 찍은 사진이었다.

"연우가 생긴 건 실수였지만, 적어도 책임을 피하지 않을 생각이었다. 두 사람 모두 데려와 곁에 두고 돌볼 생각이었지. 그런데……."

차 회장은 쓸쓸한 목소리로 말끝을 흐렸다. 세희는 이 이야기가 그에게도 거북한 화제라는 걸 느꼈다.

"교통사고로 세상을 떠난 다음에야 알았어. 병이 있었다는 걸."

차 회장의 말이 끊어진 후, 테이블에는 더 무거운 정적이 찾아왔다.

"나는 분명히 약속했다. 그 여자 몫까지 연우를 돌봐 주겠다고. 그건 유언이나 다름없는 부탁이었어."

차 회장은 사진을 도로 챙기면서 담담하게 읊조렸다. 그의 목소리에서 진심이 느껴졌다. 너무 늦었지만, 연우의 부친 노릇을 제대로 하고 싶다는 마음이.

그 마음을 느끼면 느낄수록 이상한 부분이 있었다. 과연 서현정이 그걸 바라고 그에게 연우를 부탁했을까, 싶은 부분이었다.

"처음부터 솔직히 고백했더라면, 두 사람 모두 내 곁에 두었을 거야. 그럼 아무도 다치지 않았을 테지."

세희는 가만히 그녀의 마음을 유추했다. 자신이 곧 죽는다는 사실을 알았을 때, 그녀는 어떤 생각을 했을까. 그동안 꼭꼭 숨어 살았던 노력을 다 버리고, 차 회장에게 연우를 부탁할 때까지…….

"정략결혼으로 아내가 있는 상황에서, 또 다른 사람을 정부로 들인다니……."

자꾸만 진혁과 연우의 얼굴이 번갈아 떠올랐다. 이 남자는 대체 몇 명에게 상처를 주며 살아온 걸까. 자신이 모든 문제의 근원임을 알지도 못한 채.

"그건 사랑이 아니라, 집착이에요."

세희의 목소리가 분노로 작게 흔들렸다. 차 회장은 지적을 부정하지 않고 고개를 주억거렸다.

"그때는 집착이어도 좋았다."

속뜻을 짐작하기 어려운 대답에 세희가 눈을 좁혔다. 차 회장은 세희의 눈을 곧게 응시하면서 대답했다.

"사랑하는 여자를 내 곁에 둘 수만 있다면…… 아집이든, 뭐든 상관이 없었으니까."

가슴이 턱 막히는 대답이었다. 사랑하는 사람을 얻기 위해서라면, 그 감정의 정체가 무엇이든 신경 쓰지 않는다는 대답.

피가 통하지 않았다고 했지만, 자연히 진혁을 떠오르게 하는 말이었다.

"그래서 아직도 후회한다. 내가 그 여자를 포기하지 않았더라면, 그렇게 죽도록 두지도 않았을 테니."

차 회장은 웃으면서 돌아서던 서현정의 얼굴을 떠올렸다. 그때는 몰랐다. 미련 한 조각 없는 얼굴로 어찌 웃을 수 있었는지. 나중에서야 그녀가 죽음의 문턱에 섰기에 초연했음을 알 수 있었다.

또한, 차 회장보다 연우를 더 사랑했음을 알았다. 부와 명예를 포기하고 돌아설 정도로 그 아이를 사랑했다고.

"회장님께서는 아직도 모르시는군요. 그분께서 왜 그런 삶을 택하셨는지."

세희는 현정의 마음을 가늠해 보며 한숨을 내쉬었다. 차 회장이 이기적인 부탁을 했을 때, 아마도 그녀는 연우를 임신한 상태였을 터였다.

아이까지 가진 상황에서 정부 자리를 제안한, 사랑하는 남자. 서현정은 얼마나 박탈감을 느꼈을까. 얼마나 고민하고, 또 얼마나 외로웠을까.

쉽게 털어놓을 수 없는 고민 앞에서, 배 속의 아이에게는 또 얼마나 미안했을까…….

"아마 평생 모르시겠죠. 알고 계셨다면, 고작 이런 부탁이나 하려고 저를 찾지 않으셨을 테니까요."

세희의 차분한 목소리에 날카로운 가시가 돋쳐 있었다. 차 회장은 조금 당황한 것처럼 눈썹을 찌푸렸지만, 이내 사냥감의 마지막 반항을 지켜보는 맹수처럼 미소 지었다.

"하고 싶은 말이 있거든, 돌리지 말고 꺼내려무나. 나이가 들면 귀가 어두워지는 법이거든."

차 회장의 목소리에는 여유가 가득했다. 세희가 당연히 자신의 제안을 승낙하리라 확신한 눈치였다.

"부사장님은…… 차진혁 씨는, 회장님께 어떤 존재였습니까?"

세희는 짧은 고민 끝에 다른 질문을 던졌다.

"내 아들이지."

단호한 대답에 놀라기도 전, 무미건조한 평가가 이어졌다.

"내 핏줄이 아니라 부족한 감이 있지만, 그럭저럭 쓸 만한."

차진혁은 이런 대접을 얼마나 받으며 자라 왔을까.

"하지만 절대 연우처럼 생각할 수는 없는, 그런 아들."

동시에 이런 부친 밑에서 연우가 어떤 마음으로 살았을지
도 궁금해졌다. 원치도 않는 비교와 관심 속에서 그는 얼마
나 눈치를 보았을까. 얼마나, 모친과 단둘이 지내던 삶이 그
리웠을까. 그 생각이 들자 자연스레 마음이 참담해졌다.

"회장님께서는 두 명의 아들을 모두 버리셨군요."

"버리다니?"

"물질적인 지원을 해 준다고, 그게 부모의 자격이 될 수는
없죠."

세희는 날이 선 목소리로 머릿속 생각을 냉정히 읊었다.

"한 명은 아들이라고 데려오셨지만, 속으로는 전혀 그렇
게 생각하지 않으셨고. 나머지 한 명은 아들인 것도 모르다
가 멋대로 끌고 와서는 후계자 자리를 강요하셨고요."

차 회장의 얼굴이 조금씩 일그러졌다. 그의 낯에 노기가
실릴 때마다 세희의 눈빛은 차가워졌다.

"혼자 자란 제 인생이 더 낫다고 생각될 정도입니다."

"뭐?"

"적어도 애정 없이 방관하거나, 애정을 강요하는 부모를
두지 않았으니까요."

때때로, 어떤 부모는 차라리 존재하지 않는 편이 옳았다.
세희는 차 회장이 진혁과 연우, 두 사람을 모두 불행하게 만
든 원인이라는 걸 확실하게 자각했다.

"후회할 텐데."

세희의 눈빛에서 거절하는 의사를 읽었는지, 차 회장이

낮게 혀를 찼다.

"잊었나? 내가 허락하지 않으면, 너는 차강 그룹 며느리가 될 수 없어."

"상관없습니다. 애초에 연우 씨가 차강 그룹 사람이라는 점도 모르고 있었으니까요."

"진혁이, 그놈은."

차 회장은 세희가 연기하는 중이라고 생각했는지, 빈정대는 어조로 쏘아붙였다.

"그 아이가 차강 그룹 후계자라는 사실을 알고서 접근한 게 아니었나?"

"한때는…… 네, 그랬습니다."

그러나 세희의 표정과 태도는 흔들리지 않았다.

"하지만 차강 그룹 며느리 자리가 딱히 귀하고 높은 자리도 아니더군요."

"……뭐야?"

"빌빌 기어가면서 지킬 가치가 있는 자리도 아니었고요. 오히려 남들보다 초라하고 괴로운 자리라면 모를까."

과거를 떠올리던 세희의 입가에 서늘한 미소가 머물렀다.

"차강 그룹 후계자가 아닌, 평범한 연우 씨여도 상관없다는 말씀을 드리는 겁니다."

"……."

"저도 연우 씨만큼이나 차강 그룹이라면, 지긋지긋해서요."

세희는 그대로 의자에서 일어나 꾸벅 고개를 숙였다. 떠나려는 그녀의 모습에 차 회장이 당황한 얼굴로 눈을 좁혔다.

"그럼, 이 제안은 없던 일로 하겠습니다."

돌아서는 순간, 세희가 핸드백에서 핸드폰을 꺼내 들었다. 당장 연우의 얼굴을 봐야겠다는 생각이 들었기 때문이었다.

꿈의 감각이 온몸을 짓눌렀다.

연우는 저항하지 못한 채, 눈앞에서 펼쳐지는 상황을 숨죽여 관망했다. 분명 빈집에서 홀로 잠들었는데, 어느새 꿈속이었다.

'또 악몽…… 인가.'

진혁과 세희의 결혼식을 꿈속에서 지켜본 날. 그날 이후로 쭉 잠을 설치다가, 오랜만에 맞이한 꿈이었다.

연우는 천천히 걸음을 옮겼다. 마치 물속에서 걷는 듯 온몸의 감각이 사라졌다.

꿈속의 자신은 넓고 하얀 장소에 도착한 상태였다. 여기가 어딘지 깨닫기도 전에 어디선가 흐느낌이 들렸다.

"흑흑, 사모님…… 이렇게 가시면 어떡해요, 아이고……."

새카만 원피스를 입은 중년의 여자가 손수건으로 입을 막은 채 흐느꼈다. 나머지 사람들 사이에서도 이따금 훌쩍이는 소리가 들렸다.

연우는 그제야 자신이 조문객의 차림새였다는 걸 알아차렸다. 그걸 깨닫자 온몸에서 핏기가 사라지는 기분이 들었다.

이게 과연 누구의 장례식인지, 의문이 들었기에.

"……."

의지와 상관없이 몸은 멋대로 움직여 안으로 들어섰다. 가장 먼저 그를 맞이한 건, 상주를 맡은 진혁의 얼굴이었다.

그는 무척 피곤하고 지친 모습이었으며 표정을 잃고 서 있었다. 총기를 잃은 그의 새카만 눈이 평소보다 더욱 어두웠다.

"형……."

꿈속의 연우는 진혁에게 다가가 어깨를 두드렸다. 그답지 않은, 아주 가벼운 위로였음에도 진혁의 얼굴은 순식간에 일그러졌다.

연우는 그와 몇 마디를 나눈 후 왼쪽으로 걸음을 옮겼다. 향을 피우고, 마침내 고개 들어 영정 사진을 마주한 순간.

'말도 안 돼.'

그럴 리 없다고, 거짓말이라고 부정했으나 영정 사진의 주인공은 변함이 없었다. 그는 온화한 미소를 짓고 있는 여자의 사진을 멍하니 들여다보았다.

'어째서, 세희 씨가…….'

숨이 턱 막히는 듯했다. 꿈속의 연우도 마찬가지였다. 무언가 깨달은 듯 서서히 구겨지는 연우의 얼굴에 점점 고통이 아른거렸다.

그는 한참 영정 사진을 바라보다가 얼어붙은 표정으로 돌아섰다. 비틀거리며 멀어지는 연우의 눈빛이 세차게 흔들렸다.

'아냐, 이건…… 현실일 리가 없어!'

꿈이 아니고서야 벌어질 수 없는 일이었다.

연우는 필사적으로 비명을 지르면서 무의식과 싸움을 벌였다. 온몸이 가위에 짓눌린 듯한 느낌 속에서 그가 간신히 눈을 떴다.

"하아, 하⋯⋯!"

참았던 숨을 들이마시는 몸이 물에 젖은 솜처럼 무거웠다.

연우는 다급하게 상체를 일으키며 가슴팍을 부여잡았다. 거친 호흡에 따라 갈비뼈가 크게 부풀었다가 가라앉았다.

이마에 맺혔던 땀방울이 얼굴선을 따라 이불 위로 떨어졌다.

"꿈⋯⋯."

소름이 돋을 정도로 생생한 꿈이었다. 마치 미래를 경험하고 돌아온 것처럼. 그 기묘한 현실감이 연우를 공포의 도가니로 몰아넣었다.

'왜 자꾸 이런 꿈을 꾸는 거지?'

꿈속에서 진혁이 상주를 맡았던 건, 아마도 저번 꿈의 연장선이기 때문인 모양이었다. 실제로 두 사람이 결혼했다면, 상주는 당연히 남편인 진혁의 몫이었을 테니까.

모든 걸 잃어버린 듯 공허했던 진혁의 표정이 머릿속에서 사라지지 않았다. 영정 사진에 갇혀서 미소를 짓고 있던 세희의 얼굴도 마찬가지였다.

"젠장!"

연우가 주먹으로 이불을 내리치며 거칠게 욕설을 내뱉었다.

세희와 떨어져 있다는 불안감에 악몽을 꾸는 걸까. 아니면, 악몽 때문에 점점 더 불안해지는 걸까.

이제는 무엇이 원인이고 무엇이 결과인지 헷갈릴 지경이

었다.

"세희 씨……."

가장 궁금한 건, 단연코 세희의 상태였다. 이 기분 나쁘게 선명한 악몽을 빨리 떨쳐 내고 싶었다. 그러기 위해서는 반드시 세희를 만나야 했다.

당장 세희의 안전을 두 눈으로 확인하지 않으면, 이 불안이 끝나지 않을 것만 같았다. 이 악몽이 언젠가 예지몽이 될지도 모른다는 극도의 불안감.

"……핸드폰."

연우는 머리칼을 크게 쓸어 넘기며 핸드폰을 찾았다. 침대에서 내려와 거실로 나오자, 잠들기 전 테이블에 올려 둔 핸드폰이 보였다.

시계를 확인하니 아직 깊은 밤이 되기 전이었다. 너무 피곤해서 잠깐 쪽잠을 청한다는 게 그만, 깊이 잠들어 버린 모양이었다.

'세희 씨한테 전화라도 해 볼까. 그 정도는 괜찮지 않을까.'

복잡한 생각 속에서 연우가 핸드폰 화면을 확인했다. 동시에 화면 속 문자를 확인한 그의 눈빛이 강하게 떨렸다.

[연우 씨, 잠깐 얼굴 좀 볼 수 있어요? 제가 지금 루비노 에이전시로 갈게요. 건물 앞에서 만나요.]

연우는 다급하게 문자가 도착했던 시간을 확인했다. 다행히 방금 도착한 문자였다. 서둘러 준비해서 나간다면 늦지 않을 터였다.

그는 답장을 보내는 대신, 다급하게 현관으로 달려갔다.

'세희 씨!'

연우의 머릿속에는 온통, 세희의 상태를 확인하자는 생각 뿐이었다.

또다시 악몽에 빠져 불안해지지 않도록.

찻집을 빠져나와 택시에 올랐을 때, 이미 밖은 어둑어둑 한 땅거미가 지고 있었다.

'바쁜가? 아니면, 전화를 걸어 봐야 하나.'

세희는 초조한 마음으로 입술을 잘근거렸다. 연우에게 문 자를 보냈지만, 루비노 에이전시 앞에 도착했을 때까지도 답장은 오지 않았다.

결국, 그녀는 핸드폰을 들고 연우의 연락처를 찾았다. 통 화 버튼을 누르려는 순간, 누군가 그녀의 팔을 낚아챘다.

"문세희!"

깜짝 놀란 세희가 비명을 삼키며 돌아보았다. 그녀의 팔 을 붙잡고 돌려세운 건, 진혁이었다.

"다, 당신, 왜 여기 있어요?"

"너야말로 어디 있던 거야. 한참 찾았는데…….'

차에서 내리자마자 다급히 뛰어온 건지, 숨이 거칠었다. 흐트러진 옷깃과 넥타이, 초조한 표정까지. 어느 하나 그다 운 부분이 없어서 낯설었다.

"회장님 뵙고 왔다며, 방금."

놀란 마음을 잠재울 틈도 없이 진혁이 물었다. 세희는 팍 인상을 구기면서 그의 손을 뿌리쳤다.

"도청이라도 했어요? 아니면, 다른 사람한테 나 미행하라고 시켰어요?"

"회장님 쪽에 미리 붙여 둔 사람이 있어서 알게 된 거야. 너한테 그런 짓 못 해."

"못 하는 게 아니라, 안 해야죠. 우리는 이제 남이니까."

다시 돌아서려는 세희의 팔을 진혁이 도로 붙잡았다. 아무리 힘을 줘도 밀려나지 않는 그의 모습에 답답함이 몰려왔다.

"그만 가세요. 당신이랑 할 얘기 없……."

"회장님께서 무슨 얘기 하셨어?"

침착한 진혁의 물음에 세희가 침묵했다. 진혁은 차분하게 위로하듯 중얼거렸다.

"무슨 얘기를 했든, 어떤 상처를 줬든…… 신경 쓰지 마. 원래 그런 분이야."

"……."

"차연우가 어떤 여자를 만났어도 똑같이 말씀하셨을 거야."

이미 차 회장이 세희를 앞혀 두고 어떤 말을 했는지, 다 안다는 듯한 표정이었다. 어떤 여자를 데려왔어도 부족함부터 헐뜯었으리라는 걸.

그 역시 차 회장에게 그런 취급을, 이 집안에서 가장 오래도록 받은 사람이니까.

"제가 무슨 얘기를 들었든, 당신이 신경 쓸 바가 아니죠."

경험에서 우러난 걱정에 세희의 입매가 우그러졌다.

"세희야."

팔을 붙잡은 그의 손이 긴장으로 가늘게 떨렸다. 아마 본인은 알아채지 못한 듯했지만, 시선도 마찬가지였다.

세희는 불안하게 흔들리는 눈빛을 마주하다가 미간을 찌푸렸다. 차진혁에게 측은지심을 느끼는 자신이 싫었다.

"저번에 부탁했잖아요. 이제 이러지 말라고……."

"걱정돼서 온 거야."

걱정이라니. 그에게서 들었던 말 중 가장 우스웠다. 진혁은 대답 없는 세희의 표정을 살피다가 속삭였다.

"들었어. 어머니께서도 너를 찾으셨다고."

세희는 여전히 대답이 없었고, 진혁은 담담히 말을 이었다.

"다시는 그럴 일 없을 거야. 너 귀찮게 할 일도 없고, 상처 줄 일도 없어."

황남윤을 만났던 날, 세희는 상처 따위 하나도 받지 않았다. 오히려 진혁의 상처에 대해 알게 되어 당혹을 금치 못했다.

'왜 하필 지금, 나타난 거야…….'

분명 그에게 아무런 감정도 남지 않았다고 생각했다. 그랬는데, 이 순간만큼은 진혁이 너무나 가여웠다. 하필이면 차 회장의 이야기를 들은 직후라서 그럴지도 몰랐다.

"놓아주세요."

"나랑 얘기 좀 해."

"나 연우 씨 만나려고 온 거예요. 그냥 돌아가요."

연우의 이름이 나오자, 진혁의 눈빛이 더 조급해졌다. 그는 세희를 붙잡은 손에 힘을 주면서 나지막이 부탁했다.

"제발, 세희야. 반드시 해야 할 말이 있어."

"듣고 싶지 않아요."

"아니, 꼭 들어야 해. 너한테도 중요한 얘기니까."

계속 거절한다고 들어줄 위인도 아니었다. 세희는 진혁이 생각보다 고집이 센 편이라는 걸 깨닫고는, 화제를 바꾸었다.

"황남윤 회장님께서 당신이 요즘 이상한 약을 먹는다고 말씀하시더군요."

계획대로, 진혁은 당혹스러운 표정을 감추지 못했다. 차분하게 지적할 생각이었으나 약통 무더기를 떠올리니 다시금 화가 치밀었다.

고작 자신 한 명 잃어버렸다고, 갑자기 세상 무너진 것처럼 구는 그의 기만에.

"항우울제, 신경 안정제, 수면제…… 온갖 약을 다 먹는다고. 그게 나 때문인 것 같다고."

"아니야."

진혁은 단칼에 부정했지만, 세희는 그 말을 믿지 않았다. 그가 약을 먹게 된 이유가 자신 때문이라는 건 너무나 자명한 사실이었으니까.

그 증거로, 과거의 진혁은 그런 약 따위 먹지 않았다. 단한 번도.

"헤어지자고 했잖아요. 마주치면 불편할까 봐 직장까지 옮겼고, 당신 찾아가서 귀찮게 군 적도 없었어요. 나는 내가 할 수 있는 배려를 다 했어요."

"배려?"

"네, 배려죠. 당신은 어차피 나를 사랑해서 청혼했던 것도 아니었잖아요."

분노와 동정심이 한데 섞여서 점점 머리가 이상해졌다. 세희는 더 참지 못하겠다는 듯 언성을 높였다.

"도대체 왜 이래요? 왜 자꾸만 찾아와서 귀찮은 일에 휘말리게 하는데요. 그게 당신이 말하는 사랑이에요? 그래요?"

"말해 줄게. 다 설명해 줄 테니까, 나랑 같이 가자."

"아뇨, 말할 거면 여기서 하세요. 지금 다 말하고 끝내자고요."

세희가 팔을 뿌리치려고 하자 진혁이 강하게 고쳐 잡았다. 그의 절박한 표정 앞에서 세희는 이를 악물었다.

"여기선 못 해. 보여 줄 게 있어. 네가 꼭 봐야만 해."

"필요 없다고 했……."

바람에 펄럭인 셔츠 소매 사이로 진혁의 손목이 드러났다. 아문 흉터 위로 생긴 지 얼마 되지 않은 상처가 보였다. 자해한 흔적이었다.

동시에 세희의 머릿속에서 끈 하나가 뚝 끊어졌다.

"이게 뭐예요."

그제야 팔을 놓아준 진혁이 부리나케 소매를 내렸다. 물론 이어지는 추궁을 피할 방법은 없었다.

"이게…… 다 뭐냐고요."

세희가 상처를 본 걸 알아차린 진혁의 눈에 당혹감이 서렸다. 황급히 상처를 감추는 그의 낯이 창백했다.

"별것 아냐."

"손목이 너덜너덜해졌는데, 별것 아니라고요?"

세희는 분노를 잠재우려고 노력하며 그를 노려보았다.

그러나 무감한 얼굴로 서 있는 모습을 보니, 분노는 가라 앉기는커녕 더욱 타올랐다. 분노로 인한 열기가 원치 않게 눈가로 몰려들었다.

"차진혁 씨, 나한테 왜 이래요?"

세희는 그에게 많은 걸 바라지 않았다. 그냥 이대로 인연을 끊어 버리고 싶은 것뿐이었다. 처음부터 만나지 않았던 것처럼, 완전한 남이 되어서.

"나는 이제 당신이 싫어요. 밉고, 원망스러워. 다시는 얼굴도 보기 싫을 정도예요."

지금의 진혁은 제게 아무런 잘못도 저지르지 않았다. 그런데도 세희는 참지 못하고 원망의 말을 내뱉었다.

이해할 수 없는 이야기일 텐데도 진혁은 조용히 듣고만 있었다.

"하지만…… 죽기를 바라지는 않았어."

비열한 남자, 비겁한 남자. 세희는 붉은 줄로 가득했던 그의 손목을 노려보며 쏘아붙였다.

"이런 식으로 나한테 죄책감을 안겨 주고 싶었어요? 죄책감을 빌미 삼아서라도 붙잡으려고?"

세희가 매몰차게 말할 때마다 진혁의 마음은 무너졌다.

"그게 아니야. 나는 그냥, 그저……."

"이래도 변하는 건 없어요. 우리는 앞으로 각자의 인생을 살 거고, 다시는 마주치지 않을 거예요."

세희는 꺼멓게 죽기 시작한 그의 눈을 응시했다. 제발, 그가 상처를 받아서라도 저를 포기해 줬으면 싶었다.

"그러니까 제발, 이따위 짓은 그만해요."

"미안해."

그 순간, 진혁의 입에서 사과의 말이 튀어나왔다. 세희는 딱딱하게 얼어붙어서 입을 굳게 다물었다. 한 대 맞은 듯 멍해진 그녀를 보면서 진혁이 재차 속삭였다.

"미안하다, 세희야."

"무슨……."

"내가 다 잘못했어."

갑작스러운 사과였다. 그에게 원하지도, 기대하지도 않았던 사과. 시간을 거슬러 돌아온 지금의 세희에게는 필요치 않은 사과.

듣기만 했는데도 기만을 당한 것처럼, 화가 들끓게 하는 사과였다.

"너를 사랑했어. 사랑하는 너를 지키기 위해서, 그 자리가 필요했어. 누구에게도 빼앗기지 않으려면, 누구보다 높은 자리가 필요했어."

"……."

"그렇게 살다 보니, 어떤 게 먼저였는지 잊어버렸어."

뜻 모를 변명과 설명이 이어졌다. 세희는 그의 말을 이해하지 못하고 고개를 저었다. 모든 게 다 의미 없는 일이었다. 이제는 아무런 감정도 들지 않았다.

"그런 말, 듣고 싶지 않아요."

냉정하게 말하려고 노력했지만, 목소리는 세차게 떨렸다. 돌아서려는 세희의 어깨를 진혁이 재빨리 붙들었다.

밀치려는 세희와 붙잡으려는 진혁 사이에서 가벼운 몸싸움이 벌어졌다.

"나한테 그딴 변명 하지 마요."

"미안해, 세희야."

이성을 잃은 세희의 얼굴이 와락 일그러졌다.

"하지 말라고!"

진혁이 그대로 두 팔 벌려 세희를 와락 끌어안았다. 옥죄는 품에 갇힌 채, 세희는 발악하듯 저항하면서 소리쳤다.

"사과하지 마!"

가슴팍을 세게 때리는 손길이 이어졌지만, 진혁은 힘을 풀지 않았다. 마구 몸부림치는 세희를 끌어안고서 사과의 말만 중얼거렸다.

"세희야, 미안해. 미안……."

"사과하지 말라고! 당신 사과 따위 필요 없어! 듣고 싶지 않아!"

진혁을 동정하고 싶지 않았다. 차진혁을 보면, 그때가 떠올라서 싫었다. 아이를 지키지 못한 주제에 울고 떨기만 바빴던, 무책임한 자신이 떠올라서…….

'어차피 소용없어, 당신은…….'

나한테만 미안한 거잖아. 그 아이를 기억도 못 하잖아. 보물 같던 내 아이한테는 조금도 미안하지 않잖아.

"어차피, 당신은……!"

그 슬픔은 이전에도 앞으로도, 오롯이 나만 감당해야 하잖아!

"세희야."

무너져 내린 세희의 눈시울이 발갛게 물들었다. 참고 참았던 분노를 터트리는 목소리도 물기에 젖었다. 이슬처럼 맺힌 눈물을 보자, 가슴이 찢기듯 시렸다.

"우리 아이를, 그렇게 보낸 것도…… 전부 다 내 잘못이야."

진혁은 그만 충동적으로 비밀을 토해 내고 말았다.

13. 완전한 이별, 완전한 사랑

## 13. 완전한 이별, 완전한 사랑

창자가 끊어지듯 괴로운 통증이 뒤따른 고백이었다.

낮게 갈라진 그의 음성에 세희의 반항이 멈추었다. 아이라는 단어를 곱씹던 그녀의 얼굴도 새하얗게 질렸다.

"아이라니, 무슨……."

진혁이 어떻게 그 아이를 기억하고 있는 걸까.

더듬거리는 세희의 목소리에도 진혁은 침착했다. 어차피 아이라는 말을 듣고도 세희가 반응하지 않을 거라고 예상한 탓이었다.

"당신, 설마……."

하지만 그녀는 진혁의 예상과 달리, 일방적인 고백에 응답했다.

"당신도…… 기억하고 있는 거예요?"

세희의 목소리가 가늘게 흘러나왔다. 떨리는 물음에 진혁의 표정도 단번에 변했다.

"……뭐?"

당신도, 라는 건 무슨 뜻일까. 설마 세희도 그때의 기억을 가지고 돌아온 걸까. 그래서 자신을 대하던 태도가 그때와 달랐던 걸까.

추론이 확신으로 변한 건 순식간이었다.

"당신 설마, 우리가 결혼했던 기억을……."

세희가 무언가 더 말하려는 순간, 갑작스럽게 진혁이 두 팔로 그녀를 힘껏 끌어안았다.

"뭐 하는 거예요!"

"잠깐만, 이대로 있어."

진혁은 저항하는 세희를 단단히 안은 채, 어깨에 고개를 묻었다. 부드러운 머리칼이 살갗에 닿았다. 오랜만에 맡은 세희의 향기에 금방 열기가 피어올랐다.

"잠깐이어도 좋으니까…… 제발."

진혁이 그녀의 뒤쪽을 날카롭게 노려보며 중얼거렸다.

세희가 영문을 모르고 굳어진 동안, 횡단보도 건너편에는 연우가 희게 질린 낯으로 서 있었다.

건너편을 노려보는 진혁의 눈시울이 붉었다. 꼭 껴안은 두 사람의 모습에 연우의 눈빛이 강하게 흔들렸다.

막 도착한 탓에 그의 입술에서도 거친 숨이 터져 나왔다.

연우는 고민했다. 신호등의 불이 바뀌면, 어떻게 행동할지. 마음 같아서야 당장 달려들어서 두 사람을 떼어 놓고 싶었지만…….

'내가 지금 세희 씨를 붙잡는 게 맞는 걸까?'

빈집에서 홀로 꾼 악몽의 내용이 계속 머릿속을 떠다녔다. 말도 안 되는 소리 같겠지만, 연우는 정말로 불안했다.

지난번 세희가 그의 눈앞에서 트럭에 치일 뻔했던 순간부터. 그날부터 이상한 불안감이 계속 그의 마음을 괴롭히고 있었다.

'만약 꿈의 내용처럼…… 세희 씨가 죽게 된다면?'

신도 그걸 막고자, 그에게 어떤 힌트를 주는 건 아니었을까. 모친처럼 세희도 잃을 수 있다는 사실은 상상조차 하기 싫었다.

"세희 씨……."

더듬더듬 내뱉은 목소리가 입 안을 힘없이 맴돌았다. 마음은 타들어 가는데, 신호등은 아직도 빨간불이었다.

그사이, 진혁의 연락을 받은 차 한 대가 빠르게 도착했다.

"가자."

진혁은 뒷문을 열면서 세희를 바라보았다. 비틀비틀 물러난 세희가 의심 가득한 눈초리로 그를 보았다. 당황한 탓에 주변을 넓게 살필 여유도 미처 없었다.

"가긴, 어디를……."

"회사. 너한테 보여 줄 게 있어."

진혁은 그녀를 억지로 잡아당기지 않았다. 그저 절박한 눈으로 간절하게 바라볼 뿐이었다. 마치 그의 숨통이 세희의 손아귀에 놓여 있다는 것처럼.

"그것만 확인하면, 바로 보내 줄게."

침묵이 길어지자 어쩔 수 없이 약속도 덧붙였다.

"다시는…… 그래, 연락도 안 할게."

진실을 토해 낸 직후여서 그런지, 그는 살짝 흥분이 가라앉은 상태였다. 세희는 고민을 멈추고 평온하게 물었다.

"정말이죠?"

"정말이야."

거듭 확인한 세희가 가만히 한숨을 내쉬었다.

'내가 혼자서 끝낸 건…… 반쪽짜리 이별이었을까.'

앞으로 연우와 함께 있기 위해서는 진혁과 완전한 이별을 해야만 했다.

일방적으로 통보해서 끝냈던 이별이 아니라, 진혁도 그녀처럼 스스로 마음을 접는 이별.

그걸 위해서라면, 마지막으로 그를 따라가는 건 나쁜 선택이 아니었다.

'그래서 이 사람은 아직도 나를 쫓는 걸까, 미련하게.'

도대체 뭘 보여 주려고 이러는지 궁금했다. 자세한 이야기를 듣고 싶은 것 또한 당연했다. 과거에 잃어버린 아이를, 그가 어떻게 기억하고 있는지도.

"알았어요. 약속, 꼭 지켜요."

결국, 세희는 그의 말에 순응하면서 차에 올랐다.

진혁은 뒷문을 닫고, 연우를 가만히 응시하며 조수석에 올랐다.

"……."

두 사람을 태운 차가 출발하고, 신호등에는 뒤늦게 파란불이 들어왔다. 제자리에 못 박힌 듯 선 연우의 시선이 차가 사라진 방향을 좇았다.

지잉, 주머니 속 핸드폰이 동시에 짧게 진동했다.

연우는 떨리는 손으로 핸드폰을 꺼내 확인했다.

[연우 씨, 미안해요. 갑자기 일이 생겼어요.]

[내가 밤에 연우 씨 집으로 갈게요. 부탁이니까 조금만 기다려 주세요.]

[답장이 없어서 걱정하고 있어요. 아무리 늦어도 꼭 갈게요.]

연우는 연달아 도착하는 문자의 내용을 멍하니 내려다보았다. 늪처럼 자신을 무너트리는 불안감에 연우가 낮게 숨을 죽였다.

그 불안감을 알아채기라도 한 것처럼 마지막 문자가 도착했다. 살짝 고민하다가 보냈는지, 시차를 두고 도착한 문자가 반짝거렸다.

[보고 싶어요.]

고작 다섯 글자로 된 문장이었다. 그게 뭐라고, 보는 순간 안도감이 훅 밀려왔다.

세희가 진혁을 선택한 게 아니라, 자신에게 돌아올 거라는 안도감. 다시 얼굴을 볼 수 있다는…… 안도감.

'집으로…… 가야 해. 세희 씨가 기다려 달라고 부탁했잖아.'

시선이 바닥으로 툭 떨어졌다. 연우는 굳은 채 움직이지 않는 제 발을 응시했다.

두려움에 짓눌려, 겁에 질려서 아무것도 못 하던 어린 시절이 떠올랐다.

떨어트린 전화기를 제자리에 놓지도 못하고 울기만 했던 순간. 갑자기 끊어진 모친의 전화를 미친 듯이 곱씹기만 하면서.

'세희 씨는 올 거야. 꼭 올 거야.'

천천히 올라간 시선 끝에 세희가 사라진 자리가 닿았다. 진혁을 순순히 따라가던 걸 보면, 무언가 해결해야 할 일이 있던 것일지도 몰랐다.

어쩌면 두 사람 사이에 아직 끝나지 않은 대화가 남았을 수도 있었다.

'그때처럼…… 혼자서 기다리게 되는 일은 없을 거야. 절대로.'

모친의 사고를 회상하던 연우의 손끝이 가볍게 떨렸다. 식은땀 맺힌 얼굴 위로 막 켜진 가로등 불빛이 번졌다.

연우의 갈색 눈동자가 잠시 하늘을 보았다. 어두워진 밤하늘 사이로 달이 떠 있었다.

기이할 정도로 밝은 초승달이.

고층으로 올라가는 엘리베이터 바깥으로 캄캄한 하늘이 보였다.

꽤 늦은 시각이었고, 건물에는 야근하는 몇 명을 제외하면 아무도 없었다. 세희는 조금 쌀쌀해진 느낌에 팔꿈치를 매만졌다.

여기까지 오는 동안, 대화할 시간이 주어졌으나 한마디도 나누지 않았다. 다만 한 가지 가설은 점점 더 확실해졌다.

'차진혁도 과거로 돌아온 거야, 나처럼.'

가설을 성립하자 그간 들었던 의문이 대부분 들어맞았다. 딱 하나, 이상할 정도로 집착하는 진혁의 마음만이 풀리지 않는 실타래였다.

엘리베이터에서 내려서 사무실로 걸어가는 발걸음이 무거웠다.

'사무실……'

오랜만에 마주한 부사장실이었다. 등 뒤로 진혁이 들어와 조용히 문을 닫았다.

긴장하며 지켜보는 가운데, 그는 세희를 지나쳐 책상 서랍을 열었다. 마지막 서랍에서 튀어나온 상자가 그녀의 시야에 들어왔다.

"좀 더 가까이 와."

"여기서 봐도 괜찮아요."

"아무 짓도 안 할 테니까, 걱정하지 말고."

진혁은 상자의 뚜껑을 열어 두고서 한 걸음 물러났다. 경계를 풀라는 눈빛에 세희도 조심스레 다가갔다.

하지만 상자 속 물건을 발견한 순간, 그녀는 빠르게 평정심을 잃을 수밖에 없었다.

"이게…… 왜 여기……"

소스라치게 놀란 세희의 목소리가 끊어지며 흘러나왔다. 상자에 든 건, 그녀가 죽기 직전 차고 있던 시계였다.

은시계의 표면에 깨진 자국이 가득했으며 시침은 멈춘 상태였다.

'이 시계를 알아본다는 건, 내 생각이 틀리지 않았다는 뜻이겠지.'

요동치는 감정에 진혁의 눈꺼풀이 파르르 떨렸다. 아까 추측한 대로, 역시나 세희는 과거로 돌아온 게 맞았다. 그와 똑같이 미래의 기억을 고스란히 지닌 상태로.

"어떻게 이런 일이…… 말도 안 돼."

세희는 충격에 휩싸인 채 떨리는 손으로 은시계를 더듬었다. 그녀가 사고를 당하기 직전까지 소유했지만, 과거로 이동하면서 잃어버린 시계였다.

당연했다. 이건 결혼 이후, 진혁에게 처음이자 마지막으로 받은 선물이었으니까. 그와 결혼하지 않은 이 시간에서 존재할 수 없는 시계였다.

또한, 이 시계를 가지고 있다는 건, 진혁이 제 시체를 확인했다는 뜻이기도 했다.

"이게…… 증거예요?"

세희가 떨리는 목소리로 질문을 건넸다. 차진혁은 대체 언제 과거로 넘어왔던 걸까. 그녀의 의문을 예측한 듯 진혁이 입을 열었다.

"사고 현장에서 주웠지. 그날, 그 자리에 나도 있었으니까."

"거기 있었다고요? 어떻게……."

"당신이 갑자기 사라졌다고 본가에서 연락을 받았거든."

그날의 기억을 떠올리던 진혁이 두통으로 미간을 구겼다. 죽음의 순간은 그에게도 끔찍하고 괴로운 기억이었다.

세희는 끝까지 눈을 감지 못한 채 죽었고, 진혁은 오래도록 주저앉아 그것을 마주했다.

숨이 끊어지기 직전까지 원망과 증오로 얼룩졌던 그 눈을. 한때는 밤하늘의 유일한 별처럼, 제 곁에 두고 싶어 안달이 났던 그 눈을…….

"처음에는 현실이 아니라고 생각했어. 나쁜 꿈일 거라고. 잠들었다가 눈을 뜨면, 네가 다시 나타날 거라고."

"……."

"그런데 잠들 수가 없었어."

순간에 묶여 버린 그를 두고서 시간은 멋대로 흘러갔다. 진혁은 그 시간을 따라가지도, 거스르지도 못한 채 끌려갔다.

그렇게 기어이 세희의 영정 사진을 마주하고서야 실감이 났다. 이 모든 게 악몽이 아닌, 되돌릴 수 없는 현실이라는 게.

"악몽 따위는 어서 깨 버리는 게 좋을 텐데, 무슨 수를 써도 잠이 오지 않았어. 그러다가 네 장례를 치르고, 그리고……."

진혁은 말끝을 흐리며 잠시 입을 다물었다. 네 부재를 견디다 못해 따라서 목숨을 끊었다고. 지나치게 솔직한 고백은 세희에게도 부담이 될 터였다.

그는 의아한 얼굴로 대답을 기다리는 세희에게 적당한 이야기를 들려주었다.

"그다음은 기억나지 않아. 눈을 떠 보니, 과거였어."

"······내 기억하고 비슷하네요, 꽤."

세희는 시계에서 완전히 시선을 떼어 냈다. 과거의 산물을 들여다볼수록 그때의 고통만이 떠오를 뿐이었다.

모든 상처와 고통은 과거에 두고 오기로 했으니, 지금은 눈앞을 직시할 순간이었다.

"내가 죽은 걸 봤을 때······."

세희는 차분하게 가라앉은 음성으로 속삭였다.

"조금이라도 미안했나요?"

순수하지만, 잔인한 물음이었다.

진혁은 어느새 붉게 물든 눈시울로 그녀를 지그시 응시했다. 눈물을 흘리는 법마저 잊어버린 듯했던 그의 얼굴에 회한이 가득했다.

"미안했느냐고?"

그는 가만히 저를 올려다보는 세희의 앞으로 천천히 다가갔다.

"아무것도 먹지도 마시지도 못했어. 잠들 수도 없었지."

진혁의 깊고 새카만 눈동자가 어둡게 일렁였다.

"네 장례식이 끝난 날부터 매일 악몽을 꿨거든."

다가온 손가락이 이마와 코끝, 입술을 소중하게 어루만졌다. 세희는 곧 부서질 것처럼 떨리는 손길을 차마 떨치지 못했다.

"과거로 돌아오기 전에도, 그 후에도, 지금까지 매일······."

"······."

"숨 쉬는 게 고통스러울 정도로 괴로웠어. 미안했고, 또

죽고 싶었어."

어깨 아래로 내려간 손이 보드라운 머리칼을 애틋하게 움켜쥐었다.

"하지만 죽을 수는 없었어. 네가 또 죽을까 봐."

검은 머리카락이 손가락 사이로 허무하게 빠져나갔다.

"그럼, 지켜야 한다고 했던 뜻이……."

"그때처럼 또다시 너를 허무하게 잃을 수 없었으니까."

진혁은 그 머리카락이 세희의 마음과 비슷하다고 생각했다. 아무리 붙잡으려고 해도, 이제는 돌아오지 않는 그녀의 마음처럼.

"그러니까…… 세희야, 부탁할게."

세희는 굳은 얼굴로 물끄러미 진혁을 올려다보았다. 처음으로 우는 법을 알게 된 것처럼, 소리 없이 눈물을 흘리는 얼굴을 마주했다.

"내 악몽을 끝내 줄 사람은 너밖에 없어."

진혁은 무너지듯 무릎을 꿇고서 그녀를 올려다보았다. 오로지 그녀만이 그의 죄를 사해 줄 수 있다는 듯이.

"제발, 네 손으로 끝내 줘."

손끝이나마 겨우 부여잡고, 무릎까지 꿇으며 고백하는 모습이 고해 성사를 방불케 했다. 한때는 결혼반지가 존재했던 검지에 진혁의 입술이 닿았다.

"다시 시작하자, 우리."

살갗을 스치는 입술만이, 평소 그의 체온처럼 차가웠다. 진혁의 고백은 처절하기까지 했다. 낭떠러지 끝에서 거절의 한마디만 들어도 쉽게 추락할 사람처럼.

"이렇게 빌게. 너 없이는……."

온통 젖어 버린 진혁의 얼굴을 내려다보며 세희가 침음했다.

그는 눈물을 흘린다는 것조차 알아채지도 못하고 빌었다. 냉정한 심판을 기다리듯 그녀의 손끝에 입술을 대고서 애원했다.

"이제 시간의 흐름도 느끼지 못하겠어. 네가 죽던 날, 그날에 박제된 기분이야. 겨우 숨만 쉬는 게 전부인……."

틀린 말은 아니었다. 진혁은 박제되어 있었다. 세희가 숨을 거두던 그 장소에, 그 야위고 창백한 몸을 화장하던 그 순간에.

"같이 돌아가."

모든 걸 후회하면서 목숨을 끊었던 그 시간. 썩은 채 고여 버린 미래의 시간 속에서 끝없이 기다렸다. 바로 이 순간만을.

"이번에는 달라. 반드시 지켜 줄게."

세희는 대답이 없었다. 다만 새빨개진 눈가가 조금씩 젖고 있었다. 격렬해지는 감정을 대변하듯 간신히 붙잡은 손끝도 파르르 떨렸다.

까만 눈동자에서 눈물이 하얀 뺨을 가로지르며 떨어졌다.

"제발, 내 손을……."

잡아 줘. 진혁이 작게 덧붙인 목소리가 무거웠다.

"진혁 씨."

갈라진 세희의 음성에 진혁이 고개를 들었다. 그녀는 잔뜩 일그러진 얼굴로 천천히 손을 빼냈다. 괴로워 보이는 눈빛에, 진혁은 차마 그것을 다시 붙잡지 못했다.

"다른 건, 잊어도······."

세희는 손바닥으로 얼굴을 감싸며, 하염없이 흐르는 눈물을 가렸다.

아무리 잊으려고 노력해도 상처를 완전히 지우기란 어려웠다. 여전히 그때를 떠올리는 것만으로도 눈가가 젖어 들 만큼.

"한때나마 내가 품었던 그 아이. 그 아이를 위해서라도······ 당신을 만날 수 없어요."

진혁은 아무 말도 하지 못하고 굳었다. 그의 죄책감이 오로지 세희만을 향했다는 걸 깨달은 탓이었다. 세희를 통해 그 사실을 깨닫자, 입을 다물 수밖에 없었다.

"그 아이를 다시 만나면, 어떻게 그 눈을 봐야 할지, 자신이 없다고요······."

세희는 길게 흐느끼면서 얼굴을 마구 문질렀다. 눈물을 계속 닦아 내도 영원히 마르지 않을 것처럼 흘러내렸다.

쓰러질 것처럼 우는 그녀의 모습에 진혁이 이를 악물었다. 아이를 잃었던 기억이 얼마나 세희를 괴롭혔는지, 거기까지는 차마 생각지 못했다.

아이라는 건 그냥, 언제든 다시 만들면 될 존재라고 여겼으므로.

"아까 나한테 그랬잖아요. 마지막으로······ 보여 줄 게 있다고."

"……."

"진혁 씨도 이미 알고 있잖아. 여기가 우리의 마지막이라는 걸."

세희가 가까스로 울음을 가라앉혔다. 이미 예전에 보낸 아이를 계속 생각하는 것만으로도 힘겨웠다.

"내가 죽은 건…… 사고였어요."

그녀는 고장 난 것처럼 반응이 없는 진혁을 빤히 응시했다.

"아니, 어쩌면 사고가 아니겠죠. 달려오는 트럭을 보고도 피하지 않은 건, 내 의지였으니까."

그날, 진혁이 제 곁에 와 주었더라도 죽음의 순간은 닥쳤을 터였다.

"진혁 씨가 내 곁에 없어서, 당신 때문에 벌어진 사고가 아니었다는 뜻이에요."

과거의 세희는 이미 우울의 늪에 목 끝까지 잠겨 있었다. 오로지 죽음만이 그녀를 구원할 도피처였으며 다른 방법도 없었다.

"나는…… 이제 괜찮아요."

하지만 이번 생은 전혀 우울하지도, 불안하지도 않았다. 대가 없는 애정을 베풀고, 위로해 주며 믿음을 준 연우가 있었기에.

"걱정하지 마요. 이번 삶에서는 그런 사고가 벌어지지 않을 거예요."

제 몸을 끌어당기던 불안과 우울은 이제 없었다. 진혁도 그러길 바랐다. 그를 향한 미움마저도 빛을 잃었으니까.

모든 건 연우 덕분이었다. 그 사랑이 미래로 가는 길을 선물했다. 과거에 묶이지 않고, 정면을 응시하도록 도와주었다.

"그러니까, 잘 살아요."

"……."

"죽은 그 아이 몫까지. 나도, 당신도…… 다 잊고 살아요."

세희는 돌아서서 상자에 손을 뻗었다. 낡고 깨져 버린 은시계를 진혁의 손에 대신 쥐어 주었다.

진혁의 시야에 세희의 인자하고 부드러운 미소가 들어섰다. 악몽을 헤매면서 되찾고 싶었던, 오래전 그 미소였다.

"그게 우리한테 시간을 되돌려준 그 아이의 선물일 거예요."

세희는 진혁의 대답을 듣지 않고 지나쳤다. 등 뒤로 문이 닫히는 순간, 고장 난 시곗바늘이 툭 흔들렸다.

진혁이 시선을 내려 시계를 확인했다. 멈췄던 시계가 다시 움직이고 있었다. 이미 세희가 행복한 미래를 향해 걷기 시작했다는 걸 알려 주듯이.

진혁은 벌떡 일어나 뒤돌아서 문을 열어젖혔다. 복도로 달려가자 아직 엘리베이터에 오르지 않은 세희가 보였다.

"세희야!"

다급하게 앞을 가로막은 그의 앞에 세희의 얼굴이 모습을 드러냈다.

세희는 또다시 울고 있었다. 희게 질리도록 꼭 깨문 입술이 덜덜 떨렸다. 소리 없이 우는 그녀를 보며 진혁이 힘겹게 미소 지었다.

"너한테 마지막으로…… 고백할 게 있어."

여기가 정말로 우리의 끝이라면, 진짜 마지막이라면. 적어도 세희에게 끝까지 아픈 기억으로 남고 싶지 않았다.

"나랑 차연우, 사실 친형제가 아니야."

그러므로 반드시 이 말을 건네야 했다. 앞으로 과거를 떨치고 행복하게 살아갈 세희를 위해서.

"우리는 피 한 방울도 섞이지 않았어. 완전한 남이야."

이미 알고 있던 사실이었지만, 직접 진혁에게서 듣는 건 느낌이 달랐다. 세희는 그가 어떤 마음으로 진실을 밝혔는지 알아차리고 눈을 크게 떴다.

"앞으로 안심하고 만나."

세희의 놀란 눈빛 앞에서 진혁이 마지막 사죄를 건넸다.

"그동안 얘기해 주지 않아서 미안해."

그간 세희를 옥죄던 배덕을 직접 벗겨 주는 행동이었다. 그 의도를 알아차린 세희의 입가에도 애틋한 미소가 번졌다.

"고마워요, 진혁 씨."

세희는 어떤 질문도 던지지 않고서 담담하게 속삭였다. 그에게 상처로 남은 진실을, 굳이 꺼내지 않으려는 마지막 배려이기도 했다.

진혁은 본능적으로 세희가 그 사실을 이미 알고 있었다는 걸 깨달았다.

언제, 어떻게 알았을까. 하지만 중요한 건 그게 아니었다. 제 약점을 알아냈으면서도 비밀을 지켜 준 그녀의 측은지심이 너무나……

"고마워, 나도."

진혁의 대답과 동시에 엘리베이터가 도착했다. 세희는 고개를 돌리며 엘리베이터에 올라 버튼을 눌렀다.

문이 닫힐 때까지 두 사람은 서로를 보며 마지막 미소를 건넸다.

"……."

마침내 문이 닫히고 세희가 사라진 순간, 진혁은 그대로 바닥에 주저앉았다. 손에 쥔 시계 위로 굵은 눈물방울이 후드득 떨어졌다.

엎드려 오열하기 시작한 그의 몸이 거칠게 흔들렸다. 홀로 남은 복도에 다시 움직이기 시작한 초침 소리만이 울려퍼졌다.

반쪽짜리 결혼 생활이 끝나고, 반쪽짜리 이별도 비로소 완전해졌다.

두 사람의 인연이 끊어졌음을 알리는 소리와 동시에.

'아직 늦지 않았어.'

세희는 다급하게 시간을 확인하며 비밀번호를 입력했다. 이윽고 문이 열리고, 어두운 현관이 그녀를 반겼다.

"연우 씨!"

그토록 보고 싶었던 사람의 이름을 외치는 목소리가 가볍게 떨렸다.

하지만 그녀를 맞이한 건 고요한 어둠에 잠긴 빈집이었다. 신발을 벗고서 스위치를 누르자 거실 조명에 빛이 들어왔다.

"연우 씨?"

두리번거리며 거실로 향하던 세희의 시선이 테이블에 닿았다.

소파 앞 테이블 위로 아무렇게나 펼쳐진 앨범이 보였다. 급하게 뒤적였던 건지 구겨진 페이지도 있었다.

"왜 여기 앨범이……."

세희는 조심스러운 손길로 앨범을 넘겨 보았다. 한 장을 넘기자마자 눈에 익은 사진이 나왔다.

지난번 연우가 보여 줬던 그 사진이었다. 사진 속 연우는 사탕을 손에 들고 있었다.

'이걸 보다가 나간 걸까? 하지만…… 왜?'

핸드폰을 다시 확인했지만, 도착한 문자도 없었다. 혹시 몰라 전화를 걸어 보았으나 연결되지 않았다.

다만 현관의 신발이 흐트러져 있는 걸 보아서, 방금까지 집에 있던 게 분명했다.

'올라올 때 연우 씨 차가 안 보여서 혹시나 했는데.'

정말로 외출했을 줄은 몰랐기에 당혹스러웠다. 어디로 갔는지, 감을 잡을 법한 물건도 없었다. 세희는 힘없이 주저앉아 앨범을 가만히 바라보았다.

"괜찮아. 천천히…… 생각해 보자."

울어서 붉게 물든 눈가가 따가웠다. 그녀는 눈가를 비비고, 다시 앨범을 펼쳤다.

연우는 분명 이곳에서 앨범을 보며 무언가를 확인했을 터였다. 그게 원인이 되어 갑작스러운 외출을 결심하게 된 거고.

'자세히 살펴보면, 단서가 나올지도 몰라.'

세희는 떨리는 손길로 앨범을 처음부터 끝까지 살피기 시작했다.

앨범의 첫 장은 연우를 안고서 활짝 웃고 있는 현정의 사진이었다. 차 회장에게서 이야기를 들었지만, 실제로 그녀의 얼굴을 보는 건 처음이었다.

"아……."

벌어진 입술 사이로 감탄사가 짧게 흘러나왔다.

서현정은 무척 아름다운 여자였다. 희고 투명한 피부, 또렷한 이목구비. 색소가 옅은 갈색 눈동자마저 연우와 판박이였다.

'아름다워.'

유망주였던 발레리나인 만큼 가늘고 마른 몸이 보였다. 사진 속 그녀는 갓난아기를 품에 안고서 행복하게 웃고 있었다.

몇 장을 더 넘기자 훌쩍 성장한 연우의 사진이 나타났다. 연우가 성장할수록, 현정의 사진은 점점 사라졌다.

그러나 렌즈를 보며 활짝 웃는 연우의 표정으로 미루어 보건대, 그녀도 분명 웃었을 거라는 생각이 들었다.

"이건……."

한참 앨범을 넘기던 찰나, 비닐에서 빠져나와 혼자 구겨진 사진이 보였다. 세희는 조심스럽게 사진을 꺼내 원래대로 펴 보았다.

장례식장에서 본가로 이동하는 중에 찍힌 연우의 사진이었다. 사진 속 연우의 손에 커다란 종이가 들려 있었다.

'이 종이는 뭐지?'

세희는 가늘게 뜬 눈으로 사진을 뚫어지게 응시했고, 한참이 지나고서야 종이가 장례식장의 안내도라는 걸 알 수 있었다. 종이 상단에 장례식장의 이름이 적혀 있었으니까. 또한, 장례식장의 이름이 낯익다는 생각이 뒤따랐다.

"분명 어디서…… 아."

세희는 갑자기 떠오른 기억에 놀라서 눈을 크게 떴다. 장례식장의 이름이 그녀에게 익숙할 수밖에 없었다. 할머니가 돌아가셨을 때, 그녀가 직접 자리를 지켰던 장례식장이었으므로.

'어?'

불현듯 이상한 감각이 그녀의 몸을 휘감았다. 아주 오래된 기억이 갑작스럽게 머릿속으로 떠오른 탓이었다.

할머니의 장례식이 끝나고, 집으로 돌아가고자 옷을 갈아입은 다음. 친척들이 모여 있는 주차장으로 가기 싫어 잠깐 계단으로 도망쳤을 때.

'너 뭐야? 왜 여기서 울고 있어?'

분명히 처음 보는 남자아이 한 명을 마주친 기억이 있었다. 아무도 없는 계단이라고 생각했는데, 그 아이는 눈이 빨개져서 울고 있었다.

자기처럼 소중한 사람을 잃은 걸까, 싶은 동질감에 다가가 말을 걸고 말았다. 할머니가 죽기 직전 사 주었던 옥춘을 반으로 뚝 잘라 나눠 주면서.

"아……."

마침내 흐릿했던 기억 속 풍경이 밝아지면서 깨달았다.

자신이 위로했던 그 소년이 바로 연우였음을.

밤이 깊어졌으나 장례식장은 더욱 밝아졌다.

연우는 정처 없이 장례식장 주변을 거닐었다.

건물로 들어가면, 어디선가 반드시 누군가의 통곡이 들려왔다. 사랑하는 사람을 떠나보내던 그 순간을 떠오르게 하는 울음이었다.

'세희 씨는 슬슬 형과 대화를 끝냈을까. 아니면…….'

불안에 휩싸인 연우의 손이 작게 떨렸다.

'기억을 떠올리고서 여기로 와 줄까.'

집에 돌아온 후, 그는 곧장 앨범을 확인했다. 이유는 알 수 없었다.

다만 본능적인 직감이 앞섰다. 수상쩍은 꿈의 내용이 아무래도 과거와 얽힌 것 같다는 직감이.

그리고 마침내 마지막 기억의 퍼즐을 맞추었다. 장례식장의 이름을 확인하고서 잊었던 기억 하나가 떠오른 덕분이었다.

'너 뭐야? 왜 여기서 울고 있어?'

홀로 계단에 앉아서 훌쩍일 때, 말을 걸어 줬던 소녀. 그 여자아이도 할머니 얘기를 했었다.

'사람들이, 이제 엄마랑 만날 수 없다고 했어.'

눈물로 흠뻑 젖은 얼굴로 중얼거리던 자신의 목소리가 생생하게 떠올랐다. 여자아이는 쪼르르 다가와 옆자리에 털썩 주저앉았다.

'울지 마.'

처음 보는 아이였는데도, 그 여자아이는 우는 연우에게 위로를 건넸다. 어쩐지 의젓한 태도에 자연히 누나라는 걸 알았다.

'눈물이 자꾸 나와.'

기억을 되살리면서, 연우는 무의식적으로 건물 계단으로 향했다. 아주 오래전 기억이었는데도 놀라울 만큼 기억이 선명했다.

건물의 가장 끝에 놓인 비상계단, 3층의 소화전 옆자리. 그 자리에서 나란히 앉아 도란도란 나누던 이야기.

'우리 할머니가 마지막으로 준 거야. 같이 나눠 먹자.'

여자아이가 품에서 사탕을 꺼내 보여 주었다. 연우는 훌쩍이면서도 호기심에 질문을 건네기 바빴다.

'왜 마지막이야?'

'나도 이제 할머니랑 만날 수 없게 되었거든.'

돌아온 대답에 짧은 정적이 내려앉았다. 마지막이라는 단어만큼 슬픈 말이 있을까. 어린 연우는 저도 모르게 눈치를 살피다가 물었다.

'누나는…… 안 슬퍼?'

'슬퍼. 오늘도 계속 울었어.'

여자아이는 퉁퉁 부은 눈가를 보여 주면서 작게 웃었다. 개구리 같지, 농담을 속삭이는 목소리가 낮게 갈라졌다. 그녀도 목이 쉴 때까지 눈물을 흘린 모양이었다.

'할머니가 그랬어. 슬픔도, 기쁨도 나눌 수 있다고.'

여자아이가 무지개색 사탕을 있는 힘껏 무릎에 내리쳤다. 반으로 뚝 갈라진 사탕에 연우가 눈을 끔뻑였다. 건네주는 사탕 조각에서 부스러기가 후드득 떨어졌다.

'이건 내 기쁨이야. 너한테 반 줄게.'

'어? 하지만…….'

당황해하는 연우의 눈앞으로 여자아이가 고사리 같은 손을 뻗었다.

'대신, 네 슬픔도 반 가져갈게.'

뺨의 눈물을 닦아 주는 손길이 제법 어른스러웠다. 어른이 되어선 안 될 나이에, 너무 빨리 자라 버린 아이답게.

'슬픔이 반이지만, 기쁨도 반이야. 그럼 괜찮아. 사이좋게 반반으로 나눠 가졌으니까.'

사탕은 생각보다 달지 않았지만, 아이의 위로는 충분히 달았다.

연우는 그 아이의 위로 덕분에 울음을 그쳤다. 사랑하는 모친의 죽음을 받아들이고 본가로 향할 수 있었다.

"슬픔이 반, 기쁨도…… 반."

회상을 멈춘 연우의 입가에서 낮은 음성이 흘러나왔다.

연우는 마침내 도착한 소화전 앞 계단에 천천히 걸터앉았다. 차가운 바닥이 느껴졌다. 그때와 똑같았다.

가만히 눈을 감자 끝없이 이어질 듯한 고요함이 찾아왔다. 어린 시절, 이곳에 앉아서 울던 제 울음소리만이 머릿속에 메아리쳤다.

"……."

정적을 깬 건, 작게 바닥을 울리는 진동이었다. 연우는 눈을 뜨고 고개를 떨군 채 기다렸다.

조금씩 발소리가 가까워지며 아래쪽 계단이 밝아졌다. 하나씩 조명을 밝히고 올라오던 사람이 마침내 모습을 드러냈다.

"……연우 씨."

세희의 손에 들린 핸드폰에서 신호음이 길게 이어졌다. 화면에는 연우의 이름이 떠 있었다. 연우가 고개 들어 그것을 보았다.

세희는 떨리는 손으로 전화를 끊고서 그의 앞으로 다가갔다. 택시에서 내리자마자 급하게 달려온 탓에 머리칼이 조금 헝클어져 있었다.

"기억났어요?"

연우가 기대 반, 놀라움 반이 섞인 목소리로 물었다. 숨을 고르던 세희가 침착하게 고개를 주억거렸다.

"그날 내가 만난 여자아이가 세희 씨였네요."

연우는 쓰게 웃으면서 그녀를 올려다보았다.

"기억 못 했어요. 다시 만나면, 당연히 기억할 줄 알았는데."

그만큼 제 머릿속에서 고마운 존재로 각인된 사람이었다. 그랬는데, 조금도 기억하지 못하고 말았다.

연우는 차마 세희의 눈을 똑바로 바라보지 못하고 입을 달싹였다.

"형이랑 대화는…… 잘했어요?"

"네, 다 끝냈어요."

세희가 빠르게 대답하면서 한 걸음 더 다가갔다.

"연우 씨 집에서 사진을 봤어요. 지난번에 좀 더 제대로 봐 둘 걸 그랬어요. 그럼 더 일찍 기억했을 텐데……."

연우는 코앞까지 다가온 세희의 구두를 지그시 내려다보았다. 어릴 적과 비슷한 상황이었다. 두 사람이 어느새 어른이 되어 버렸다는 점을 제외한다면.

"우리가 만난 날부터 꿈을 꾸기 시작했어요."

뜬금없는 이야기에 세희의 미간이 좁혀졌다.

"꿈이요?"

"네, 당신과 만났던 날의 꿈. 그런데 중간부터 이상한 꿈을 꾸기 시작해서…… 그게 아무리 생각해도 불안했어."

연우는 초조하게 아랫입술을 깨물었다. 세희가 제 이야기를 듣고서 어떤 반응을 보일지 궁금했다.

만약 정말로 예지몽이라고 생각해서, 그녀도 겁을 먹고 도망간다면. 자신은 과연 그녀를 보내 줄 수나 있을까.

"어떤 꿈을……."

"당신이 차진혁과 결혼하는 꿈. 그리고…… 죽는 꿈."

돌아온 대답에 세희가 흡, 숨을 삼키며 얼어붙었다. 연우의 생각대로 겁을 먹었기 때문은 아니었다. 자신이 한 차례 겪었던 미래의 내용이기 때문이었다.

"꿈에서 당신의 장례식을 봤어. 기분 나쁘게 들리겠지만, 사실이야."

연우는 떨리는 목소리로 말을 이어 갔다.

"상주는 형이었고. 그러니까, 만약 형과 결혼했다면……그 미래의 연장선이겠죠."

괴로운 표정으로 머리를 쥐어뜯는 연우의 손길이 처절했다.

"왜 자꾸 이런 꿈을 꾸는지 모르겠어."

"연우 씨."

"예지몽인 건 아닐까. 바보 같겠지만, 불안하고 무서워서……."

세희는 그만큼이나 애틋한 얼굴로 마른침을 삼켰다.

"그런데도 당신을 놓아줄 자신이 없어서."

"……."

"당신이 집에 왔을 때, 멋대로 이기적인 부탁이나 늘어놓을까 봐…… 그래서 여기로 도망쳤어요. 그게 다야."

연우의 목소리에서 진득한 소유욕이 묻어 나왔다.

이전보다 더욱 깊어진 그의 애정에 세희가 마음의 결심을 마쳤다. 앞으로 나아가기 위해서, 과거에 발목 잡히지 않기 위해서.

"나도 당신한테 고백할 게 있어요."

세희는 연우에게 진실을 밝히고 손을 내밀어야만 했다.

"사실, 나…… 이미 한 번 목숨을 잃었던 적이 있어요."

뜻밖의 말이었다. 연우는 곧바로 휙 고개를 높이 들었다.

흔들리는 눈빛에서 혼란스러운 마음이 고스란히 느껴졌다.

"무슨……."

비틀비틀 다가간 세희가 그의 옆자리에 나란히 앉았다.

"이거야말로 미친 소리 같겠지만, 진짜예요. 지금은 과거로 돌아온 거고요."

연우는 겹쳐진 손끝에 놀라 흠칫하며 그녀를 보았다. 겨우 손가락만 걸친 채, 세희가 담담히 이야기를 건넸다.

"미래에서는 차진혁과 결혼했지만, 유산으로 아이를 잃었어요. 그 충격으로 목숨을 끊었고."

지나치게 차분하여 오히려 거짓말처럼 들렸다. 하지만 눈만 봐도 알 수 있었다. 저 이야기가 사실이라는 것을. 그러지 않고서야 절대로 보일 수 없는 눈빛이었으니까.

"죽기 직전까지 저주했어요. 차진혁이 불행하기를 바란다고, 과거로 돌아갈 수만 있다면 좋겠다고…… 그렇게 다시 눈을 떠 보니, 정말로 과거였어요."

회한에 얼룩진 시선이 연우의 얼굴로 이동했다. 연우는 떨리는 손으로 천천히 세희의 볼을 더듬었다. 손끝에 닿은 그녀의 눈물이 얼음처럼 차가워서 안타까웠다.

"생각해 보니 눈을 감기 직전에 아이의 울음을 들었어요. 아마 그 아이가 내 소원을 이뤄 주었나 봐요. 이번에야말로 나를 행복하게 해 줄 사람을 찾으라고……."

세희의 목소리가 물기에 잠겨 흔들렸다.

"진혁 씨도 과거를 기억하고 있었어요. 그래서 다시 나한테 집착했던 거고요. 아마 그 꿈도 연우 씨한테 남은, 과거의 기억일지도 몰라요."

그렇다면, 진혁의 결혼식에서 느꼈던 열등감과 질투도 그때의 감정이었을까. 세희의 장례식에서 느꼈던 후회와 상실감도 마찬가지였을까.

연우는 과거의 조각을 하나하나 짚어 가면서 입술을 짓씹었다. 모든 게 정말로 자신의 감정이었다면, 자신은 언제부터 그녀를 기억하고 좋아했던 걸까.

'아, 그럼…….'

만약 진혁의 결혼식에서 세희를 마주하고서야 어린 시절의 기억을 떠올렸다면.

그렇다면 열등감과 질투, 후회와 상실감의 원인이 뭔지 너무나도 명확해졌다.

세희가 진혁과 결혼한 후에야 제 마음을 깨닫게 되었다면 말이다.

'그럼 정말로 모든 게 내 기억이었구나.'

그간 이상했던 진혁의 태도, 쉽사리 타인을 믿지 못하던 세희의 모습. 그런 세희를 보면서 안타까움과 기이하리만큼 깊은 애정을 느꼈던 자신.

모든 의문이 풀린 자리에 사랑하는 여자만이 남아 있었다.

"아직 한 가지 더 알려 줄 게 있어요."

연우가 제 이야기를 믿는 듯한 눈치를 보이자, 세희는 서둘러 나머지 고백도 덧붙였다.

"진혁 씨가 알려 줬어요. 연우 씨랑…… 그 사람, 친형제가 아니라고요."

세희가 결연한 눈빛으로 연우의 얼굴을 똑바로 마주했다. 놀란 연우의 눈동자에 그녀의 간절한 표정이 거울처럼 비쳤다.

"그러니까 이제 어떤 거리낌도 없이, 당신한테 당당하게 말하고 싶어서 여기까지 달려왔어요."

세희는 터질 듯한 심장 소리를 느끼며 용기를 냈다.

"어떤 말을……."

"사랑해요, 연우 씨."

뺨을 닦아 주는 연우의 뜨거운 손이 굳어졌다. 세희는 조심스럽게 그의 손을 붙잡고, 조금 더 깊이 얼굴을 묻었다.

"나를 행복하게 했던, 행복하게 해 줄 당신이 좋아요."

그간 연우와 보냈던 시간을 떠올리자 눈물을 주체할 길이 없었다. 연우의 밝은 눈동자가 애틋하게 흔들렸다.

"내 마음, 받아 줄래요?"

그는 고개 숙여 세희의 볼에 입을 맞추었다. 혀를 내어 눈물을 핥았다. 눈물로 젖은 뺨이 차가워서 안타까웠다.

"예전에 그랬죠, 나한테. 슬픔도 반, 기쁨도 반. 사이좋게 반반 나누자고."

따뜻한 숨결이 볼을 간질이자 세희가 살며시 눈을 감았다. 등으로 넘어온 손길이 어깨를 붙잡고 꽉 끌어안았다. 연우의 품은 포근하고 따듯해서 영원히 기대고 싶었다.

"이제 내가 당신한테 내 마음 반 줄게요."

"연우 씨……."

"그러니까, 당신 마음의 반도 나한테 줘."

가볍게 스친 입술이 달콤한 고백을 흘렸다. 너무 늦어서 미안하다고, 세희가 속삭인 사과에 연우는 고개를 저었다.

사과할 시간조차 아까웠다. 서로의 마음이 연결되었음을 느끼기에도 부족했다.

"사이좋게 반반, 그렇게 하나야. 이번 미래는…… 내가 당신을 꼭 행복하게 해 줄게."

그토록 원했지만, 차마 원할 수 없었던 고백이었다.

세희의 떨리는 입술 사이로 낮은 흐느낌이 흘러나왔다. 연우는 그 흐느낌마저 달게 삼키며 입술을 겹쳤다.

"사랑해, 문세희."

눈물 맛이 나는 키스였다.

한차례 소동이 끝난 후.

세희는 연우의 권유에 따라 모든 짐을 챙겨 그의 집으로 들어왔다. 원래 지내던 오피스텔도 마침 새 주인을 찾아 처분하게 되었다.

'사귀는 건 당분간 비밀로 해요.'

세희는 그의 집에서 진한 키스를 나누자마자 발개진 얼굴로 부탁했다. 그녀를 안아 들고서 침대로 향하던 연우가 고개를 갸웃거렸다.

'왜요?'

'제가 마음의 준비를 좀 하고 싶어서요.'

연우가 비연예인과 연애를 한다는 사실이 밝혀진다면, 반드시 기자가 붙을 게 뻔했다. 그 과정에서 누군가 자신과 차진혁의 이야기를 흘릴 수도 있었다.

괜히 연우를 귀찮은 일에 휘말리게 하지 않으려는 세희의 배려였다.

'나는 알리고 싶은데.'

'알리고 싶다고요?'

'내가 세희 씨 애인이라는 걸 모르고. 괜히 관심 가지는 사람이 없으면 하니까.'

그런 사람 없다고 말했지만, 연우는 안심하지 못하는 눈치였다. 아마도 한재섭의 일을 경험했기 때문에 그런 모양이었다.

'언제라도 마음의 준비가 끝나면. 얘기해 줘요.'

연우의 간곡한 부탁을 끝으로 두 사람은 진짜 연인이 되었다.

세희는 매일 두근두근한 마음으로 그의 곁에서 나란히 잠이 들었다. 물론 서로 마음을 터놓아서 그런지, 연우는 하루도 그녀를 가만히 두는 법이 없었다.

'욕실은 미끄러워서 힘들다고 했는데…… 어차피 침대에서 할 텐데, 괜히 바닥에 물도 떨어지고.'

어젯밤 일을 떠올리던 세희의 볼이 발갛게 물들었다.

연우와 다시 동거를 시작한 지 며칠 사이, 그녀는 종일 졸음에 시달렸다. 분명 업무가 줄었는데도 더 피곤해하는 그녀의 모습에 동료들도 의문을 보였다.

"팀장님, 많이 피곤하세요?"

"저도 물어보고 싶었는데. 요즘 너무 지치신 것 같아요."

함께 휴게실에서 커피를 마시던 정아와 가은이 슬쩍 질문을 건넸다.

세희는 그저 멋쩍게 웃었다. 차마 누군가에게 밤낮 가리지 않고 시달려서 그렇다고 답할 수 없었으니까.

"참, 저번에 상담했던…… 제 친구 있잖아요."

"아, 팀장님 친구분이요?"

기억을 떠올린 정아가 고개를 주억거렸다. 가은 역시 기억난다며 맞장구를 쳤다.

세희는 부드럽게 웃으면서 사무실에서 챙겨 온 상자 하나를 건네주었다.

"친구가 아주 큰 도움을 받았다고, 고맙다고…… 이거 두 분께 전해 달래서 가져왔어요."

고급 다과 세트를 발견한 정아와 가은의 얼굴이 환해졌다. 이런 걸 주지 않아도 괜찮다고 하면서도, 하나를 꺼내 먹어 보는 두 사람의 표정이 행복해 보였다.

그동안 세희는 오전에 한 실장에게 받았던 한약 봉지를 뜯었다. 요즘 기력이 통 없어 보인다며 받은 것이었다.

부지런하게 체력 관리도 해야 연우의 열정을 견딜 수 있었다.

토요일 밤.

같이 저녁을 먹은 후, 연우는 세희에게 뜻밖의 제안을 건넸다. 갑자기 어딘가로 함께 외출하자는 것이었다.

"어디 가는 거예요?"

달리는 차 안에서 세희가 목적지를 물었다. 연우는 씩 웃으면서 핸들을 부드럽게 돌렸다.

"집이요."

"집?"

"예전에 말한 적 있는데, 집 하나 더 있다고. 세희 씨한테 그 집 보여 주고 싶어서요."

그제야 세희의 머릿속에 기억 하나가 떠올랐다.

'내 집에도 옥상 있는데, 별이 다 보여요.'

'연우 씨 집은 아파트잖아요?'

'그 집 말고 한 채 더 있어요.'

두 사람이 한강에 갔을 때 나눴던 대화였다. 때때로 집 앞까지 쫓아오는 팬들을 피해서 구해 둔 장소가 있었다고.

'비밀리에 하나 더 구해 둔 집인데, 아예 푹 쉬고 싶을 때는 거기서 지내고 있어요.'

그때도 궁금했지만, 한 번도 본 적 없는 집이었다. 세희는 기대심을 품고 차창을 멍하니 바라보았다. 한참을 달려 도착한 장소는 용인의 외진 곳이었다.

"용인에 이런 곳이 있었네요."

"모르는 것도 당연해요. 비밀 보장이 확실한 동네라서."

지척에 산을 끼고 있어서 상당히 인적이 드문 곳이었다. 울창한 숲길을 지난 순간, 외국 영화에나 나올 법한 주택 단지가 모습을 드러냈다.

옛날 동화집에 나왔던 것처럼 하얀 집에 초록 지붕을 지닌 주택도 있었다.

'세상에, 전경이 정말 예쁘다.'

예쁜 풍경에 감탄한 세희의 입이 크게 벌어졌다. 연우의 주택은 그중에서도 가장 꼭대기에 놓여 있었다.

마침내 차가 멈추고, 연우는 내리자마자 그녀를 마당으로 안내했다. 넓은 마당 구석에 커다란 벚나무가 나풀나풀 꽃잎을 흩날렸다.

"제가 살면서 본 집 중에 제일 예뻐요."

"관리는 꾸준히 했거든요. 세희 씨한테도 이 집, 보여 주고 싶었어."

연우가 세희의 볼에 입을 맞추며 속삭였다. 세희도 무언가를 찾는 것처럼 두리번거렸다.

"뭘 찾아요?"

"왠지 커다란 강아지가 살 것 같아서요."

돌아온 대답에 연우가 풋, 웃음을 터트렸다. 확실히 커다란 개를 기를 법한 집이긴 했다.

"아쉽지만 없어요. 강아지 좋아해요?"

"음…… 예전에는 고양이가 더 좋았어요."

"그럼, 지금은?"

연우는 세희의 손을 잡고서 문으로 걸어갔다. 그를 가만히 올려다보던 세희의 눈가에 웃음이 가득 고였다.

"지금은 강아지가 더 좋아요."

"왜 바뀌었어요?"

"글쎄, 왜일까요."

애교를 부리던 연우의 모습이 꼭 커다란 강아지를 보는 듯했다고.

세희는 솔직한 대답을 속으로 삼키며 웃었다. 밤에는 곧잘 여우처럼 돌변했지만, 기본적으로 연우는 대형견의 이미지가 있었다.

'굳이 따지자면, 고양이랑 강아지가 반씩 섞인 느낌이지.'

현관문을 열고 들어서자 새하얀 공간이 그녀를 반겼다. 지금 지내는 아파트보다 훨씬 더 단정하고 넓은 공간이었다. 특히 곳곳에 놓인 고급 가구로 인해 고풍스러운 분위기가 풍겼다.

"여기서 혼자 지냈어요?"

혼자서 지내기엔 지나치게 넓어, 조금 외로울 것 같다는 느낌도 들었다.

걱정하는 세희의 마음을 눈치챘는지 연우가 팔을 뻗었다. 순식간에 그의 품에 갇히듯 안긴 세희의 귓불이 붉어졌다.

"어차피 가끔 오던 곳이에요."

천천히 주방까지 둘러본 후, 세희는 거실로 돌아왔다. 그녀를 기다리던 연우가 웃으면서 다가왔다. 사랑스럽다는 듯 머리카락을 넘겨 주는 손길이 다정했다.

"사실, 오늘 여기 오자고 한 이유는…… 보여 줄 게 있어서 온 거예요."

드디어 이 집에 온 목적을 알려 주려는 걸까. 세희의 까만 눈동자가 호기심으로 빛이 났다.

"그게 뭐예요?"

"따라와요."

연우가 오른손을 내밀었다. 긴장했는지, 그의 체온이 평소보다 조금 낮았다.

세희는 그의 손에 깍지를 끼고서 발을 맞춰 걸었다. 마당을 빠져나오자 뒤편으로 향하는 오솔길이 있었다.

연우는 오솔길을 걸으며, 예전에 세희에게 들었던 말을 떠올렸다.

'어릴 적에…… 할머니랑 같이 살았는데, 하늘을 올려다보면 별이 다 보였어요.'

'밤하늘이 꼭 바다 같았어요. 검은 바다. 그때 생각했어요. 별 박힌 하늘은…… 밤에 보는 바다랑 색이 비슷하구나.'

그때의 대화가 연우의 머릿속에 강렬하게 남아 있었다.

어쩌면 바로 그날부터 오늘의 계획을 준비했는지도 몰랐다. 세희에게 이 풍경을 보여 주기 위해선 모든 걸 할 수 있노라고.

"당신한테 쭉 선물하고 싶던 게 있었어요."

어두운 숲길에서 산새 우는 소리가 은은하게 들려왔다. 세희는 슬그머니 고개 들어 하늘을 보았다.

무성한 나뭇잎 사이로 밤하늘의 풍경이 조각조각 모습을 드러냈다. 서울에서 벗어난 덕분인지, 하늘이 맑아 별이 제법 보였다.

'선물이라니, 뭘까.'

선선한 바람이 불어와 연우의 머리칼을 건드렸다. 그는 나른한 미소와 함께 흐트러진 머리칼을 넘겼다. 그 사소한 행동마저도 너무나 멋있게 보였다.

세희는 저절로 두근거리는 가슴을 느끼며 손을 꽉 붙잡았다. 누군가와 함께 걷기만 해도 행복할 수 있다니 신기했다.

"다 왔어요."

마침내 연우가 걸음을 멈추고 돌아보았다. 그를 따라 멈춘 세희도 슬그머니 주변을 둘러보았다. 호수를 낀 공원이었다.

넓은 공원 곳곳에 주황색 가로등이 거리를 밝혔다. 주택가 주민들만 이용할 수 있는 공간인지, 사람이 보이지 않았다.

"여기에 선물이 있어요?"

"네, 이쪽으로."

연우의 반달 같은 눈매가 예쁘게 휘어졌다. 세희는 그 미소에 홀린 것처럼 멍하니 걸음을 옮겼다.

좁고 긴 산책길 끝에 넓은 전망대가 나타났다. 연우는 세희의 눈을 가리고서 전망대 끝으로 안내했다.

"자, 이제 눈 떠요."

연우가 손을 내리고, 천천히 눈을 뜬 세희가 굳어졌다.

밤하늘의 별을 몽땅 쏟아 낸 듯 반짝거리는 호수가 그녀를 반겼다. 새카만 수면이 찬란한 아름다움을 머금고 일렁였다.

"와……."

별 박힌 밤하늘 아래 반짝이는 호수가 그야말로 보석 같았다. 여기서 같이 살고 싶다고, 매일 이 풍경을 보고 싶다는 생각이 들 정도로.

"마음에 들어요?"

세희가 입을 다물지 못하고 감탄하는 가운데, 연우가 고개를 숙였다. 머리칼을 헤치고 목덜미는 스치는 입술이 뜨겁고 간지러웠다.

"네, 정말…… 아름다운 선물이에요. 고마워요."

감격한 나머지, 세희의 목소리가 무겁게 잠겼다. 그런 세희의 반응이 귀여웠는지 연우가 작게 웃었다. 귓가에 감기는 웃음소리마저 근사했다.

"그럼, 이제 진짜 선물을 줄 차례."

얄궂은 속삭임과 함께 연우가 세희를 돌려세웠다. 세희는 조각 같은 연우의 얼굴을 황홀하게 바라보았다. 그는 천천히 오른쪽 무릎을 꿇고 앉았다.

"세희 씨."

당황할 틈도 없이, 세희의 손바닥 위로 네모난 상자가 놓였다.

"나는 생각보다 욕심이 많아서, 당신의 미래를 온전히 함께하고 싶어요."

벨벳으로 된 상자 뚜껑이 열리고 얇은 은반지가 모습을 드러냈다. 반지를 발견한 세희의 시선이 가늘게 흔들렸다.

"나한테 그 기회를 주면 좋겠어. 세상 누구보다도 당신을 행복하게 해 줄 자신이 있으니까……."

그의 깊고 아름다운 갈색 눈을 보면, 심장이 아프도록 두근거렸다.

"반드시 지금보다 더, 매일 새로운 행복을 선물해 줄 테니까."

"……."

"당신이 내 미래를 온전히 소유해 줘."

한 박자 늦게 무거운 고백이 들려왔다.

"나랑 결혼해요, 세희 씨."

대답을 기다리는 연우의 눈빛이 절실했다.

'내가 살면서 받은 선물 중에…… 이보다 더 좋은 건 없겠지.'

세희는 물기 머금은 눈을 깜빡이면서 미소 지었다. 그녀가 조용히 왼손을 내밀었고, 연우는 긴장 속에서 반지를 끼워 주었다. 영롱하게 반짝이는 은반지가 달빛처럼 눈이 부셨다.

"사랑해요."

또박또박 읊조린 고백에 연우가 휙 고개를 들었다. 세희는 그의 손을 잡고서 천천히 일으켰다.

"사랑해요, 연우 씨."

마주한 연우의 눈시울도 그녀처럼 붉었다.

"앞으로도 사랑할게요. 당신 곁에서…… 쭉."

그토록 원했던 수락의 말에 연우가 환하게 미소 지었다. 그는 복숭앗빛으로 물든 세희의 얼굴로 천천히 고개를 기울였다.

맞닿은 입술이 가볍게 벌어지며 온기를 남겼다. 서로를 꼭 껴안은 두 사람의 머리 위로 밝은 달빛이 드리워졌다.

시간을 거슬러 마침내 다시 만난 인연을 축복하듯이.

에필로그

에필로그

결혼식을 한 달 앞둔 날, 마침내 예쁜 청첩장이 나왔다.

세희는 수줍은 얼굴로 부지런히 청첩장을 돌렸다. 새하얀 배경에 신부와 신랑의 그림이 아기자기하게 그려진 청첩장이었다. 앞장에는 영문자로 연우와 세희의 이름이 나란히 적혀 있었다.

"와, 청첩장도 정말 예쁘네요."

"고마워요, 가은 씨."

발갛게 물든 세희의 뺨에서 기분 좋은 설렘이 느껴졌다. 사람들은 귀여운 동물을 바라보듯 싱글벙글 웃으면서 연신 칭찬을 건넸다. 칭찬에 어쩔 줄 모르는 세희의 반응이 보는 재미가 있었다.

"결혼식 꼭 갈게요, 팀장님!"

"저도요, 저도 갈게요!"

픽시 개발 팀의 모두가 자기 일처럼 축하해 주며 청첩장을 챙겼다. 거의 매일 회사 앞까지 세희를 데리러 오던 연우의 정성을 생각하면, 어느 정도 예상했던 결혼이었다.

"연예인도 오겠죠? 연우 씨 동료라든가."

"기자들도 들어오려나?"

"괜히 사진 찍힐 수도 있으니까, 예쁘게 꾸미고 가야겠어요."

정아와 가은이 이런저런 추측을 주고받으며 상상의 나래를 펼쳤다. 그 유명한 모델 연우의 결혼식이었으니 분명 보석처럼 화려하리라.

마찬가지로 콧노래를 흥얼거리며 청첩장을 구경하던 한 샛별 실장이 아, 하고 손가락을 튕겼다. 즐거움이 가득한 그녀의 눈빛에 정아와 가은이 멈칫하며 눈을 반짝였다. 한 실장이 어떤 말을 꺼낼지 바로 알아차렸기 때문이었다.

"그럼 오늘은, 다 같이 술이나 마실까?"

역시나 한 실장은 활짝 웃으며 지갑을 꺼내 들었다. 막 그녀에게 청첩장을 건넸던 세희가 깜짝 놀라 되물었다.

"네? 술이요?"

갑자기 술이라니.

당황한 세희의 눈앞으로 한 실장이 불쑥 손을 내밀었다. 그녀의 손에 들린 법인 카드에 직원들이 반짝반짝 눈을 빛냈다. 뒤이어 모두가 기대하던 외침이 울려 퍼졌다.

"자, 오늘은 문 팀장 결혼 기념 회식이야!"

안 된다는 반항 한번 해 볼 틈조차 없었다. 한 실장의 의견에 모두가 신나라 동의했고, 세희는 그대로 회식 자리에 끌려갔다.

회식 장소는 늘 그랬듯이 고급 일식당이었다. 세희 덕분에 열린 회식이나 마찬가지였으니, 다들 고맙다며 그녀에게 미소를 건넸다. 세희는 멋쩍게 웃어 보이곤 핸드폰을 확인했다.

[새벽에나 끝날 것 같아요. 전화할게요.]

연우에게 문자를 보낸 다음, 세희는 가볍게 한숨을 내쉬었다. 연달아 술을 마신 탓인지 볼이 뜨끈뜨끈 달아올랐다.

'오늘은 일찍 들어간다고 약속했는데.'

며칠 전, 중요한 프로젝트를 진행하느라 연우와 식사 약속을 취소했던 게 떠올랐다. 연우는 괜찮다고 웃어 주었으나 그때부터 영 찜찜하던 참이었다.

오늘 퇴근하고 함께 밥이나 먹을까 했는데, 회식 분위기를 보아하니 일찍 벗어나기 어려울 듯했다.

"연우 씨한테 연락 온 거야?"

그때 옆자리에 앉은 한 실장이 찬물을 건네주며 씩 웃었다. 세희는 찬물로 뜨거워진 속을 식힌 후, 서둘러 고개를 끄덕였다. 맞은편의 정아와 가은도 어느새 그녀를 응시하고 있었다.

"네, 늦을 것 같다고 연락했어요."

"아주 꿀이 뚝뚝 떨어지네. 좋을 때다."

한 실장은 부러움 섞인 한숨을 내쉬며 회 한 점을 입에 넣었다. 아주 오래전, 그녀의 신혼 때를 떠올리는지 몽롱하게 젖은 표정이 인상적이었다.

세희는 곤란한 얼굴로 건너편을 응시했다. 이미 한 차례 술에 흠뻑 취한 한 실장으로부터 신혼여행 이야기를 실컷 들은 참이었다. 혹시나 또 시작될까 싶어 겁이 났다.

다행히 정아와 가은이 그녀의 신호를 눈치채고서 질문을 건네주었다.

"팀장님, 그런데…… 신부 메이크업은 어디서 받을 예정이세요?"

"어머, 당연히 나한테 받겠지! 뭘 그런 걸 물어보고 그래?"

한 실장은 덥석 미끼를 물더니, 바뀐 화제에 열심히 말을 보탰다.

"나한테 받을 거지, 문 팀장?"

아예 제 손까지 붙잡고 올려다보는 한 실장의 눈빛에 세희가 작게 웃었다. 그렇지 않아도 어떻게 부탁해야 하나 고민이었는데, 먼저 해 주겠다고 나서 주니 고마울 따름이었다.

"그럼요. 실장님이면 믿고 부탁드릴 수 있죠."

"그래, 내가 정말 예쁘게 해 줄게. 나만 믿어."

한 실장은 벌써 세희를 어떻게 꾸며 줄지 즐거운 표정으로 상상하다가 슬그머니 또 다른 질문을 던졌다.

"참, 드레스는?"

"연우 씨와 가깝게 지내는 디자이너분이 맡아 주시기로 했어요."

"어머, 정말 잘됐다!"

모델인 연우의 눈에 들었던 디자이너, 웨딩드레스의 완성도는 의심할 겨를이 없었다. 세희는 한 실장의 말에 고개를 끄덕이며 핸드폰을 눈짓했다.

내일은 드레스를 확인하기로 한 날이었다. 요 며칠간 연우 몰래 다이어트를 강행하느라 혼이 났는데, 하필 전날에 회식이라니 당황스러웠다. 그녀는 최대한 안주를 멀리하면서 물을 들이켰다.

'몸 관리한 효과가 있어야 하는데……'

연우와 함께 화보를 찍었던, 예쁘고 날씬한 여자 모델들을 떠올리니 괜스레 신경 쓰였다. 물론 연우는 제 마음도 모르고 자꾸만 뭘 먹이려고 난리였지만 말이다. 야근이 잦아서 자주 식사를 거르는 그녀의 건강 상태가 무척 신경 쓰이는 눈치였다.

'제발, 내일 드레스가 잘 어울리면 좋겠다.'

세희는 다시 눈앞으로 다가온 술잔을 내려다보며 한숨을 푹 내쉬었다.

프러포즈를 받은 이후.

연우는 아파트를 정리했고, 세희는 그의 주택으로 들어가 함께 살게 되었다.

기자들의 눈을 완전히 피하고자 내린 결단이었다. 연우가 결혼한다는 소식에 모두가 특종을 노리고서 뒤를 쫓기 시작했으니까.

꼭꼭 감춰 세간에 알려지지 않은, 모델 연우의 신부가 대체 누군지 모두가 궁금해했다.

"나한테만 살짝 알려 달라고 부탁했는데도 끝까지 안 알려 주니까, 대체 누군가 했는데……."

행거를 끌고 온 디자이너가 빙그레 웃으며 속삭였다.

"이렇게 예쁘신 분인 줄 몰랐어요."

"가…… 감사합니다."

디자이너는 상당한 미인이었다. 갈색으로 틀어 올린 머리가 무척 잘 어울렸는데, 모델이 아닌가 싶을 정도로 아름다운 외모였다.

"빈말 아니고 정말이에요. 미인이시네요, 세희 씨."

나중에 연우에게 들어 보니, 오래전 모델 지망생이었던 적도 있다는 모양이었다. 확실히 모델로 활동하기에 부족함이 없는 외모였다.

'연우 씨랑 친하게 지냈던 사람일까?'

세희는 그녀에게서 쉽사리 눈을 떼지 못하고 복잡한 머리를 굴렸다. 연우가 결혼식 예복을 따로 부탁할 정도면, 꽤 가까운 사이였을까.

'잠깐, 또 이런 생각을……!'

연우와 결혼을 약속한 탓인지, 최근에 자꾸만 쓸데없는 걱정이 들었다. 이전에는 크게 신경 쓰지 않았던 연우의 주변인들을 경계하기도 하고, 가끔은 연우와 화보를 찍은 여자 연예인이 신경 쓰이기도 했다.

"편히 구경하세요."

세희의 마음을 알 리 없는 디자이너가 상냥하게 인사를

건넸다. 저도 모르게 디자이너의 얼굴을 빤히 관찰하던 세희가 머쓱하게 미소 지었다.

"네, 감사합니다."

행거에 걸린 드레스를 보니, 종류가 다양했다. 저번에는 드레스를 직접 착용하지 않고 눈대중으로만 확인했기에 오늘은 좀 더 꼼꼼히 살펴볼 필요가 있었다.

'잘 어울리려나. 괜히 연우 씨랑 더 비교되는 건 아닌지 모르겠네.'

세희는 거울 너머로 제 모습을 힐끔힐끔 관찰하면서 어색하게 볼을 붉혔다. 모델인 연우야 당연히 어떤 옷이든 어울리겠지만, 저한테도 그러할지 의문이었다.

"세희 씨."

멍하니 거울만 보는 사이, 익숙한 목소리가 귓가에 닿았다.

"어때요? 예쁜 드레스 많죠."

디자이너가 잠시 드레스 피팅을 준비하러 간 사이, 멀끔하게 턱시도로 차려입은 연우가 웃는 얼굴로 다가왔다. 세희보다 앞서 고른 상태였는데, 모델이라서 그런지 다소 튈수도 있는 턱시도 차림조차 근사하기 이를 데 없었다.

'연우 씨는 정말…… 안 어울리는 옷이 없네.'

세희는 속으로 감탄하면서 그를 올려다보았다. 저 잘생긴 얼굴에서 도통 눈을 뗄 수가 없었다. 빤히 쳐다보는 시선을 느낀 연우가 고개를 갸웃 기울였다.

"왜 그렇게 봐요?"

맑고 깨끗한 갈색 눈동자에 세희의 몽롱한 표정이 고스란히 비쳤다. 그녀는 감탄하듯 나직이 중얼거렸다.

"누구 남편이 이렇게 잘생겼나…… 싶어서요."

연우가 눈을 크게 뜨고는, 으레 그러듯 짓궂게 미소 지었다. 반달처럼 휜 눈매에 즐거운 눈웃음이 맺혔다. 곧 커다란 손바닥이 다가와 세희의 어깨를 따뜻하게 감쌌다.

"글쎄, 누구 남편일까. 맞혀 봐요."

"으음……."

간질이는 손길에 세희가 눈을 가늘게 떴다. 연우의 장난에 장단을 맞춰 줄지, 아니면 골려 줄지 고민하는 눈치였다.

"나 놀리려고 했죠? 대답하지 마요."

연우는 대답을 듣지 않고서 그녀의 볼에 짧게 입을 맞추었다. 빠르게 떨어지는 입술이 조금 뜨거웠다. 세희는 씰룩거리는 입꼬리에 힘을 주면서 웃음을 참았다.

"아닌데, 나 솔직하게 말하려고 했어요."

"세희 씨, 점점 장난이 늘어나네. 나 닮아 가나?"

세희가 연우를 따라 짓궂게 눈웃음을 흘린 다음, 가볍게 혀를 쏙 내밀었다.

"원래 사랑하면 닮는다고들 하잖아요?"

농담 같은 한마디에 연우의 마음은 사르르 무너졌다. 그는 씩 미소 지으며 세희를 품에 꽉 끌어안았다. 세희도 너른 품에 안긴 채, 가만히 눈을 감았다. 볼에 닿은 턱시도가 서늘하니 부드러웠다.

"왜 이렇게 잘 어울려요? 매일 턱시도만 입고 산 사람처럼."

"나는 이게 직업이잖아요."

"그래도……."

이유 모를 투덜거림에 잠깐 고개를 갸웃했지만, 연우는 이내 시원스러운 미소와 함께 고개를 숙였다. 세희의 이마와 볼에 차례차례 흔적을 남긴 입술이 따뜻하고 보드라웠다.

"슬슬 입어 볼까요?"

연우가 넌지시 물었고, 세희는 발그레 물든 얼굴로 고개를 끄덕였다. 두 사람은 손을 잡고서 디자이너가 기다리는 장소로 향했다. 커다란 거울과 피팅 룸이 있고, 맞은편에 소파가 있는 방이었다.

소파 앞에서 태블릿을 들고 기다리던 디자이너가 반갑게 손을 흔들었다. 그녀의 눈인사에 연우도 씩 웃었다.

반가운 시선이 오가는 두 사람의 모습에, 세희는 다시금 답답해지는 가슴을 느끼며 살며시 미간을 구겼다.

"이쪽으로 오세요. 드레스, 전부 꺼내 두었으니 하나씩 입어 보는 게 좋겠어요."

세희의 미묘한 기색을 읽지 못한 디자이너가 웃는 얼굴로 다가와 태블릿을 내밀었다. 까만 화면에 다양한 디자인의 웨딩드레스 사진이 나타났다.

"워낙 화사한 분위기를 지니셔서 프린세스 드레스도 어울릴 것 같아요! 프릴이 꽤 많지만, 유치하지 않고 정말 예뻐요. 한번 입어 보시겠어요?"

세희는 고개를 끄덕였고, 그때부터 온갖 드레스를 다 입어 보기 시작했다.

몇 벌만 입어 보고 정하려던 세희와 다르게, 연우는 점점 더 많은 종류의 드레스를 요구했다. 어떤 걸 입어도 다 어울려서 고민이 깊어진다는 게 연우의 주장이었다. 덕분에 세희는 실컷 드레스를 입어 볼 수 있었다.

최종 후보로 정해진 건 프린세스, 머메이드 라인의 드레스였다. 연우는 심사숙고 끝에 프린세스 라인이 좀 더 귀엽다는 의견을 제시했다. 세희도 수차례 거울에 비춰 보고서 그 드레스를 골랐다.

드레스를 갈아입는 동안, 쉬지 않고 칭찬 세례를 퍼붓던 디자이너가 즐겁게 손뼉을 쳤다. 만족스러운 시간이었는지 그녀의 입가에도 미소가 가득했다.

세희는 감사하다며 드레스를 받아 볼 날짜를 적었고, 연우는 주차했던 차를 가지러 가기 위해 먼저 밖으로 나섰다.

"세희 씨!"

옷을 갈아입고 막 문밖을 나선 세희를 붙잡은 건, 디자이너의 다급한 외침이었다. 놀라서 돌아보니 그녀가 웃는 얼굴로 뭔가를 들고 있었다.

"왜 그러세요?"

"제가 깜빡한 게 있어서요. 이거……."

디자이너가 세희에게 종이 가방 하나를 건네주었다. 가벼운 내용물인지 무게가 거의 느껴지지 않았다. 의아한 세희의 표정에 디자이너가 배시시 웃으며 속삭였다.

"결혼 축하 선물이에요. 결혼 축하드려요."

"네? 선물이요?"

"남도 아니고 연우랑 결혼하실 분인데, 제가 챙겨 드려야죠."

디자이너는 잠시 세희의 손을 꼭 붙잡았다. 자세히 알 수는 없었지만, 그녀도 대강 연우의 가정사가 복잡하다는 걸 눈치채고 있었다. 그래서 남들보다 더 마음이 가고 신경 쓰였던 친구였다.

진심으로 두 사람의 행복을 빌어 주는 그녀의 목소리가 다정하게 울려 퍼졌다.

"연우랑 행복하게 잘 사세요."

따뜻한 인사를 건넨 뒤, 디자이너는 다시 샵으로 돌아갔다. 세희는 엉겁결에 받아 든 종이 가방을 내려다보다가 클랙슨 소리에 뒤를 돌아보았다. 차를 가져온 연우가 차창 너머로 웃으며 손을 흔들었다.

"그건 뭐예요?"

세희가 차에 올라타자 종이 가방을 발견한 연우가 선뜻 물었다. 세희는 어색하게 가방을 만지작거리며 고개를 갸웃거렸다. 이게 대체 무슨 선물일지, 그녀도 연우만큼이나 궁금했다.

"디자이너분이 선물로 주셨어요. 결혼 축하한다고……."

"정말요?"

뜻밖의 말에 연우가 씩 웃었다. 시동을 켠 차체가 자그맣게 흔들렸다. 그는 여유롭게 핸들을 돌리면서 샵을 벗어나 도로로 향했다.

달리기 시작한 차창 밖으로 푸르고 깨끗한 하늘이 펼쳐졌다. 구름 하나 없이 맑고 화창한 날씨였다.

"저한테 좋은 여자 만나라고 귀에 딱지가 앉도록 잔소리하던 친구인데, 세희 씨가 마음에 들었나 봐요."

"아……."

"그 친구 남편도 제가 소개해 줬고요."

"네? 연우 씨가요?"

세희는 깜짝 놀라서 목소리를 높였다. 디자이너가 결혼했다는 사실도 몰랐기에 더욱 당황스러웠다.

자신은 그럼 대체 무슨 오해를 한 건가. 그녀는 뒤늦게 부끄러움에 휩싸여 발갛게 볼을 물들였다.

그녀의 표정을 알아채지 못한 연우가 웃음기 섞인 목소리로 말을 이었다.

"네, 우리 회사 비서실장이에요."

"아, 그랬구나."

"둘이 얼마나 사이가 좋은지 몰라요."

설명을 들으니 더욱 제 오해가 얼마나 터무니없었는지 알수 있었다. 세희는 손등으로 뜨끈하게 달아오른 뺨을 슬슬 문질렀다. 다행히 제 감정이 티가 나지 않아 다행이구나 싶었다.

"선물 뭔지 궁금하다. 한번 열어 볼래요?"

연우가 슬그머니 권유했다. 마침 세희도 궁금했던 터라, 종이 가방을 열고 상자를 꺼냈다.

눈처럼 새하얀 상자에 분홍색 리본이 달려 있었다. 조심스럽게 리본을 풀고 상자 뚜껑을 열자 기상천외한 내용물이 나타났다. 묘한 침묵이 흐르자 연우가 고개를 갸웃했다.

"세희 씨?"

"……."

"왜 그래요? 선물이 뭐길래……."

슬그머니 고개를 돌린 연우의 눈빛이 크게 흔들렸다. 그는 하마터면 놓아 버릴 뻔한 핸들을 세게 움켜쥐고서 눈을 끔뻑거렸다. 자신이 잘못 보았나 싶어서 다시 돌아보았지만, 충격으로 얼어붙은 세희의 표정도, 그녀가 손에 든 물건도 그대로였다.

상자에 든 건, 다름 아닌 란제리 세트였다. 망사 소재로 되었다는 안내문이 상자 뒷면에 친절하게도 적혀 있었다. 점점 빨개지는 세희의 얼굴을 뚫어져라 쳐다본 연우가 핸들을 돌렸다. 갓길에 차를 세우기 위해서였다.

"앗!"

차를 멈춰 세운 연우가 손을 뻗어 날쌔게 상자를 가져갔다. 세희가 어떻게든 상자를 돌려받고자 애를 썼지만, 완고한 악력에 가로막혔다.

빼앗은 상자를 자세히 살펴보니 역시나 보기만 해도 위험스러운 란제리가 보였다. 새하얗고 촘촘한 망사 소재였다.

"이, 이리 줘요!"

연우가 할 말을 잃은 사이, 세희가 안간힘을 다해 상자 끄트머리를 붙잡았다. 선물을 확인하니 저를 대하던 디자이너의 마음이 완벽한 호의에 가깝다는 걸 알 수 있었다.

조금이라도 연우를 그런 눈으로 보았다면, 제게 이런 선물을 건넬 수 없었으리라.

세희가 한참 끙끙 앓은 끝에, 연우는 손에서 힘을 풀고 상자를 돌려주었다. 세희는 돌려받은 상자를 종이 가방 깊숙이 넣고서 한숨을 길게 내쉬었다. 귓불까지 붉어진 그녀의 모습에 연우가 낮게 헛기침했다.

"그래도 선물인데, 버릴 거예요?"

슬쩍 물어본 말에 세희의 어깨가 흠칫 반응했다. 그녀는 멋쩍게 종이 가방을 만지작거리다가 기어가는 목소리로 중얼거렸다.

"그건 아니지만……."

"아니지만?"

오늘따라 집요한 물음이었다. 세희는 살짝 눈을 흘기며 연우를 쳐다보았고, 그는 다소 짓궂은 미소를 보이며 눈짓했다. 상자를 바라보는 그의 눈길에 속이 뻔한 바람이 섞여 있었다.

세희는 어찌할까 고민하다가 대수롭지 않은 척 속삭였다.

"그럼, 오늘 확인할래요?"

"네?"

"선물이요."

세희가 손끝으로 종이 가방을 톡톡 두드렸고, 연우는 제 귀를 의심하는 표정을 지었다. 갑작스러운 연우의 침묵에 당황한 세희가 볼을 긁적였다. 늘 쑥스러움만 타던 자신이 건넨 농담이었으니, 연우가 놀랄 법도 했다.

"치수가 안 맞으면 교환해야 하니까…… 확인은 해야죠."

세희가 용기 내어 건넨 말에, 연우는 멍하니 바라보다가 한 박자 늦게 고개를 끄덕였다. 세희는 그의 얼굴을 곁눈질하다가 안도하며 웃었다. 연우답지 않게 붉어진 볼이 조금 귀여웠다.

"얼른 들어가요. 우리."

연우는 곧바로 핸들을 붙잡더니, 다시 차를 움직였다. 아까보다 빨라진 속도에 놀란 세희가 그를 돌아보며 소리쳤다.

"연우 씨! 운전 조심해서 해야죠."

"아…… 괜히 마음이 급해져서."

연우는 아랫입술을 꽉 깨물고서 핸들을 움켜쥐었다. 곤란한 표정으로 인상을 찡그린 그의 눈빛에서 진심이 느껴졌다. 당장 어디든 좋으니까, 세희와 함께 들어가고 싶다는 마음이.

"진정이 안 되네."

연우의 초조한 중얼거림에 세희가 풋 웃음을 터트렸다. 매번 할 때마다 어떻게 저토록 기뻐하는지 모를 일이었다. 세희는 그의 옆구리를 슬쩍 찌르면서 당부했다.

"내일 화보 촬영 있으니까 적당히 해요. 알았죠?"

"늘 적당히 하잖아요."

"……그게 적당한 거라고요?"

세희는 어안이 벙벙한 얼굴로 되물었다. 벌써 집으로 돌아간 다음의 일이 걱정되었는지, 눈빛이 세차게 흔들렸다. 연우는 대답 없이 미소 지으며 속도를 높였다.

두 사람을 태운 차가 빠르게 도로를 달렸다.

　　　　✳　　　✳　　　✳

　적당히는 무슨…….

　이른 아침, 세희는 가물거리는 눈꺼풀을 겨우 들어 올렸
다. 어제 집에 돌아온 시간부터 밤까지 내내 시달리느라 온
몸에 힘이 하나도 없었다.

　연우가 이곳저곳 깨물고 자국을 남긴 곳마다 쓰라림이 느
껴졌다. 매번 그러지 말아 달라 애원해도 소용이 없었다. 연
우는 워낙 그녀의 몸에 흔적을 남기는 걸 좋아했다.

　"깼어요?"

　드레스 룸에서 나온 연우가 반갑게 달려왔다. 그는 오늘
청주에서 화보를 촬영할 예정이었다. 저명한 연출가와 함께
하는 촬영이라 세간의 기대가 큰 작업이었다.

　"배고프죠? 요리한 거 냉장고에 넣어 뒀으니까 데워 먹어요."

　"……."

　"왜 그래요?"

　연우가 다가와 침대에 걸터앉고 그녀의 머리카락을 넘겨
주었다. 세희는 말없이 상쾌한 그의 얼굴을 빤히 주시했다.
밤새 함께 운동한 거나 마찬가지였는데도, 힘든 기색 하나
없는 그의 얼굴이 약간 얄미웠다.

　"자, 물 마셔요."

　아무것도 아니라며 고개를 젓는 세희에게 연우가 웃는 얼
굴로 컵을 건넸다. 세희는 상체를 일으켜 시원한 물을 꿀꺽

꿀꺽 들이켰다. 물을 마시고서야 잠이 깨는 듯했다.

세희는 찌뿌둥한 어깨를 주먹으로 톡톡 두드리며 연우를 바라보았다. 연우는 커다란 거울 앞에서 머리를 손질하고 있었다.

향수 관련 화보를 찍는다고 하더니, 꽤 말끔한 옷차림이었다. 넥타이를 단단히 맨 연우가 돌아보며 웃었다.

"아직 졸려요?"

"조금요."

길게 하품한 세희가 느릿느릿 눈을 깜빡거렸다. 오후에 외출해야 하는데 도통 정신을 차리기 힘들어 큰일이었다. 그녀는 어떻게든 잠을 깨워 보고자 눈가를 쓱쓱 문질렀다.

"지금 출발해요?"

세희는 슬리퍼를 신고 가운을 입으며 침대에서 내려왔다. 연우는 시계를 차며 현관으로 걸어갔다.

"슬슬 가야죠. 실장님도 곧 도착할 테고……."

청주까지 걸리는 시간을 계산하던 연우의 미간에 살짝 주름이 잡혔다. 오늘은 루비노 에이전시의 비서실장이 운전할 예정이었다.

세희가 그의 허리를 꽉 끌어안은 채 머리를 기대자, 연우는 그녀의 이마에 연신 입을 맞추다가 다정하게 속삭였다.

"촬영 끝나면 바로 출발할게요."

"피곤할 것 같으면 날짜를 바꿀까요? 꼭 오늘이 아니어도 괜찮은데."

"아녜요, 얼른 인사드려야지. 나도 세희 씨 부모님께 얼굴

보여 드리고 싶어요."

두 사람은 오늘 함께 납골당을 찾을 예정이었다. 결혼식을 앞두고 상견례를 하는 대신, 서로의 부모님께 인사를 하기로 했다.

세희는 일가친척과 연락을 끊은 지 오래였고, 연우 역시 비슷한 처지였으니까.

"먼저 가서 기다릴게요."

"늦지 않겠지만, 혹시 모르니까 여유 있게 출발해요."

"일찍 도착하면 커피나 마시고 있을게요."

세희가 싱긋 웃으면서 연우의 볼에 입을 맞추었다. 연우는 자꾸만 그녀를 돌아보다가 힘겹게 걸음을 뗐다. 언제나 길고 힘겨운 그의 배웅을 마친 다음, 세희는 다시 침대로 돌아가 이불을 덮었다.

간밤의 일로 지친 체력을 회복하려면 좀 더 깊은 잠이 필요했다.

잠에서 깨어나니 해가 뉘엿뉘엿 지고 있었다.

세희는 완전히 피로가 가신 상태로 기분 좋은 하품을 내뱉었다. 다행히 시간도 한참 여유로웠다.

그녀는 느긋하게 시계를 확인한 다음, 연우가 냉장고에 넣어 둔 볶음밥으로 간단히 식사를 마쳤다. 샤워까지 끝내고 옷을 갈아입으니 출발하기 딱 좋은 시간이었다.

납골당으로 향하는 택시 안, 세희는 지나쳐 가는 창밖의 풍경을 바라보았다.

연우와 부모님을 찾아뵙기 전, 홀로 할머니를 뵐 생각이 었다. 생각해 보니 진혁과 결혼했을 때도 힘든 삶에 치여 할머니를 뵈러 올 시간이 없었다는 걸 깨달았기 때문이었다. 지금이라도 찾아가 제대로 인사를 드려야겠구나 싶었다.

납골당은 조용하고 한적했다. 평일이다 보니 사람들도 보이지 않았고, 로비의 카페도 손님이 뜸해 보였다. 세희는 옷차림을 바로 하고서 안쪽으로 들어가 할머니의 자리를 찾았다.

"……할머니, 저 왔어요."

투명한 유리창 너머로 오래전 그녀가 두고 갔던 추억의 물건과 함께 할머니의 사진이 놓여 있었다. 먼지 쌓인 액자 앞에는 어릴 적 세희가 붙여 놓은 클로버 스티커가 붙어 있었고, 옥춘도 몇 개 쌓여 있었다.

그리움 가득한 시선으로 안쪽을 살펴보던 세희가 문득 미간을 좁혔다.

"응?"

그녀의 시야에 낯선 물건이 들어왔다. 유리창 너머 가장 안쪽에 자그마한 꽃다발이 놓여 있었다. 조심스레 유리문을 열어 꺼내 보니, 이미 시들어 빛바랜 장미 꽃다발이었다. 꽃다발 구석에 보낸 회사의 이름이 적혀 있었다.

'피오레 코스메틱.'

아마도 진혁이 보낸 듯한 꽃다발은 아주 오래전에 두고 갔는지, 말라비틀어져 꽃잎이 부서지고 있었다. 손끝으로 건드리자 꽃잎이 기다렸다는 것처럼 떨어졌고, 바람에 날려 구두에 닿았다. 세희는 발끝으로 꽃잎을 툭 건드려 보며 한숨을 가만히 내쉬었다.

'여기는…… 또 언제 왔던 걸까.'

결혼하기 전, 그녀는 진혁에게 간단하게 가정사를 설명했다. 어릴 적 모종의 사고로 부모를 잃었고, 그 후 홀로 살았다는 정도의 설명이었다.

그랬으니 진혁이 할머니에 관해 알게 된 건 아주 나중이었을 터였다. 그와 마지막으로 보았던 날 이전인지, 이후인지도 알 수 없었다.

꽃다발을 놓은 건, 아마도 여태껏 그녀와 할머니 사이가 얼마나 돈독했는지조차 몰랐다는 점에 대한 반성일 터였다. 세희는 조심스럽게 꽃다발을 제자리에 올려놓고선 유리문을 닫았다.

할머니를 위한 선물이었으니, 이건 치우지 않고 그대로 놓고 싶었다. 생전의 할머니도 무척 꽃을 좋아했으니까. 제대로 된 꽃다발 하나 선물하기 전에 할머니를 보냈다는 점이 두고두고 아쉬울 정도로.

'잘 살아가면 좋을 텐데.'

세희는 마지막으로 진혁과 만났던 날을 잠시 회상했다. 그날 그에게 건넸던 미소와 위로는 전부 진심이었다. 자신이 행복한 미래를 선택한 만큼, 그도 그러길 바랐다.

과거의 실수에 묶여 쓸데없이 시간을 낭비하는 건 서로에게 좋지 못했다. 진혁은 똑똑한 사람이니 그 사실을 누구보다 잘 알 터였다.

'그러니까. 잘 살아요. 죽은 그 아이 몫까지. 나도. 당신도…… 다 잊고 살아요. 그게 우리한테 시간을 되돌려 준 그 아이의 선물일 거예요.'

세희는 행복해지고 싶었고, 반드시 행복하게 살 생각이었다. 괴로웠던 만큼 더 행복한 삶을 연우와 함께 이어 가리라 다짐했다.

진혁 또한 부디 새로운 인연을 찾길 바랐다. 그래야만 자신을 더 빨리 잊을 테니까.

"아가야."

세희는 멍하니 허공을 올려다보며 중얼거렸다. 얼굴 한 번 보지 못하고 잃었던 아이가 떠올랐다. 그 아이도 이제는 기억에서 멀리 보내 줘야 할 때였다. 연우와 행복하게 살기 위해서, 둘 사이에 새로운 인연을 만들기 위해서.

'앞으로 너를 떠올리지 않도록 노력할 거야. 하지만 절대 잊지 않을게.'

자신과 진혁이 과거로 돌아온 건, 분명 가엾은 부모를 위한 아이의 선물이었으리라. 그 아이의 마음을 위해서라도 자신이 더욱 행복하게 살아야만 했다.

"한순간이나마 네가 내 곁에 머물렀음을…… 영원히 기억할게."

세희는 가만히 고개 숙여 붉어진 눈가를 감추었다. 그간 고생한 손녀의 마음을 위로하듯, 사진 속 할머니가 조용히 미소를 보내고 있었다.

짧은 추모를 마치고 바깥에 나오니, 어느새 어둑어둑해진 하늘이 보였다.

세희는 로비의 카페 테라스에 앉아서 연우를 기다렸다. 따듯한 차를 한 잔 마시는 동안, 슬픔은 가시고 그리움이 그녀를 찾아왔다. 떨어진 시간이 길지 않은데도 벌써 연우가 보고 싶었다.

'연우 씨한테 중독이라도 된 것 같네, 꼭.'

솔직하게 이 기분을 말해 준다면, 연우는 뛸 듯이 기뻐하리라.

활짝 웃는 얼굴로 좋아할 연우의 얼굴을 상상하자 덩달아 기분이 좋아졌다. 세희는 거울을 꺼내 화장을 확인하고, 옷차림을 정돈하면서 시간을 보냈다. 잠시 후면 연우의 모친에게도 인사를 드릴 텐데 깔끔하고 단정한 모습으로 보이고 싶었다.

마침내 약속한 시각이 가까워지고 멀리서 차 소리가 들렸다. 고개를 들자 주차장에 들어선 차 한 대가 보였다.

역시나 익숙한 자동차였다. 세희는 벌떡 일어나 테라스 계단 아래로 뛰어 내려갔다.

차에서 내린 연우가 세희를 발견하자 환하게 미소 지었다. 납골당으로 오는 동안, 비서실장을 먼저 돌려보냈는지 혼자였다. 세희는 가까이 다가가 그를 꼭 끌어안았다.

"세희 씨, 밖에서 기다렸어요? 뺨이 차가워."

연우가 품에 안긴 세희의 볼을 감싸며 안타깝게 중얼거렸다. 세희는 괜찮다고 답하며 배시시 웃었다. 연우의 품에 안긴 것만으로도 약간의 추위는 몽땅 잊어버린 지 오래였다.

"촬영 수고했어요. 힘들지 않았어요?"

세희가 고개 들어 연우의 상태를 살폈다. 촬영을 마치고 진한 화장을 지워 냈는지, 그의 얼굴이 유독 깨끗하니 화사했다. 게다가 향수를 잔뜩 뿌렸는지 은은하게 좋은 향기가 났다.

"힘들기는, 매일 하는 일인데…… 독한 향수 때문에 머리가 살짝 아팠던 것 빼고는 괜찮았어요."

"아팠어요?"

"평범한 두통이니까 걱정 마요."

곧장 걱정하는 세희의 눈빛에 연우가 픽 웃으며 고개를 수그렸다. 보드라운 입술이 싸늘하게 식은 세희의 볼을 따듯하게 스치고 문질렀다.

온기는 점점 아래로 내려가 장난스레 입술에 닿았다. 세희는 미소 지으며 그의 입맞춤을 기쁘게 받아들였다. 따듯한 숨결이 아랫입술을 간질이며 움직였다.

"보고 싶었어요."

입맞춤이 끝나고 작게 헐떡이던 세희가 그의 품에 안기며 속삭였다. 그 말을 들은 것만으로도 심장이 꽉 조여드는 듯해서, 연우는 그녀를 세게 끌어안았다. 서로의 두근거림이 적나라하게 느껴지는 포옹이었다.

"이제 인사드리러 가요."

슬슬 부끄러운지, 세희가 그의 소매를 당기며 중얼거렸다. 연우는 그녀를 놓아주는 대신, 손을 꼭 붙잡았다.

"네, 그래요."

두 사람은 경비의 안내를 받아 위층으로 걸음을 옮겼다. 먼저 연우의 모친을 찾아갈 차례였다. 세희는 연우와 손을 붙잡고서 조용한 복도를 천천히 걸어갔다.

어느덧 자리를 찾은 연우가 걸음을 멈추고 시선을 올렸다. 중간쯤 보이는 자리에 모친의 사진이 놓여 있었다.

"저 왔어요, 엄마."

연우가 다정한 중얼거림을 흘렸고, 세희는 가만히 사진 속 얼굴을 들여다보았다.

서현정이 유망한 발레리나로 지냈던 때의 사진인지, 사진 속 그녀는 너무나도 젊고 아름다웠다. 연우의 오밀조밀한 이목구비가 그 얼굴에 그대로 담겨 있었다. 새하얀 얼굴과 우아한 분위기가 독보적이라 언뜻 봐도 눈에 띄었다.

'연우 씨를 만나게 해 주셔서 감사합니다, 어머님.'

세희는 마음속으로 연우의 모친에게 깊은 감사를 보냈다. 연우가 아니었다면, 어떻게 자신이 여기까지 올 수 있었을까.

돌이켜 생각해 보면, 숱한 위기와 뼈아픈 상실을 연우의 위로와 도움으로 헤쳐 나갈 수 있었다. 집안의 막대한 부와 권력마저 포기하고 기꺼이 제 손을 잡아 준 연우 덕분에.

"어머니도 기뻐할 거예요."

"……."

"제가 결혼하는 모습, 아주 어렸을 때부터 상상하셨을지도 모르잖아요."

연우가 붉어진 눈가를 손등으로 감추면서 쑥스럽게 속삭였다. 세희는 그의 말에 동의하며 고개를 끄덕였다.

서로의 부모님을 같은 납골당에 모신 것도 우연이라기엔 꽤 신기했다. 아마도 이건 운명이 아닐까, 그녀는 두근거리는 마음으로 살짝 웃었다.

"저도 어머님께 인사드릴 수 있어서 기뻐요. 정말 아름다우시네요."

"그런가요?"

"연우 씨가 누굴 닮아서 그렇게 착하고 잘생겼는지, 이제 알겠어요."

세희가 슬그머니 그의 어깨에 머리를 기댔다. 연우는 기분 좋은 무게감을 느끼면서 그녀의 허리에 팔을 둘렀다. 나란히 서서 내려다보니 조금씩 슬픔이 가시고, 든든한 평온함이 찾아왔다.

'이제 걱정하지 마세요.'

연우는 어머니의 사진을 내려다보며 속으로 중얼거렸다. 마지막까지 저를 걱정하다가 눈을 감았을 모친의 마음이 떠오르자 가슴이 아팠지만, 이제는 괜찮았다.

예전처럼 외로울 일도 다시는 없으리라. 세희가 제 곁에서 함께 있을 테니까.

이윽고 두 사람은 세희의 부모님을 찾아 3층으로 올라갔다. 가장 구석진 자리에서 부모님의 자리를 찾은 세희가 금세 눈시울을 붉혔다.

시간이 아무리 흘러도 부모의 빈자리를 향한 갈망은 좀처럼 사라지지 않았다. 그래서 더욱 납골당을 찾지 않았다. 찾을수록 그리움보다 상실감이 더 크게 느껴질 뿐이었으니까.

하지만 지금은 아니었다. 세희는 당당하게 연우의 손을 붙잡고서 부모님의 사진을 내려다보았다.

저를 보며 빙그레 미소 짓는, 두 분의 얼굴을 보니 마음이 포근해졌다. 두 사람은 마지막까지 자신을 염려하고 걱정했을 테니, 연우를 소개해 준다면 하늘에서도 편안히 미소를 보낼 듯했다.

"장모님, 장인어른."

연우가 긴장한 얼굴로 한 발자국을 내디뎠다. 자그마한 가족사진을 내려다보는 그의 눈빛이 잔잔하게 일렁였다.

가족사진에 단란한 모습으로 찍힌 세희의 부모님을 바라보며, 그는 또박또박 맹세의 말을 읊었다.

"제가 반드시 세희 씨를 행복하게 해 주겠습니다."

세희는 제 손에 힘이 들어가는 걸 느끼며 작게 웃었다. 연우의 진심이 아주 잘 느껴지는 맹세였다.

"저희가 다시 만날 수 있게 해 주셔서…… 감사합니다."

그날 연우와 세희가 장례식장에서 만난 건 우연이었지만, 그 우연은 마침내 인연으로 이어졌다. 잘못 만났다면 악연이 되었을지도 모르는 두 사람이었다.

세희는 마침내 그와의 연이 제자리를 찾았다고 생각하면서, 또 다행이라고 여기면서 눈을 지그시 감았다.

진심으로 행복하게 해 주겠노라는 연우의 속삭임이 달콤
하게 귓가를 울렸다.

드디어 결혼식 날이었다.

세희와 연우는 이른 새벽부터 준비를 시작하여 결혼식장
으로 출발했다.

먼저 나갈 준비를 마친 건 연우 쪽이었다. 그는 깔끔한 예
복으로 갈아입고서 대기실을 둘러보았다. 대기실 구석에 사
람들이 보내 준 화환과 꽃바구니가 잔뜩 놓여 있었다.

그중 가장 커다란 꽃바구니가 시선을 끌었다. 델피늄과
펜스테몬으로 꾸민 바구니였다.

한 장의 카드가 동봉되었는데, 연우는 필체를 확인하고서
바구니를 보낸 이가 누군지 바로 알아챌 수 있었다. 그가 연
락을 끊었던 유미가 보내 준 꽃바구니였다.

[결혼 축하해. 언제나 네 곁에 행복만이 가득하길.]

간결한 이 내용을 전달하기까지, 유미는 얼마나 깊이 고
민했을까.

연우는 말없이 꽃바구니를 바라보며 유미와 노모의 행복
을 빌었다.

다시는 마주치지 않을 인연이 되었으나 유미의 모친을 염
려했던 건 진심이었다. 한때나마 자신과 처지가 비슷하다고
생각했던 유미도 저처럼 행복한 길을 찾았으면 했다.

"대표님."

대기실에서 로비로 나오자 정장을 차려입은 비서실장이 다가왔다.

연우는 반갑게 웃으며 그와 악수하였다. 그는 오래도록 지켜본 연우가 결혼한다는 사실에 크게 감동했는지, 벌써 뭉클한 표정이었다.

"실장님, 어서 오세요."

"결혼 축하드립니다."

연우는 그와 인사를 주고받고서 하객 자리로 안내했다. 다시 로비로 돌아오는 동안, 그의 주머니 속 핸드폰은 바쁘게 진동하고 있었다.

말없이 핸드폰을 꺼내 확인하자 익숙한 번호가 나타났다. 아까부터 계속 울리는 전화의 주인은, 다름 아닌 그의 아버지였다.

차강태 회장은 연우의 결혼을 어떻게든 말리려고 했으나 끝내 포기하고 말았다. 또다시 결혼을 방해하려고 한다면, 완전히 부모와 자식의 연을 끊어 버리겠다는 선전 포고 때문이었다. 욱하는 마음에 내뱉은 소리였으나 완전히 진심이었다.

'그래도 축하한다는 말 정도는 전하고 싶으신 걸까.'

연우는 무감한 얼굴로 핸드폰을 내려다보다가 망설임 없이 주머니에 넣었다. 차 회장의 축하는 크게 반갑지 않았고, 그 외 연락이 올 만한 사람도 없었다. 그가 소중한 인연이라고 생각했던 사람들은 오늘 청첩장을 받고서 이 자리에 모여 있었으니까.

그나마 뜻밖에 기뻤던 건, 진혁에게서 온 연락이었다. 진혁은 지난밤 연우에게 전화를 걸어 짧게 축하를 전했다.

누가 본다면 배알도 없다고 생각할 수도 있겠지만, 연우는 낮게 잠긴 그의 목소리를 듣자마자 알 수 있었다. 그가 얼마나 많은 고민을 거듭한 끝에 전화를 걸었는지.

'축하한다. 그리고…….'

용건은 간단했다. 세희가 행복하게 살았으면 하는 바람이 큰 만큼, 너를 믿는다는 뜻이었다. 진혁이 연우에게 처음으로 보내는 부탁과 믿음이었다. 연우는 그러겠노라 대답하며 다시금 세희의 행복을 다짐했다.

세희의 이야기를 들은 후, 그는 진혁이 조금이나마 안쓰럽게 느껴졌다. 그동안 모든 걸 다 가졌다고 생각한 형이었는데, 그게 아니라는 걸 알게 되었기 때문이었다.

진혁은 차강태 회장의 신임을 처음부터 잃었던 상태였고, 모든 게 위태로운 후계자 자리였으며, 지금은 세희마저 잃어버렸으니까.

하지만 자신이 세희와 결혼하게 되었으니, 그는 원하든 원하지 않든 차강태 회장의 유일한 후계자가 될 수 있었다.

연우는 차라리 그게 다행이라고 여겼다. 그 자리는 사업에 욕심이 없는 연우보다 진혁에게 훨씬 잘 어울리는 자리라고 생각했으므로.

"연우야!"

누군가의 반가운 부름이 잡념을 깨트렸다. 연우는 저를

부른 하객을 돌아보면서 반갑게 미소 지었다.

곧 청첩장을 손에 든 하객들이 파도처럼 밀려 들어와 인사를 건네기 시작했다. 연우는 그들을 친절하게 안내해 주고, 발길이 뜸해진 후에야 신부 대기실을 찾았다.

"세희 씨."

신부 대기실에서 세희를 발견한 순간.

연우는 얼음처럼 굳어져 세희의 모습을 멍하니 지켜보았다. 새하얀 웨딩드레스 차림에 머리를 가지런히 올리고, 은빛 티아라로 장식한 그녀의 모습은 그야말로 공주 같았다.

세희는 뽀얗게 빛나는 얼굴로 사랑스러운 미소를 건네며 그를 맞이했다.

"정말…… 예뻐요."

"저번에 드레스 입었던 모습 봤었잖아요."

"그래도 오늘이 훠, 훨씬 더 예뻐요."

연우는 감격에 벅차 잠긴 목소리로 더듬더듬 중얼거렸다. 세희는 자그맣게 웃음을 터트렸고, 곁으로 다가온 한 실장이 어깨를 으쓱였다.

"당연하지! 누가 꾸며 준 건데?"

"안녕하세요, 한 실장님."

연우는 한 실장과 악수하며 감사의 마음을 전했다.

"내가 평소보다 더 힘썼어. 알지?"

"감사해요."

세희도 수줍게 미소 지으며 감사를 표시했다. 아침 일찍부터 제 곁에 매달려서 머리부터 화장, 손톱까지 봐 준 그녀

의 노고를 알기에 건네는 감사였다. 한 실장은 뿌듯한 미소
와 함께 손을 저었다.

"우리 문 팀장이 나한테 해 준 게 얼마인데 이 정도야. 회
사 복지라고 생각해 줘!"

세희는 쑥스럽게 미소 지으며 고개를 돌렸다. 거울을 보
니 아름다운 드레스를 입은 제 모습과 시선을 떼지 못하는
연우의 얼굴이 보였다. 보기만 해도 저절로 웃음이 튀어나
오는 풍경이었다.

"그만 쳐다봐요."

"내 신부인데, 얼굴도 못 봐요?"

연우가 얄궂은 농담과 함께 그녀와 눈을 맞추었다. 반달
처럼 휘어진 눈매에 매혹적인 눈웃음이 머물렀다.

세희는 그의 손을 가볍게 붙잡고 온기를 나누다가 살며시
웃었다. 서로 얼굴만 보면 웃음이 나오니, 이것도 나름 문제
였다.

"나중에 봐요, 연우 씨."

"기다리고 있을게요."

연우가 기대에 부푼 미소와 함께 대기실을 떠났다. 세희
는 의자에 앉아 거울 속 자신을 바라보면서 두근거림을 가
라앉혔다.

시간이 지나고, 식을 올릴 시간이 가까워지면서 더 많은
하객이 신부 대기실을 찾았다.

정아와 가은도 예쁜 원피스 차림으로 찾아왔고, 한때 피
오레 코스메틱에서 함께 일했던 지혜까지 찾아왔다. 특히

지혜는 오랜만에 마주한 세희의 모습이 반가웠는지 손까지 붙잡고서 좋아 어쩔 줄 몰라 했다.

"옛날보다 표정도 훨씬 더 보기 좋아요. 앞으로도 행복하게 지내세요."

"축하해 줘서 고마워요, 지혜 씨."

한때는 꽤 가깝게 지내던 옛 동료의 축하에 가슴이 따뜻해졌다. 지혜는 예쁜 사진을 찍어 보겠다면서 식장으로 먼저 떠났고, 정아와 가은은 한샛별 실장과 수다를 떨다가 돌아갔다.

한샛별 실장과 세희만 남은 대기실에도 드디어 고요함이 찾아왔다. 세희는 화장대 앞에 올려진 선물을 하나씩 살펴보기 시작했다.

축의금도 모자라서 선물까지 보내 준 하객이 제법 많았는데, 대부분 연우의 하객이었다. 그의 회사에 소속된 모델, 혹은 그와 함께 일했던 관계자의 선물이 대다수였다.

'전부 감사한 분들이야.'

선물을 따라 이리저리 움직이던 고개가 갑자기 멈추었다. 유난히 자그마한 선물 하나가 눈에 띈 탓이었다. 그 선물은 다른 것과 달리 크기가 작았지만, 포장지부터 상당히 고급스러웠다.

곁에서 머리를 매만지던 한 실장도 같은 선물을 발견했는지 슬쩍 질문을 던졌다.

"문 팀장, 저 선물은 누가 보낸 거야? 상당히 비싸 보이는데."

"그러게요. 누가 보냈지?"

제게 결혼 축하 선물을 보낼 사람이 또 남았던가.

세희는 고개를 갸웃하며 손을 뻗었다. 조심스레 포장지를 뜯으니 자그마한 상자가 나타났다. 상자를 열자 안쪽에 값비싼 은시계가 반짝거리며 모습을 드러냈다. 세희에게는 익숙한 시계였다.

"이건……."

세희의 눈빛이 작게 흔들렸다. 시계와 함께 든 카드에는 마지막 선물이라는 내용이 짧게 적혀 있었다. 멀쩡하게 돌아가는 은시계를 바라보는 세희의 눈빛에 측은함이 서렸다.

오래전 사고로 깨졌던 것과 같은 모델이었지만, 깔끔한 걸 보면 아마 새로운 시계를 구매해서 보내 준 모양이었다. 뒷면을 살펴보니 처음 보는 각인 문구가 보였다. 세희가 소리 내어 그 영문을 중얼거렸다.

"The first duty of love is to listen."

사랑의 첫 의무는 상대방에 귀 기울이는 것이다.

진혁이 과거의 제게 건네고픈 말일까, 아니면 연우에게 전하고 싶은 말이었을까.

어쩌면 둘 다였을지도 몰랐다. 첫 단추를 잘못 끼웠던 자신과 같은 실수를 저지르지 말라는 뜻일 테니.

"이게 뭔 뜻이야?"

어느새 곁으로 다가온 한 실장이 글귀를 해석하며 고개를 갸웃거렸다.

"글쎄요, 아마……."

세희는 말끝을 흐리며 시계를 내려다보았다. 깨져서 순간에 멈추었던 그때와 달리, 멀쩡하게 돌아가기 시작한 시침에 묘한 미소가 나왔다. 그녀는 손끝으로 시계를 더듬다가 상자를 닫았다.

"좋은 뜻으로 보냈을 거예요."

"하긴, 결혼 축하 선물이니 그렇겠지."

한 실장의 맞장구에 세희가 빙그레 미소 지었다. 누가 보냈는지 알아낼 방법이야 많았지만, 그녀는 굳이 찾아내지 않기로 했다. 누가 보냈는지 너무나 명확한 선물이었으니까. 그의 마음을 위해서라도, 세희는 모른 척 넘길 생각이었다.

'우리의 인연은 이제 끝이니까.'

진혁도 그걸 알기에 제 이름을 남기지 않았음이 분명했다. 비로소 그녀를 위해 주는 그 마음을 생각하니 안타까우면서도 고마웠고, 꽤 후련했다. 세희는 상자를 화장대 위에 올려놓은 뒤, 천천히 의자에서 일어났다.

"슬슬 나가야겠다."

한 실장이 빙그레 웃으며 드레스 자락을 들어 주었다. 세희는 고개 돌려 벽시계를 확인했다. 한 실장의 말대로 조금 있으면 결혼식이 시작될 시간이었다.

일가친척과 연을 끊은 세희를 배려하고, 또 본가와 연을 끊은 연우를 위하여 결혼식은 조용히 진행될 예정이었다. 오로지 편안하고 가까운 사람들의 축하 속에서 진행될 결혼식을 기대하면서 세희가 빙그레 미소 지었다.

이제 저 문을 넘으면, 세상 누구보다도 멋지고 다정한 남자가 저를 기다리고 있으리라.

"이쪽으로 와, 문 팀장."

한 실장이 드레스를 정리해 주며 문을 가리켰다. 식장으로 향하는 문 위쪽에 꽃으로 장식된 문패가 달려 있었다. 세희는 문패를 발견하고서 사르르 미소 지었다. 정확히는, 문패의 글귀를 확인한 뒤였다.

[The Roads to Happiness.]

세희가 문을 통과하고 긴 복도를 빠져나가자 서서히 빛이 들어섰다. 평화로운 피아노 연주와 함께 사람들의 환호성이 들렸다. 저 멀리 단상 앞에서 턱시도를 입고 선 연우의 모습이 보였다.

여느 때처럼 환한 미소와 두 번째 웨딩 로드가 그녀를 기다리는 중이었다. 세희는 설렘으로 가득 차는 가슴을 느끼며 입꼬리를 올렸다.

마침내 그토록 염원하던 행복의 길이 눈앞에 있었다.

외전 1 :
A Midwinter Night's Dream

## 외전 1 : A Midwinter Night's Dream

세희는 결혼한 지 일 년 만에 임신하여 아들을 낳았다.

연우는 곧장 촬영을 줄이고 육아에 전념했다. 세희도 회사에 다니면서 틈틈이 아이를 돌보았지만, 주로 아이를 맡는 건 연우였다.

연우는 그 시간을 무척 행복하게 여겼고, 덕분에 세희는 안심하고서 회사에 다닐 수 있었다.

그로부터 5년이 지났다.

세희는 작년에 픽시의 팀장직을 그만두고, 자신만의 브랜드를 오픈했다. 아들인 차윤재를 직접 키즈 모델로 촬영하여 런칭한 화장품 브랜드, '빛날 윤(贇)'이었다. 주로 유아용 상품을 개발하여 판매하기 시작했는데, 색조가 아닌 기초화장품 위주였다.

아이들이 쓰기에 순한 로션이나 크림, 자외선 차단제가

대다수였다. 아이들이 쓰기 쉽도록 립밤처럼 나온 상품이 인기를 끈 덕분에 조금씩 자리를 잡아 가는 중이었다.

윤재를 키즈 모델로 쓰기 시작한 계기는, 연우였다. 연우가 평소 화보를 찍고자 촬영장에 갈 때마다 윤재를 데리고 다녔는데, 워낙 성격이 온순한 아이는 매니저와 함께 시간을 보내면서도 울지 않았다. 때때로 지나치게 어른스럽다 싶을 정도였다.

이러한 점이 몇 번 관계자들의 눈에 띄었는지, 윤재는 일찍 키즈 모델로 제안을 받아 활동하기 시작했다. 당연히 소속은 루비노 에이전시였다.

사람들은 연우를 닮은 윤재를 보면서 이따금 세희의 존재를 궁금해했지만, 세희는 절대로 공식 석상에서 얼굴을 드러내지 않았다. 방송 활동 제의가 들어와도 모조리 거절했다.

그래야만 지금처럼 사생활을 침해받지 않고 평화로운 가정을 유지할 수 있으리라고 생각했기 때문이었다.

"후······."

세희는 시동을 끈 차 안에서 가만히 기지개를 켰다. 밤샘 작업으로 뭉친 근육이 통증을 호소했다. 연우가 틈만 나면 마사지로 풀어 주었지만, 며칠간 야근을 했더니 도로 돌아오고 말았다.

오늘 윤재는 서울 외곽의 스튜디오에서 촬영 스케줄이 있었다. 연우가 손수 데려다준다고 해서, 세희는 마음 놓고 일을 끝낼 수 있었다. 평소보다 일찍 퇴근한 덕에 아직 하늘도 밝았다.

'윤재가 좋아하겠지? 어제도 참 서운했을 텐데……'

어제 취소된 저녁 약속을 떠올리자 또다시 죄책감이 앞섰다. 연우도 얼마든지 괜찮다고 했지만, 내심 아쉬운 눈치였다. 세희가 새로운 브랜드를 런칭한 후부터 셋이 오붓하게 식사할 기회가 많이 사라졌으니 더욱 그럴 터였다.

'오늘은 꼭 같이 먹어야지.'

차에서 내린 세희가 시계를 확인하며 걸음을 옮겼다. 스튜디오 뒷문으로 들어가니 경비원이 다가와 인사를 건넸다. 그녀는 연우에게 받았던 문자 내용을 보여 주면서 관계자임을 증명한 다음, 은밀히 안쪽으로 들어갔다.

좁은 복도를 따라 걷다 보니 점점 밝은 조명이 나타났다. 그 끝에서 누군가 바삐 돌아다니다가 세희를 발견하더니 깜짝 놀라 소리쳤다.

"어머! 문…… 아니, 세희 씨!"

오늘 촬영을 도와주러 찾아온 한샛별 실장이었다. 그녀는 새하얀 스웨터 차림에 화장품 바구니를 들고서, 머리에는 사슴뿔 머리띠를 쓰고 있었다. 곧 크리스마스가 다가온다고 써 본 모양이었다.

오랜만에 마주한 상사의 얼굴에 세희도 반갑게 웃으며 다가갔다.

"잘 지내셨어요, 실장님?"

"나야 늘 잘 지내지. 어휴, 이제 문 팀장으로 못 부르니까 아쉽네."

세희가 퇴사를 고려하며 고민을 상담했을 때, 한 실장은 적극적으로 그녀를 지지해 주었다. 비록 아까운 인재이기는 하나 세희의 미래를 위해서 그 길도 괜찮다고 판단했기 때문이었다. 덕분에 세희는 안심하고서 자신만의 브랜드를 준비할 수 있었다.

"윤재 아빠는 대기실에 있어."

한 실장은 자연스레 연우의 위치를 알려 주면서 웃었다. 연우는 오전 내내 윤재의 매니저 역할을 맡았고, 훌륭히 수행했다는 사실도 일러 주었다.

"윤재 촬영은 아직 조금 남았어. 전체 화보는 다 찍었는데, 개인 사진이 있거든."

"조금 더 기다려야겠네요."

"그래도 하나 남았으니까 금방 끝날 거야."

호호호 웃음을 흘리던 한 실장이 대뜸 고개를 숙여 소곤거렸다.

"참, 유미도 촬영장에 왔어. 알고 있지?"

세희는 가볍게 고개를 끄덕였다. 사전에 윤재의 촬영에 관한 설명을 듣다가 우연히 알게 되었다. 유미도 이번 화보에 참여한다는 사실을.

아마 연우도 알고 있을 텐데, 어차피 마주칠 일이 없으니 따로 설명하지 않은 눈치였다. 세희도 그편이 마음 편했다.

"네, 알고 있어요."

딱히 신경이 쓰이지도 않았다. 연우는 쭉 대기실에 있을 테니, 두 사람이 마주칠 이유가 없었다.

게다가 지난번 윤재가 나들이옷 화보를 진행하면서 유미

와 함께 촬영한 적이 있었는데, 듣기로는 그녀가 다정하게 도와준 모양이었다.

"나야 이미 사과받고서 앙금 다 풀렸는데, 혹시 세희 씨는 불편할까 봐."

한 실장이 한숨과 함께 어깨를 으쓱였다. 픽시에서 벌였던 사고로, 그녀는 한동안 유미를 아는 척하지 않았다. 아마 유미가 먼저 사무실까지 찾아와서 사과를 건네지 않았더라면 평생 얼굴도 보지 않았을 터였다.

그러나 유미는 예상을 깨고서 직접 한 실장을 찾아와 사과를 건넸다. 세희에게도 사과를 건네려는 듯했지만, 그때마다 세희가 외근으로 자리를 비우느라 번번이 기회를 놓쳤다.

다만 그 사실이 세희에게도 전달되어 마음이 퍽 누그러진 상황이었다.

"아니에요. 저도 괜찮아요."

"그럼 다행이구…… 참, 나 이만 애들 화장 고쳐 줘야 해서 가 볼게. 대기실은 저쪽에 있어."

멀리서 한 실장을 찾는 목소리가 들리기 시작했다. 세희는 힘내라는 뜻으로 한 실장의 팔을 가만히 쥐었다가 놓아 주었다.

"감사해요."

"뭘, 나중에 같이 커피나 마셔."

한 실장은 한쪽 눈을 찡긋 감으며 부랴부랴 자리를 떴다. 세희는 천천히 주변을 둘러보면서 대기실이 있는 방향으로 이동했다. 사람들이 바쁘게 상자를 지고 나르며 세희의 곁을 지나쳤다.

"!"

한참 조심스레 사람을 피해 걷던 찰나, 세희는 막 휴게실에서 나오던 여자와 맞닥뜨렸다. 여전히 화려하게 아름다운 얼굴과 늘씬한 옷차림의 여자였다.

"아……."

세희를 발견한 상대도 놀란 얼굴로 입을 벌렸다. 세희의 표정도 그녀와 별반 다르지 않을 터였다. 상대는 배유미였으니까. 머리카락을 금발로 염색한 탓인지, 오늘따라 더욱 화려한 분위기가 느껴졌다.

두 사람 사이에 짧고 어색한 정적이 흘렀다.

세희는 어색하게 헛기침하며 목소리를 가다듬었다. 갑작스럽게 마주한 터라 어떤 표정으로 대해야 하는지, 무슨 말부터 꺼내야 하는지 알 수가 없었다. 눈치를 보던 유미가 슬그머니 말문을 열었다.

"윤재, 화보 촬영 잘했어요. 재능이 있더군요."

한 실장이 말했던 첫 번째 촬영 이야기였다. 갑자기 튀어나온 윤재의 칭찬에 세희의 얼굴이 환해졌다. 감정이 훤히 보이는 표정에 유미가 한마디를 더 덧붙였다.

"그쪽을 많이 닮아서 예쁜 아이였고요."

촬영장에서 윤재를 처음 보았을 때, 유미는 설명을 듣지 않고도 연우의 아이임을 단번에 알아차렸다. 확실히 아이는 연우를 쏙 빼닮아 있었다.

그러나 자세히 들여다볼수록 세희를 닮은 부분도 군데군

데 찾을 수 있었다. 특히 그 까맣고 반짝이는 눈동자가 그랬다. 엄마를 닮아서 순수하고 맑은 눈이었다.

"네?"

세희가 얼떨떨한 얼굴로 눈을 깜빡였다. 윤재를 본 사람들은 보통 연우를 닮았노라고 말하기에, 뜻밖의 평가였다. 윤재는 그야말로 연우의 얼굴을 거푸집으로 똑같이 찍어 낸 것처럼 생겼다고 할 수 있었다. 멀뚱히 바라보는 세희의 모습에 유미가 담담히 속삭였다.

"성격도 어른스럽고, 착하고…… 두 사람의 좋은 점만 가져온 것 같은 아이네요."

"그렇게 말씀해 주니 고마워요. 지난번 촬영 때 도와주셨다고 들었는데, 그 점도 감사하고요."

조곤조곤 대답한 세희가 살며시 미소 지었다. 따스한 미소에 당황한 유미가 움찔하더니, 머뭇거리며 입술을 열었다. 그동안 기회를 놓쳐서 꺼내지 못했던 사과였다.

"……그때는 미안했어요."

세희는 침묵했고, 유미는 차마 눈을 마주치지 못한 채 사과를 이었다.

"당신한테는 제대로 사과를 못 했었죠. 미안해요."

"이미 지난 일인데요, 뭐."

시간이 한참 흐르고 나니, 그때의 분노도 흐릿해졌다. 세희는 멋쩍게 미소 지으며 고개를 저었다.

"앞으로도 윤재 잘 부탁할게요."

"저, 저도요."

예상보다 따듯한 반응에 유미의 코끝이 조금 붉어졌다. 그녀는 서둘러 고개 숙여 얼굴을 가리고는, 마지막 인사를 건넸다.

"그럼…… 조심해서 가세요."

세희도 꾸벅 인사를 건네면서 그녀를 지나쳤다. 예상치 못한 사과를 받은 탓인지, 아주 오랜만에 옛 생각이 새록새록 떠올랐다.

돌이켜 생각해 보면 참 바보 같은 의심이었다. 연우는 그토록 저를 사랑한다, 원한다며 눈으로 외치기 바빴는데.

'그랬던 적도 있었지, 맞아…….'

유미가 아니었다면, 연우를 향한 제 마음을 확실히 자각하지 못했을지도 몰랐다. 그저 고마운 사람, 얽히지 않으면 안 될 인연 정도로 끝났을지도 모르고.

그런 점에서는 조금이나마 감사한 마음도 있었다. 유미 때문에 잠시 멀어진 시간도 있었지만, 그만큼 더 단단한 사이가 되었으니까.

똑똑, 세희는 대기실로 들어가기 전 문을 두드렸다. 들어와도 좋다는 대답을 듣고서 문을 열자 따뜻한 공기가 훅 끼쳤다. 대기실 한가운데 놓인 난로 앞 소파에 남자가 앉아 있었다.

촬영이 없는데도 깔끔한 니트에 코트를 입은 남자의 모습이 무척 멋있었다. 가만히 앉아 있을 뿐인데, 누가 봐도 모델처럼 묘한 분위기가 흘렀다.

'누구 남편인지 참 잘생겼네.'

세희는 소리 없이 웃으며 그 얼굴을 감상했다. 뒤이어 세희를 발견한 순간, 무심했던 남자의 표정이 순식간에 밝아졌다.

"여보?"

연우가 작게 중얼거린 말을 들었는지, 인형처럼 얌전히 안겨 있던 남자아이가 반색하며 꿈틀거렸다.

"아빠, 내려 주세요!"

사랑스러운 두 사람의 아들, 윤재였다.

"기다려, 윤재야."

연우가 웃음을 터트리면서 조심스레 아들을 내려 주었다. 겨우 땅에 발을 내디딘 윤재가 후다닥 세희를 향해 달려갔다. 겨우 반나절 떨어졌을 뿐인데, 윤재는 반가워하며 어쩔 줄 몰라 했다.

"언제 왔어요, 엄마?"

"방금 왔어. 아직 안 끝났다며?"

세희는 허리 숙여 자그마한 아이를 따듯하게 안아 주었다. 내내 연우의 품에 안겨 있었는지 윤재의 볼이 따끈따끈했다.

"나 칭찬 많이 받았어요."

"그랬어?"

"응, 응. 잘 찍었다고 사탕도 받았고, 또……."

윤재가 꼭꼭 감춰 둔 이야기보따리를 풀듯이 재잘거렸다. 꼭 참새가 눈앞에서 짹짹 우는 걸 구경하는 느낌이었다. 세희는 기특한 눈빛으로 아들을 보면서 미소 지었다.

윤재는 아직 어린데도 연우를 닮아 골격이 예쁜 덕분인지, 벌써 맵시가 남달랐다. 처음에는 윤재를 사랑하는 제 눈에만 그리 보이는 거겠지 싶었지만, 이윽고 아니라는 걸 알았다. 주변에서 윤재를 향한 칭찬이 쏟아졌기 때문이었다.

게다가 이 업계에서 일했던 연우의 설명으로도 재차 느낄 수 있었다. 윤재에게는 분명 모델의 재능이 있다는 사실을. 아빠를 닮아서 훤칠하게 자랄 거라는 걸 알리듯 다리도 또래보다 길었다.

"엄마도 윤재랑 같이 집 가려고 왔어. 오늘 셋이서 밥 먹자."

세희는 기분 좋게 생글거리며 윤재를 꽉 끌어안았다. 아이에게서 향긋한 비누 냄새가 풍겼다. 윤재가 사랑스럽게 웃으면서 그녀의 품에 매달렸다.

"정말요?"

"응, 정말."

윤재가 까르르 웃으며 볼을 마구 비볐다. 말랑하고 따듯한 볼에 쪽쪽 입 맞추던 세희가 고개를 돌렸다. 연우는 소파에 앉아 두 사람을 흐뭇하게 지켜보던 중이었다.

세희가 윤재를 품에 안고서 일어나자, 연우가 가까이 오라며 손짓했다. 아까부터 더 가까이 왔으면 했는데, 두 사람이 너무나 반갑게 인사를 나누고 있으니 차마 말을 건넬 수가 없었다.

"이리 와요."

세희가 황급히 다가가 옆자리에 앉으니, 무언가 입으로 쏙 들어왔다. 뭐냐고 물어볼 틈도 없이 연우가 검지로 세희의 아랫입술을 지그시 눌렀다.

세희는 무의식중에 입을 닫았는데, 곧바로 새콤달콤한 맛이 입 안을 가득 채웠다. 세희가 눈가를 찡그리면서 부르르 몸을 떨었다.

"맛있죠?"

귤이었다. 시원하고 달콤한 귤 향기에 세희가 눈을 반짝 빛내자, 연우는 그럴 줄 알았다는 얼굴로 잽싸게 하나를 더 까 주었다.

"아빠, 저도요!"

"그래, 윤재도 줄게."

귤을 받아먹는 윤재의 입술이 부리처럼 오물거렸다. 세희는 윤재와 함께 번갈아 귤 몇 알을 남김없이 받아먹었고, 입가를 닦아 주는 연우의 손길을 얌전히 받아들였다.

"오는 동안, 안 추웠어요?"

귤껍질을 멀찍이 치운 연우가 다정히 물었다. 처음 대기실로 들어왔을 때, 세희의 코끝이 발갛게 물들어 있어 신경 쓰이던 참이었다. 세희는 걱정하지 말라는 뜻으로 어깨를 으쓱였다.

"차 타고 와서 괜찮아요. 그리고 오늘 밤에 눈이 온다던데, 원래 그런 날이 덜 춥잖아요."

"눈이요?"

대화를 엿듣던 윤재가 초롱초롱한 눈빛으로 물었다. 세희는 아들의 볼을 살며시 꼬집으며 속삭였다.

"응, 아주 많이 온대."

"눈사람 만들고 싶다!"

"내일 아침에 만들자. 밤에 온다고 하니까."

와, 윤재가 환호성을 내지르며 폴짝폴짝 뛰었다. 세희는 기대심으로 가득한 윤재의 눈을 응시하며 웃었다. 함께 눈사람을 만들 계획이라도 세우는지 윤재의 표정이 금세 진지해졌다.

"연우 씨, 촬영 나갈게요!"

그때 스태프가 문을 열고서 소리쳤다. 드디어 윤재가 마지막 촬영에 들어갈 차례였다. 연우는 자리에서 벌떡 일어나며 윤재를 품에 안았고, 세희도 덩달아서 따라 일어났다.

"그럼, 다녀올게요."

쪽, 세희의 볼에 입 맞춘 연우가 씩 웃었다. 지켜보던 윤재가 왼손을 뻗었다.

"나도, 나도요."

"그래, 윤재도 엄마한테 뽀뽀해."

윤재가 제 아빠의 행동을 따라 하겠다며 허공에 발을 동동 굴렀다. 세희가 슬쩍 까치발을 들어 볼을 대 주었다. 아이의 간질간질한 입맞춤에 저절로 웃음이 나왔다.

"주차장에서 기다릴게요."

"대기실에서 기다려도 되는데."

"촬영 끝나면 다른 모델들도 올 테니까, 차가 더 편해서요."

세희가 문을 열어 주며 속삭이자 돌아본 연우가 당부했다.

"추우니까 차 안에서 기다려요, 꼭!"

단호한 목소리와 함께 연우의 모습이 사라졌다. 세희는

홀로 남아서 잠시 텅 빈 대기실을 바라보았다. 고작 두 사람이 사라졌을 뿐인데, 고요한 대기실이 적적하게 느껴졌다.

어서 윤재의 촬영이 끝나고 다 같이 즐거운 식사 시간을 가지고 싶었다.

그 정도의 소소한 일상만으로도 분에 넘치게 행복했으니까.

"엄마!"

운전석에서 기다리던 세희의 귓가에 반가운 목소리가 들려왔다. 그녀는 활짝 웃으며 반쯤 열린 차창을 바라보았다.

저 멀리 신나게 달려오는 아들의 모습이 보였다. 키즈 아웃도어 촬영 때 입었던 패딩과 털모자 차림 그대로였다. 추위로 빨개진 볼이 꼭 사과 같았다.

"우리 윤재, 고생했어. 춥지?"

세희는 황급히 문을 열고서 내린 다음, 윤재를 두 팔로 가득 안아 주었다. 발갛게 물든 볼이 안쓰러워 쓰다듬으니 윤재의 입꼬리가 빙그레 호선을 그렸다. 달덩이처럼 둥근 얼굴에 기쁨이 번졌다.

"으응, 안 추워요."

"얼른 들어가자. 붕어빵 먹을래? 아까 매점에서 샀는데."

"좋아요!"

달콤한 간식을 좋아하는 아이답게 활기찬 반응이 돌아왔다. 세희는 윤재를 뒷좌석 카시트에 앉힌 다음, 자그마한 손에 통통한 붕어빵을 하나 쥐여 주었다.

잠시 기다리라며 문을 닫고 돌아서니, 긴 코트를 입은 남자가 멀리서 걸어왔다. 연우가 윤재만큼이나 좋아 어쩔 줄 모르는 얼굴로 그녀를 보았다.

"여보, 수고했어요."

활짝 웃으며 외치는 세희의 모습에 저절로 미소가 튀어나왔다. 윤재의 순수하고 해사한 미소는 아마도 엄마를 닮은 것이리라. 연우는 하얀 입김을 내뱉으며 양팔을 벌렸다.

"보고 싶었어요."

저를 꽉 끌어안는 연우의 품이 따뜻했다. 세희는 지그시 눈을 감고서 그의 허리를 마주 안았다. 연우의 몸에서는 좋은 향기까지 풍겼고, 너무나 따뜻하여 떨어지고 싶지 않았다.

"나도…… 보고 싶었어요."

결혼하고 시간이 지나면, 사랑이 줄어든다는 말을 들은 적이 있었다. 세희는 그게 다 거짓이라고 생각했다. 아무리 생각해도 이 사랑이 줄어들 것 같지 않았다. 오히려 해마다 더 커지는 느낌만 들었으니까.

아침에 눈을 뜨고 연우의 얼굴을 볼 때면, 잠들기 직전 그의 입맞춤을 받을 때면 세상에서 가장 사랑받는 사람이 된 것만 같았다.

'나는 생각보다 욕심이 많아서, 당신의 미래를 온전히 함께하고 싶어요.'

'나한테 그 기회를 주면 좋겠어. 세상 누구보다도 당신을 행복하게 해 줄 자신이 있으니까…….'

'반드시 지금보다 더, 매일 새로운 행복을 선물해 줄 테니까. 당신이 내 미래를 온전히 소유해 줘.'

세희는 연우가 프러포즈할 때 했던 맹세를 잊지 않았다. 윤재를 낳기 전에도, 낳은 후에도 날마다 행복했다. 넘치는 사랑이 고마워서 때로는 눈물이 날 지경이었다.

물론 그런 생각을 지닌 건, 연우도 마찬가지였다. 연우도 세희를 통해서 이토록 하루가 즐거울 수 있다는 사실을 깨달았고, 매일 신기하고 새로웠다.

윤재와 세희, 그까지 셋이서 그려 나가는 일상이 그림이라면 분명 알록달록한 색채를 지니리라.

"오늘 정말로 시간 괜찮아요? 야근은?"

연우는 세희의 볼에 가벼운 입맞춤을 흘리며 넌지시 물었다. 어제까지만 해도 야근으로 눈코 뜰 새 없이 바쁜 시간을 보냈던 세희였다.

심지어 그토록 고대하던 가족 외식마저도 취소되고 말았다. 윤재는 울며 떼쓰는 대신 괜찮다고 말했지만, 두 사람은 내심 미안하던 참이었다. 윤재가 또래답지 않게 감정 기복이 심하지 않은 아이다 보니 더욱 신경이 쓰였다.

"다 끝내서 일찍 온 거예요. 오랜만에 같이 바깥에서 밥 먹으려고요."

세희가 씩 웃으면서 지갑을 꺼내 들었다. 연우가 그녀의 생일날 사 준 지갑이었는데, 열쇠고리에 세 사람의 가족사진이 박혀 있었다. 연우의 만족스러운 시선이 열쇠고리에 닿았다.

"오늘은 내가 살게요. 뭐 먹을까요?"

뿌듯하게 외치는 세희의 눈가가 반달처럼 접혔다. 길게 찰랑대며 흔들리는 그녀의 머리카락을 조심조심 넘겨 주던 연우가 씩 웃었다. 오랜만에 세희와 함께 식사할 수 있다니, 출발하기도 전에 웃음부터 튀어나왔다.

"윤재가 짜장면 먹고 싶다던데, 중식당으로 가죠."

생각보다 저렴한 음식이었는지, 세희가 두 눈을 동그랗게 뜨며 반문했다.

"짜장면이요? 더 비싼 음식 먹어도 되는데……."

머뭇머뭇 건넨 말에 연우가 바람 빠지는 소리를 내며 웃었다. 대체 얼마나 비싼 음식을 사 주려고 했는지, 눈빛에 아쉬움이 가득하여 귀여웠다.

"더 비싼 건 나중에 둘이서 먹어요. 나도 짜장면 오랜만에 먹고 싶었으니까 괜찮아요."

"그래도……."

"배고프죠? 빨리 가요, 우리."

연우는 세희의 어깨를 다정하게 감싸고서 자동차를 향해 걸어갔다. 차창에 달라붙어 얼굴을 내밀던 윤재가 두 사람을 향해 방긋방긋 웃었다.

"엄마, 아빠! 얼른 오세요!"

"윤재야, 추우니까 창문 닫아. 감기 걸려!"

세희가 후다닥 달려가며 소리쳤다. 윤재를 챙기느라 세희의 손길이 부지런하게 움직였다. 그 뒷모습을 바라보던 연우는 뿌듯하게 가슴을 채우는 기쁨을 느꼈다.

어머니가 지금 이런 제 모습을 본다면, 얼마나 기뻐할까.

아버지 없이 살아가던 연우가 외로울세라 살뜰히 보살피던 어머니의 모습을 떠올리니 절로 눈시울이 붉어졌다. 연우는 길게 입김을 내쉬면서 슬픈 생각을 멀리 날려 보냈다. 그토록 원하던 행복이 손으로 들어왔으니, 더는 과거의 슬픔에 매여서 지낼 필요가 없었다.

"아빠, 어서 오라니까요!"

"응, 갈게!"

윤재의 재촉에 연우가 씩 웃으며 걸음을 옮겼다. 운전석의 손잡이를 잡은 순간, 눈앞으로 하얀 형체가 흩어졌다. 그는 놀라서 고개를 들었다.

하늘을 보니, 어느새 눈이 소복소복 내리고 있었다.

간만에 가족끼리 보낸 외식이 즐거웠는지, 윤재는 짜장면을 먹는 동안 종알종알 말을 쉬지 않았다.

평소 말수가 적은 편이었기에 오늘의 외식 자리가 얼마나 즐거웠는지 여실히 드러났다. 연우와 세희는 윤재의 이야기에 집중하며 귀 기울여 주고, 때로는 웃어 주면서 열렬히 반응했다.

윤재는 더욱 신이 났는지 집으로 가는 차 안에서도 이야기를 멈추지 못했다. 그렇게 집에 도착한 다음 깨끗하게 씻자마자 기절하듯 드러누웠다. 연우가 윤재를 토닥여 주며

재우는 동안, 세희도 샤워를 끝마쳤다.

"후…….."

가장 마지막에 욕실로 들어갔던 연우가 잠옷을 입은 채 밖으로 나왔다. 바싹 말린 머리칼이 부스스 흔들리며 눈가를 가렸다. 문을 열자마자 침대에서 책을 읽다가 잠든 세희가 보였다.

'또 읽다가 잠들었구나.'

연우는 살금살금 다가가 세희의 손에서 책을 빼내 탁자에 내려놓았다. 요즘 향수에도 관심이 생겼는지, 조향에 관한 책이었다.

다음으로 안경을 벗겨 주는데, 세희의 콧대에 울긋불긋하게 남은 자국이 보였다. 안타까움에 손끝으로 그 자리를 살며시 문지르자 세희가 낮게 신음하며 뒤척였다. 연우가 찡그린 미간에 입을 맞추니 표정은 금세 편안하게 풀어졌다.

연우는 그 앞에 앉아서 잠든 세희의 얼굴을 오래도록 관찰했다. 바깥에서 소복소복 쌓이는 눈 소리가 들릴 정도로 고요한 밤이었다.

"여보."

"……."

"세희야."

"……."

"자요?"

연우는 연거푸 세희의 이름을 불러 보았다. 대답이 돌아오지 않으니 이상한 불안감이 고개를 들었다. 그녀와 함께 살며 아이까지 낳았는데도, 가끔은 이 모든 일이 꿈처럼 느껴질 때가 있었다.

만약 자신이 세희를 만나지 못했더라면 어떻게 지냈을까. 과연 이 고요한 겨울밤을 외롭지 않게 보낼 수 있었을까.

연우는 허공을 올려다보며 지난 기억을 복기했다. 텅 빈 방에서 홀로 보냈던, 수많은 겨울밤이 떠올랐다. 여러 생각이 오가는 가운데, 희미한 목소리가 귓가에 닿았다.

"음…… 다 씻었어요?"

어느새 잠에서 깨어난 세희가 눈가를 비비며 물었다. 연우는 그녀의 옆자리로 다가가며 손을 뻗었다. 세희는 습관처럼 그의 손바닥에 슬며시 뺨을 기댔다.

"졸려요?"

"조금…… 어제 피곤했던 게 아직 안 풀렸나 봐요."

"내일은 주말이니까 같이 푹 늦잠 자요."

연우의 말에 세희가 배시시 웃었다. 일주일 만에 맞이하는 휴일이었다. 회사에서 가져온 일거리도 없으니, 내일은 연우와 오붓하게 주말을 보낼 생각이었다. 물론 윤재도 함께.

"좋아요."

연우가 이불을 덮으려던 그때였다.

"엄마, 아빠……."

자그마한 목소리가 두 사람의 귓전을 때렸다. 깜짝 놀란 두 사람이 고개를 돌렸다. 윤재가 눈시울이 붉어진 채, 베개를 들고 서 있었다.

"윤재야? 왜 그래?"

세희가 어안이 벙벙한 얼굴로 문가를 바라보았다. 윤재는 언제부터 서 있었는지 작게 몸을 떨고 있었다.

"나 이상한 꿈 꿨어요."

워낙 잠투정도 없는 아이라 이런 일은 처음이었다. 잠에서 깨어난 것도 모자라 부모의 침실까지 들이닥친 건.

"이상한 꿈?"

연우가 황급히 침대 아래로 내려가 윤재를 안아 들었다. 윤재는 아빠의 어깨에 손을 두른 채, 그제야 안도감이 드는지 숨을 길게 내쉬었다.

세희는 가까이 오라며 옆자리를 탁탁 두들겼다. 그곳에 윤재를 내려놓은 연우가 걱정스러운 눈빛을 보냈다. 무서운 꿈이라도 꿨는지, 윤재의 얼굴에 수심이 가득했다.

"무슨 꿈을 꿨길래 그럴까, 우리 아들?"

"토끼."

윤재가 풀 죽은 목소리로 답했다. 영문 모를 대답에 세희가 고개를 기울였다. 더 말해 보라며 머리를 쓰다듬으니, 윤재가 재잘재잘 자세한 내용을 들려주었다.

"엄청 예쁜 분홍색 토끼가 나한테 뛰어왔어요."

"분홍색 토끼가?"

"응, 너무 작아서 밟을까 봐 무서웠는데……."

윤재가 고사리 같은 손을 이리저리 움직이며 열심히 설명했다.

"갑자기 내 앞에서 사라졌어요. 그런데 꿈이었어요."

"그랬어?"

"토끼, 죽은 거면 어떡해요?"

아무래도 갑자기 사라진 꿈속의 토끼가 걱정된 모양이었다.

"아니야, 토끼가 왜 죽어."

세희는 윤재를 품으로 끌어당기며 조곤조곤 달래 주었다. 화보를 촬영할 때는 지나치게 어른스러운가 싶었는데, 이럴 때 보면 또 순수한 면이 있었다.

"갑자기 사라져서……."

"잠깐 놀러 가느라 사라진 거야. 괜찮아."

세희는 윤재를 품에 꼭 껴안고 등을 토닥여 주었다. 윤재는 엄마의 품에 안기고서야 고개를 끄덕이며 훌쩍임을 그쳤다.

그사이, 연우와 세희는 짧게 당황한 눈빛을 주고받았다. 공교롭게도 세희가 윤재를 가졌을 때, 한샛별 실장이 꾸고 알려 줬던 꿈과 비슷한 내용이었기 때문이었다.

'참 신기하지. 글쎄, 그렇게 예쁜 호랑이는 처음 봤다니까? 아직 어려서 무섭지도 않고, 털가죽이 별처럼 반짝이는 거야.'

'호랑이요?'

'내 품에 쏙 안겼는데, 내가 그걸 다른 사람한테 건네줬고…… 그게 세희 씨였어! 혹시 태몽은 아니겠지?'

설마…… 세희는 아찔한 생각에 고개를 가로저었다. 그때도 혹시나 했는데 정말로 임신했다는 게 밝혀져서 얼마나 놀랐던가. 다시 생각해도 신기한 경험이었다.

"윤재야, 자니?"

연우가 윤재의 머리를 가만가만 쓰다듬다가 물었다. 그새 잠에 빠져든 윤재가 대답 대신 색색 숨소리를 내뱉었다. 그는 이불을 끌어다 아들의 목 끝까지 따듯하게 덮어 준 다음, 세희와 눈을 맞추었다.

"연우가 신기한 꿈을 꿨네요."

연우는 심각하게 생각하지 않는 눈치였다. 세희는 윤재의 뽀얗고 흰 볼을 손등으로 쓸어 보다가 작게 물었다.

"둘째가 생긴 건…… 아니겠죠?"

뜻밖의 질문에 연우가 고개를 갸웃했다. 최근까지는 분명 조심했으니, 그럴 일은 없을 터였다. 어쩌면 곧 생긴다는 뜻일 수도 있겠지만 말이다.

"윤재 동생 있으면 어떨 것 같아요?"

연우의 침묵을 오해한 세희가 조심스레 물었다.

"당연히 좋겠죠."

연우는 고개 숙여 그녀의 볼에 입술을 문질렀다. 보드라운 피부가 금방 발갛게 물들었다.

만약 둘째가 생긴다면, 이번에는 세희를 닮은 아이였으면 좋겠다는 생각이 앞섰다. 세희를 닮은 아이라면 아들이든, 딸이든 윤재만큼이나 예쁘고 사랑스러울 테니까.

"하지만 나한테는 당신 의사가 더 중요하니까."

예상대로 다정한 대답이 돌아왔다. 세희는 용기를 내서 솔직하게 중얼거렸다.

"나는 사실…… 좋아요."

"좋다고요?"

"윤재한테 형제가 있었으면 했거든요."

윤재를 낳았을 때, 세희는 가족이 생긴 기쁨을 다시금 느낄 수 있었다. 과거 아이를 떠나보냈던 상처도 윤재로 인하여 치유했다. 아이를 한 명 더 낳는다면 지금보다 훨씬 더 행복한 순간이 만들어질 터였다.

"외동으로 자라서 형제가 있으면 어떤 느낌일지, 내심 궁금하기도 했고."

세희는 할머니와 함께 보냈던 어린 시절을 회상했다. 그때 동생이나 언니, 혹은 오빠가 있었더라면 어땠을까. 적어도 외로운 시기를 함께 견디는 데 도움이 되었을지도 몰랐다.

"혼자보다 둘이 낫지 않겠어요?"

"그럴 수도 있겠네요."

그녀의 말에 연우도 동의하듯 고개를 주억거렸다. 그는 진혁과 이복형제이긴 했지만, 딱히 우애를 느끼지 못하고 자라났다. 그래서 사이좋은 형제를 보면 약간의 동경이 샘솟곤 했다.

"그럼…… 윤재한테는 당분간 아빠가 못 놀아 줄 것 같다고 해야겠네."

연우가 얄궂게 속삭이며 머리칼을 넘겨 주었다. 세희는 의아한 눈빛으로 그를 보았다.

"네? 왜요?"

"엄마 아빠, 동생 만들어야 하니까 바쁘다고 설명해야…… 앗!"

옆구리를 꼬집는 힘에 연우가 펄쩍 뛰었다. 세희는 꼬집던 걸 멈추고, 대신 그의 옆구리를 간질이면서 눈을 흘겼다.

"애 앞에서 그런 농담 하지 마요."

"농담 아닌데?"

"앗, 잠깐만…… 윤재 깨요!"

곧장 반격이 시작되었다. 허리를 간질이는 손길에 세희도 덩달아 웃음을 터트렸다. 허리를 비틀며 피할 때마다 끌어안은 힘이 강해졌다.

두 사람은 사이에 낀 윤재가 깨어나지 않도록 조심하며 겨우 웃음을 갈무리 지었다. 서로의 눈을 응시하며 미소 짓는 순간이 꿀처럼 달콤했다. 연우는 세희의 말간 눈을 뚫어지게 바라보다가 나직이 고백했다.

"사랑해요."

"……."

"이 집에서 다 같이 있는 순간, 가끔은 꿈 같을 때가 있어요. 지금도 그렇고."

모친과 단둘이 살았을 때 겪었던 과거의 외로움은 쉽게 잊히지 않았다. 그래서 지금의 행복이 더욱 마법처럼 느껴졌고, 하룻밤 사이에 사라질까 두려웠다.

세희는 그의 불안을 읽고서 다정하게 손을 쓰다듬었다. 그 불안은 그녀도 잘 알고 있는 감정이었다. 부모님이 세상을 떠나고, 할머니마저 떠나고, 아이마저 잃었을 때도 느꼈던 감정이었으니까.

"알잖아요. 꿈 아니에요."

하지만 이제는 알고 있었다. 더는 그 어떤 불행도 지금의 행복을 망가트리진 못하리라. 사람에게 행복과 불행의 총량이 정해져 있다면, 세희는 이제 더 불행할 일이 없으리라고 단언할 수 있었다.

시간까지 되돌려 가면서 운명을 바꾼 사람이 몇이나 될까.

이건 분명 반드시 행복해지라는 신의 자비가 틀림없었다. 연우를 만나고서야, 세희는 신이 제게 두 번째 기회를 내어 준 것이라고 믿게 되었다.

"전부 다 현실이에요."

세희는 재차 자기 생각을 확신하면서 연우의 말간 눈을 뚫어지게 바라보았다. 가지런히 접힌 연우의 눈가에 발간 기운이 돌았다.

"응, 알아요."

연우에게서 낮게 잠긴 대답이 돌아왔다. 세희는 그의 눈가에 비친 눈물을 모른 척하며 양손을 뻗었다. 남편의 뺨을 단단히 붙잡고 끌어당긴 후, 조심스레 입술을 겹쳤다. 보드라운 입맞춤 사이로 달뜬 숨이 짧게 오갔다.

연우는 벅찬 마음에 세희를 품에 안고서, 그 사이에 누운 윤재를 내려다보았다. 곤히 잠든 아들의 모습에 세희도 사르르 눈을 감았다.

'그래, 꿈이 아니야.'

연우는 행복한 풍경을 수차례 눈에 담으며 웃었다. 그 어떤 일도 지금의 행복을 깨트릴 수는 없었다. 자신이 두 사람을 반드시 지켜 낼 테니까.

한겨울임에도 너무나 따듯한 밤이었다.

외전 2 :
Bitter-Sweet, Memories

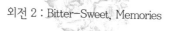

외전 2 : Bitter-Sweet, Memories

차진혁은 아직도 그날을 잊을 수 없었다.

아마 시간을 되돌릴 기회가 주어진다면, 그는 망설이지 않고 그때를 선택했으리라.

숨이 턱턱 막히게 무더운 여름이었다.

이름도 모르는 남자가 손에 쥐여 주었던 막대 사탕에서는 달콤하면서도 쌉쌀한 청포도 맛이 났다.

진혁은 끈적하게 녹아서 제 손등마저 적시는 사탕을 가만히 주시하다가 미련 없이 땅에 내던졌다.

단내를 맡은 개미가 그 자리에 웅덩이 고이듯 모이는 걸 지켜보는 동안, 그의 어깨 위로 조금씩 노을이 내려앉았다.

"진혁아."

멀리서 새빨간 원피스를 입은 여자가 다가왔다. 그의 모친, 황남윤이었다.

"엄마랑 가자, 괜찮아. 지금부터 네 아빠를 만나러 갈 거야."

"……."

"예의 바르게 인사드리고, 알았지?"

저를 쳐다보지도 않고 다그치는 황남윤의 모습에 진혁이 고개를 끄덕였다. 아빠를 만나러 간다는 그 말이, 생부를 소개해 준다는 뜻이 아니라는 걸 알고 있었다.

생부라고 짐작했던 남자는 이미 막대 사탕을 건네준 후 자리를 떠났으니까. 그래도 상관없었다. 지금까지 그런 것 따위 몰라도 잘 자랐으니까.

"네."

진혁은 황남윤의 손에 끌려가 두 번째 아버지를 만났고, 자라나면서 어릴 적의 기억을 대부분 잃어버렸다.

차강 그룹 후계자로 살기 위해서 쓸데없는 기억을 버리라고 요구당했기 때문이었다. 황남윤은 어떻게든 그를 후계자로 만들기 위하여 온갖 노력을 아끼지 않았다.

하지만 진혁이 열네 살 무렵, 황남윤의 노력에도 불구하고 그 아이는 기어이 이 집안에 돌아오고 말았다.

'아…… 안녕하세요. 서연우입니다.'

현관으로 들어오던 연우를 처음 마주하던 날, 진혁은 본능적으로 경계심을 품었다. 언젠가 그의 이복동생이 누리게 될지도 모를, 모든 게 탐이 났다. 그 모든 걸 빼앗아 제 것으로 만들고 싶었다.

그래야만 이 거짓으로 쌓아 올린 탑에서 제 자리를 굳건히 지켜 낼 수 있으리라고 생각했다. 어린 나이였음에도 진혁은 그 사실을 잘 알았다.

누군가 그에게 만족을 모른다고 욕해도 좋았다. 남의 것을 독식하는, 비열한 인간이라고 불러도 좋았다. 이 불완전하고 아슬아슬한 자리를 지키기 위해서라면, 그는 뭐든지 할 준비가 되어 있었다.

하지만 어디까지나 개인의 노력일 뿐이었고, 거대한 명령 앞에서는 복종하여 무릎을 꿇을 수밖에 없었다. 바로 지금처럼.

"그건 연우의 물건이다."

우연히 거실로 나온 연우가 진혁이 로봇을 조립하던 모습을 발견한 날이었다. 멀리서 조용히 구경하던 연우가 주춤하며 물러났고, 진혁은 차 회장의 말 한마디에 망설임 없이 로봇에서 손을 떼었다.

"괘, 괜찮아요."

연우가 황급히 고개를 저었다. 이미 로봇을 구경할 마음 따위 먼지처럼 사라졌건만, 차 회장은 아랑곳하지 않고 진혁에게 다가가 그것을 빼앗았다.

"원하면 하나 더 줄 테니, 편히 말하렴. 연우야."

차 회장은 진혁에게서 빼앗은 로봇을 억지로 연우의 손에 쥐여 주며 웃었다. 다정한 아버지의 모습을 연기하는 그의 태도가 연우에게는 기만으로 다가왔다.

'형 물건인데…….'

진혁은 제자리에 못 박혀 선 채, 무표정한 얼굴로 차 회장의 뒷모습만 주시했다. 순간적으로 그가 어떤 의지조차 존재하지 않는 인형처럼 느껴졌다.

유리알처럼 까만 눈동자가 일순간 반짝이더니, 거친 감정을 말끔하게 갈무리하고 평소처럼 돌아갔다. 집착하지 않는 이복형의 모습은 오히려 아이답지 않아 두려웠다.

그날 저녁 연우는 로봇을 다시 진혁에게 돌려주고서 악몽을 꾸었다. 그리고 다음 날 아침, 박살 난 채 쓰레기통에 버려진 로봇을 보았다.

그날부터 연우는 절대로 진혁의 물건을 쳐다보지도, 근처에 머무르지도 않았다.

그날을 기점으로 진혁의 생활은 더욱 달라졌다.

시간이 흘러 청소년을 지나, 성인이 되고서도 피로한 생활이 이어졌다. 깊은 열등감과 질투에 휩싸여 언제나 월등한 성적을 받아 오는데도 만족할 수가 없었다.

저와 달리 온전하게 후계자 자격을 받았으면서, 자유롭게 살아가려는 연우에게도 강한 거부감을 느꼈다.

이후 연우가 독립을 선언하고, 후계자 자리에 관심이 없다는 걸 밝히고서야 열등감의 덫에서 풀리는 듯했다. 그날이 닥치기 전까지는.

"부사장님, 조사한 자료입니다."

"이리 주세요."

부사장 자리에 올랐던 스물아홉. 진혁은 우연히 거래처에서 자신과 무척 닮은 중년의 남성을 마주쳤다. 조사하여 알고 보니, 그는 황남윤의 경호실장이었던 사람이었다. 조사받은 서류를 살피자 어쩐지 눈에 익은 이름이 들어왔다.

'……우재헌?'

가장 신속하고 간단한 의심이 고개를 들었지만, 그는 애써 무시했다. 차마 두려움에 유전자 검사도 신청하지 못했다.

막연한 의심이 점점 크기를 키우며 그의 여유를 잡아먹었지만, 후계자의 자격조차 강탈당할까 두려워 밝히지 못했다. 다만 의심이 확신에 가까워질 때쯤, 어째서 차 회장이 저보다 연우를 더 원했는지 이해하기 시작했다.

자신의 친부가 따로 있다는 것도, 차강태의 친아들은 연우뿐이라는 것도 믿기 힘들었으나 직감은 그것이 사실이라 외쳤다. 다 알면서도 어떻게든 이 집안에서 살아남고자 아등바등 몸부림쳤다.

'안녕하십니까, 부사장님. 문세희라고 합니다.'

그렇게 서른을 맞이했고, 송도 신사옥에서 세희를 만났다.

처음 만났을 때는 그저 몸이 약할 것 같은 여자라고 생각했다. 늘 무표정한 얼굴에 차분한 태도, 나직한 목소리가 처연한 분위기를 자아냈으니까.

그러다가 부산 포럼 참석을 위해 출장을 갔을 때, 회식 자리가 끝나고 술에 잔뜩 취한 세희를 숙소까지 데려다주다가 인연이 시작되었다. 몸이 약하면서도 독하게 일에 매진하는 그녀의 모습에서 제 모습을 겹쳐 보기 시작한 것이다.

'세희 씨는 왜 그렇게 열심히 삽니까?'

대수롭지 않게 던진 물음에도 세희는 성실하게 대답했다.

'제가 인정받는 느낌이 좋아서요.'

아마 그때부터 차진혁은 문세희에게 반했을지도 몰랐다. 어쩌다가 세희를 마주칠 때마다 시선을 빼앗겼고, 그녀의 일거수일투족에 관심이 쏠렸으니까.

난생처음 느끼는 감정에 당황할 겨를도 없이, 그는 우연히 피오레 코스메틱 여수 행사장에서 세희와 연우가 대화를 나누는 모습을 목격했다.

그 순간 진혁의 머릿속을 가득 채운 건, 아주 오래전부터 묻으며 자라났던 질투였다. 두 사람이 긴 대화를 나눈 게 아니었음에도 막연한 위기감이 진혁을 덮쳤다.

이번에야말로 빼앗길 수 없다고 생각했다. 빼앗기지 않으려면, 먼저 손을 뻗어야 한다고 생각했다.

'좋아합니다, 세희 씨.'

'부사장님. 방금…… 뭐라고 하셨어요?'

'나와 교제해 주셨으면 합니다.'

눈이 내리던 겨울날, 진혁은 충동적으로 세희에게 마음을 전했다. 일 년의 연애와 받아들여진 청혼은 그에게 잠시나마 행복을 맛보게 해 주었지만, 더불어 초조하게 몰아붙였다. 부모가 원치 않는 결혼을 함으로써 승진에 발목이 잡혔으니까.

하지만 진혁은 이 행복의 조각을 조금이라도 잃고 싶지 않았다. 만약 모든 게 밝혀져 제 권위가 하루아침에 무너지고, 삶의 의미마저 사라지더라도.

그래도 세희만은 지켜서, 그녀에게 인정받고 싶었다. 차강 그룹의 차진혁이라는 이름으로 그녀를 더 높은 자리에 올려 주고 싶었다. 사장이 된 후에는 사업 실적을 쌓고자 고군분투하며 더욱 정신없이 시간이 흘러갔다.

"여보, 사탕 먹을래요?"

진혁은 오랜만에 집으로 들어왔지만, 아직도 남은 일이 쌓여 서재에 있었다. 한참 서류를 정리하던 중에 세희가 조심스레 문을 열고 들어왔다. 그녀의 손에 자그마한 사탕이 놓여 있었다.

"사탕? 애도 아니고."

"아주머니가 두고 가셨는데, 먹어도 된다고 해서요. 어릴 적에 많이들 먹던 건데……."

진혁은 안경을 벗고서 콧대를 꾹꾹 문질렀다. 가까이 오라는 손짓에 세희가 발소리도 없이 다가왔다.

"당신이 먹여 줘."

세희는 작게 웃었다. 임신으로 힘겨운 와중에도, 수척한 얼굴에 미소가 번지면 그토록 아름다울 수가 없었다.

며칠 만에 겨우 본 남편의 얼굴을 소중하게 내려다보며, 세희는 사탕을 건네주었다. 근사한 얼굴의 남자가 사탕을 받아먹는 모습이 조금 낯설고 사랑스러웠다.

"어때요?"

진혁은 말없이 입 안의 사탕을 굴렸다. 익숙하고, 또 싫은 맛이었다. 그는 구태여 긴 설명을 건네지 않고서 짧게 설명했다.

"……청포도 맛이 나."

"바로 맞혔네요."

세희가 빙긋 웃으며 그를 따라 사탕을 입에 넣었다. 불룩 튀어나온 오른쪽 뺨이 귀여웠다. 진혁은 멍하니 그 자리를 바라보기만 할 뿐, 차마 손도 대지 못했다.

세희가 임신했다는 걸 알게 된 후부터 최대한 건드리지 않고자 노력 중이었다. 닿기만 해도 욕정이 일어나는 까닭에. 그렇지 않아도 몸이 약한 세희를 힘들게 몰아붙이고 싶지 않아서, 그는 필사적으로 정욕에 저항했다.

"일하는데 너무 시간을 뺏었네요. 미안해요."

유심히 지켜보던 표정을 오해한 세희가 허둥지둥 일어났다. 진혁은 무감한 얼굴로 아쉬움을 곱씹었다. 더 이야기를 나누고 싶었지만, 공교롭게도 할 일이 태산이었다.

"아냐."

"따듯한 차라도 드릴까요?"

"괜찮아. 당신은 이만 쉬고 있어."

세희가 씁쓸한 얼굴로 사라진 후, 진혁은 한참 읽던 서류를 치워 두고서 눈을 감았다. 달콤하고 씁쓸한 맛에 순간적으로 생부와 얽힌 옛 기억이 떠올랐다.

왜 잊고 있었을까, 이 엄청난 일을. 세희와 결혼하고 잠시 잊었던 문제가 머릿속으로 떠오르니, 자연스레 기분이 가라앉았다.

'이대로는 안 돼.'

진혁은 이를 악물었다. 혀에 찝찝하게 남아 감도는, 달콤하고 쌉쌀한 맛을 애써 지워 냈다. 행복의 단맛을 느꼈으니 그 대가를 치를 때였다.

세희와 결혼하며 잃어버린 차 회장의 신뢰를 어떤 식으로든 다시 받아 내야 했다. 그렇지 않으면, 언젠가 이 자리를 연우에게 빼앗길지도 모르니까. 그리하여 세희의 행복마저 잃게 할 수는 없으니까.

잠시 숨을 돌리면, 한눈을 팔면 손바닥 사이에서 모래알처럼 흩어지는 행복을 붙잡고자 애를 썼다.

진혁은 최선을 다해 고객을 확보하고, 지점을 늘리고, 해외로 상품을 수출했다. 간신히 노력하며 매달린 끝에 차 회장이 그나마 인정할 정도의 지분은 확보할 수 있었다.

모든 게 잘 이루어지고 있었다. 진정한 행복의 문턱도 조금만 있으면 닿을 듯했다.

차디찬 겨울날, 사랑하는 세희가 교통사고로 세상을 뜨기 전까지.

"세희야!!"

사고가 벌어진 날, 진혁은 회의를 진행하느라 아무런 연락도 확인할 수 없었다. 뒤늦게 세희가 남몰래 외출했다는 말을 듣고 이리저리 찾아 뛰었지만, 그가 도착했을 때는 이미 트럭에 치인 후였다.

"세…… 세희야?"

끔찍하게 갈라진 목소리가 허공으로 흩어졌다. 비틀비틀
다가가 주저앉은 자리에 이미 핏자국이 흥건했다.

주변에 몰려드는 인기척을 느끼면서도, 진혁은 기어이 떨
리는 손으로 세희를 안아 들었다. 얼굴도 알아보지 못할 만
큼, 통증으로 일그러진 아내의 얼굴에 말라붙은 눈물 자국
이 보였다.

사고가 나기 전부터 울었을까. 아픔으로 인한 눈물이 아
니라면, 무엇으로 인한 눈물이었을까.

진혁은 숨 막힐 듯 조여드는 가슴의 통증에 이를 악물었
다. 누군가 제 목을 조르는 것처럼 괴로웠다. 갑작스러운 한
기와 함께 새하얗게 질린 손으로 세희의 어깨를 흔들었다.
축 늘어진 머리가 무력하게 흔들렸다.

"세희야, 일어나! 세…….”

다급하게 속삭이는 찰나, 세희의 손목에서 무언가 굴러떨
어졌다. 진혁의 시선이 자연스레 그곳으로 이동했다.

깨진 시계였다. 결혼한 이후, 진혁이 선물해 주었던 시계
였다.

너무나 당황스러운 풍경 앞에서 울음조차 나오지 않았다.
모든 게 거짓말 같았다. 거짓이어야만 했다.

툭, 고장 난 시계의 시침이 멈추었다.

며칠간은, 그저 악몽이라고 생각했다.

차진혁은 시체처럼 잠도 자지 않고, 밥도 먹지 않고서 세희의 장례를 치렀다. 세희의 가족조차 찾아오지 않아서 외롭고 쓸쓸한 장례식이었다.

소식을 듣고 온 연우가 위로를 건네긴 했지만, 괜찮아지기는커녕 분노가 치솟았다. 애꿎은 분노의 방향이 연우를 향하기 전에 진혁은 스스로 자기 자신을 고립시켰다.

*'진혁아, 너 왜 이러니. 대체 왜 이래, 응?'*

황남윤은 시도 때도 없이 찾아와 반송장이 된 아들의 모습을 보며 울부짖었다. 억지로 입에 무언가를 넣어 줘도 죄다 토하는 아들의 모습이 비참하기 짝이 없었다.

차 회장은 기다렸다는 듯이 그의 빈자리를 메꾸고자 연우를 찾기 시작했다. 물론 연우는 어딘가로 사라져 완벽히 자취를 감춰 버렸다.

"……."

며칠이 지났을까.

차진혁은 처음으로 몸을 일으켜 깨끗하게 씻었다. 세희의 방을 이대로 둘 수 없었다. 혹시 제게 남긴 말이 있지는 않을지 궁금했다.

아이를 잃은 슬픔에 저를 원망하는 말이라도 남겼다면, 그 역시 받아 줘야 한다고 생각했다. 그렇게 세희의 화장대를 정리하다가 자그마한 편지를 발견했다. 예상대로, 세희의 필체였다.

[당신을 저주하지 않아요. 대신, 당신을 사랑했던 나를 저주해요.]

끝까지 자기혐오에서 벗어나지 못했던 세희의 글귀를 본 순간.

그제야 참았던 눈물이 뜨겁게 볼을 적시며 흘러내렸다. 숨도 쉬지 못하고, 그는 눈물을 흘리며 더듬더듬 편지를 읽어 나갔다.

저주의 말도, 원망의 말도 적히지 않은 편지의 마지막 문장은 부탁이나 다름없었다.

[다시는 우리, 사랑하지 말아요.]

진혁은 편지를 품에 안고서 오열했다. 온몸을 갈기갈기 찢는 듯한 통증이 밀려오고, 정신을 차릴 수가 없도록 괴로웠다.

세상은 언제나 제게만 잔인하다고 생각했는데, 정작 자신은 세희에게 어떤 짓을 하고 있었나.

'괜찮아. 아이는 또 가지면 돼.'

아이를 잃었던 세희에게 자신은 어떤 말을 지껄이고자 했던가. 그저 목소리 한 번 듣고파 연락하던 아내에게, 뭐가 그리 바쁘다고 답장 한 번 하지 못했나.

"세희야……."

그는 세희의 은시계를 손에 쥐고서 욕실로 향했다. 처음 만났던 날, 세희가 넋을 잃고 보았던 정장 차림으로 욕조에 앉아 허공을 보았다.

그새 야위어 버린 손목을 보니 무엇을 해야 하는지, 계획이 점점 분명해졌다.

'만약, 과거로 돌아갈 수만 있다면…….'

그는 마지막 소망과 함께 천천히 눈을 감았다.

"……장님, 사장님."

누군가 진혁의 어깨를 흔들었다. 진혁은 어깨를 짓누르는 피로와 나른함에 저항하며 간신히 눈을 떴다. 흐릿한 시야 너머로, 저를 걱정하며 내려다보는 남자의 표정이 보였다.

"아…… 김 실장."

진혁은 마른세수와 함께 상체를 일으켰다. 소파에 잠깐 앉았던 사이, 깜빡 잠이 들어 버렸다. 옛꿈을 꾼 덕분인지 오랜만에 깊이 잘 수 있었다. 짧았지만, 그만큼 상쾌한 잠이었다.

무릎에는 잠들기 직전까지 살피던 서류 몇 장이 놓여 있었다. 피오레 코스메틱에 관한 서류, 그리고 우재헌에 관한 서류였다.

진혁은 조만간 우재헌을 만나서 대화를 나눠 보기로 했다. 황남윤의 밑에서 자라느라 듣지 못했던, 생부의 이야기가 궁금했다.

저와 황남윤을 떠나보내고 그 혼자서 어떻게 살아왔는지 듣고 싶었다. 혹시 그 이야기 속에서 자그마한 위로를 찾지 않을까 싶은 마음으로.

"여기서 주무시면 몸이 상합니다."

김 실장은 이제 진혁의 집까지 드나들었다. 황남윤에게

서, 진혁이 혹여나 잘못된 선택을 저지르지 못하도록 감시해 달라는 부탁을 받았기 때문이었다.

차진혁은 쓰게 웃었다. 황남윤은 절대 알지 못하리라. 지금 진혁의 삶을 지탱하고 있는 건, 권력이나 사랑, 그 어떤 것도 아니었다.

단 한 가지 약속만이 진혁의 목숨줄을 겨우 이 땅에 붙들어 놓았다.

'그러니까, 잘 살아요. 죽은 그 아이 몫까지. 나도, 당신도…… 다 잊고 살아요.'

'그게 우리한테 시간을 되돌려 준 그 아이의 선물일 거예요.'

제 죽음이 어떤 식으로든 세희에게 영향을 줄까 봐, 그 이유로 진혁은 제대로 죽지도 살지도 못한 채 이 시간에 고여 있었다. 세희는 그만 시간을 따라 흘러가라고 했지만, 그는 도저히 그럴 수가 없었다.

대신 늦게나마 잃어버렸던 아이를 향해 속죄하는 마음으로 하루를 견뎠다. 어리석은 자신을 대신하여, 사랑스러운 엄마에게 한 번의 기회를 내어 준 아이에게 감사했다.

"후원 목록 정리하였습니다. 이번에는 경기도 근처의 보육원 다섯 군데도 추가했습니다."

그래서 진혁은 아이들을 후원하기 시작했다. 부모를 잃고, 가족 없이 살아가는 아이들이 성장하는 모습을 지켜보며 남은 삶을 소진하고 싶었다. 잃어버렸던 그 아이도 기뻐하리라 생각했다.

"참, 그리고……."

김 실장이 옆구리에 끼워 둔 가방을 열고 무언가를 꺼냈다. 편지 뭉치와 조잡하게 만든 책갈피였다. 책갈피에는 꽃과 나비 그림이 알록달록하게 그려져 있었다.

"지난번 후원했던 아이 중 하나가 편지를 보냈습니다. 어떻게든 꼭 전해 달라고 부탁을 받아서…… 제가 따로 처리할까요?"

차진혁은 가만히 편지 뭉치를 바라보았다. 어떤 아이인지 금방 알 수 있었다. 보육원 마당으로 들어가자마자 가장 먼저 마주쳤던 그 아이. 문세희를 닮아 까만 머리에 까만 눈을 지닌 아이였다.

편지 봉투에 아이가 자신의 얼굴을 그려 놓은 게 보이자 실없는 미소가 새어 나왔다. 나중에 만나면, 좀 더 좋은 색연필을 선물해 주는 게 좋겠다는 생각도 들었다.

"아뇨, 거기 두고 가세요."

김 실장이 고개를 끄덕이며 근처 탁자에 편지 뭉치를 내려 두었다. 그 순간, 진혁은 무언가를 발견하고서 입을 열었다.

"김 실장님."

"네?"

"편지에 붙은 건 뭡니까?"

그제야 김 실장도 가장 위에 있는 편지에서 테이프로 붙여 둔 무언가를 발견했다. 아차 싶은 얼굴로, 그는 못다 한 설명을 보탰다.

"그 아이가 먹으라면서 붙여 둔 사탕입니다."

"이리 주세요."

"네?"

뜻밖의 말에 되물은 김 실장이 놀라서 쳐다보았다. 진혁은 무감한 표정 그대로 오른손을 뻗었다. 김 실장은 의아한 눈빛을 숨기고, 재빠르게 편지에서 사탕을 뜯어내 건네주었다.

자그마한 사탕을 이리저리 살펴보던 진혁이 픽 미소 지었다.

"청포도 사탕이네요."

김 실장이 슬그머니 고개를 내민 다음, 작게 웃었다.

"아, 정말이군요."

"저도 예전에 몇 번 먹었죠."

진혁은 짧게 설명하며 봉지를 뜯어냈다. 바깥 날씨가 더운 탓인지, 사탕은 끈적하게 봉지 겉면에 묻어났다. 바스락거리는 봉지를 완전히 뜯어낸 다음, 진혁은 그것을 입에 넣었다.

"여전히 너무 달고……."

머릿속을 스치는 두 가지 추억이 그를 잠식했다. 진혁은 지그시 눈을 감고서 입 안의 사탕을 살며시 굴렸다. 혀끝에 스며드는 단물이 끈적하고 눅진했다.

"……또 쓰네요."

평생 그를 따라붙었던 기억만큼, 앞으로도 그의 곁을 맴돌게 될 미련만큼.

〈나랑 해요, 도련님〉 完

나랑 해요, 도련님 2

초판 1쇄 인쇄 2022년 1월 14일
초판 1쇄 발행 2022년 1월 26일

지은이 ㅣ 린혜
펴낸이 ㅣ 신현호
편집장 ㅣ 예숙영
편집 ㅣ 최은지
편집디자인 ㅣ 한방울
영업 ㅣ 김민원
물류 ㅣ 이순우 박찬수

펴낸곳 ㈜디앤씨미디어
출판등록 2002년 5월 1일 제117-90-51792호
주소 서울시 구로구 디지털로 26길 111 JnK디지털타워 503호
대표전화 (02)333-2513 팩스 (02)333-2514
전자우편 dncbooks@dncmedia.co.kr
디앤씨북스 블로그 http://blog.naver.com/dncbooks

ISBN 979-11-264-5935-3 04810
ISBN 979-11-264-5933-9 (SET)